LE COUSIN PONS

ŒUVRES D'HONORÉ DE BALZAC

HONORÉ DE BALZAC

Le cousin Pons

PRÉSENTÉ PAR

ANTOINE BLONDIN

LE LIVRE DE POCHE

PRÉFACE

En 1846, Balzac ignore qu'il ne lui reste guère que quatre années à vivre. Aux approches de la cinquantaine, il se présente encore comme un tonneau effervescent plein de fermentations et de projets, un foudre d'activité. Il entreprend la publication du *Cousin Pons* qui va s'inscrire à la rubrique des *Parents pauvres* dans les *Scènes de la Vie parisienne*. Son œuvre, dont la plupart des personnages sont maintenant « parvenus » dans tous les sens du terme, doit infléchir sa trajectoire.

L'auteur pose un instant la plume. Il ne la reprendra plus. Et « La Comédie humaine » se suspend, sans s'achever, sur cette dernière histoire, d'une mélancolie prémonitoire, où la société précipite au trépas ceux qui ne lui sont pas adaptés.

Vers cette époque, les choses chancelantes de la vie se détraquent autour de Balzac avec une férocité accrue. A Dresde, Mme Hanska met au monde un enfant mort-né, Victor-Honoré. C'est un coup terrible porté au romancier par un destin qui s'acharne à lui refuser une épouse et un fils, le livre à la solitude nocturne dans son froc de bure. Pour l' « Etrangère », il aménage une maison rue Fortunée, où il engloutit précisément une fortune, et la supplie de venir le rejoindre. Elle ne sait pas se dérober aux pressions de sa famille. Par deux fois, Balzac doit accomplir le voyage d'Ukraine pour tâcher de la convaincre. Entre-temps, il se fait battre aux élections de 1848 et se présente en vain à l'Académie. Sous les coups de ces divers échecs, l'élan vital commence à retomber. Bientôt la fatigue le prend. Il meurt de fatigue. Il meurt en 1850, deux mois après avoir fini par épouser Mme Hanska avec cette obstination qu'apportent les hommes de génie à laisser des veuves en veilleuse à leur chevet. Peut-être la mort du Cousin Pons et celle de son ami Schmucke l'ont-elles instruit : Balzac se refuse à une issue balzacienne. Il s'éloigne sur un baiser.

Sans mettre délibérément un point final à « La Comédie humaine », *Le Cousin Pons* tire de sa situation chronologique un éclairage sous lequel il est tentant de l'envisager. Tout se passe comme si, au terme de son ouvrage, l'écrivain avait tenté d'opposer à l'univers dont il avait déterminé les ressorts, les mœurs et les lois, deux êtres privilégiés dont l'amitié eût esquissé l'éventualité d'une oasis, aussitôt dévastée par les meutes inexorables de l'intérêt et de l'ambition.

Sylvain Pons n'a fait jusqu'ici que de furtives apparitions dans l'écheveau de « La Comédie humaine » mais il est de la famille. Il émarge par quelque parenté à ce quadrilatère sacré délimité par le Marais, les Boulevards, les Tuileries et la Concorde, où se nouent les drames d'une ville et d'un peuple « magnifiques et terrifiants ». Néanmoins, lorsqu'il débouche, un soir d'octobre 1844, sur la place de la Bourse, il n'exprime que la solitude et le désarroi. Sa silhouette même, aux yeux d'une société qui a choisi de sacrifier la noblesse d'âme à l'efficacité, possède l'éloquence d'un hiéroglyphe. On y déchiffre toutes les nostalgies de l'Empire. Sa démarche, sous son accoutrement anachronique,

est celle d'un demi-solde de la douceur de vivre. Ce
garçon de soixante ans, enfant de vieux, vieux lui-même,
d'une laideur qui force le respect et d'une propreté re-
poussante, reflète tout à la fois le dénuement, l'affliction
et la timidité. On sent d'entrée de jeu qu'il appartient
au clan, cher à l'auteur, des esprits fins et sensibles
promis aux agressions jalouses des esprits inférieurs et
brutaux.

Ce qui distingue Pons, c'est la sensualité très particulière où il baigne et les modes de refuge qu'ont
adoptés ses appétits. Compositeur et professeur de musique, ancien lauréat du Prix de Rome, il a connu
quelque vogue au début de sa carrière avant d'être re-
légué dans l'emploi de chef d'orchestre d'un théâtre
de second ordre. Mais il reste formé à l'art et puisque
sa laideur lui interdit le contact immédiat avec les
beautés réelles, il accorde sa sensibilité, qui est grande,
aux chefs-d'œuvre idéaux. Petit à petit, à force de patience et de flair, investissant le peu d'argent qu'il
gagne dans ses trouvailles, il a constitué des collections
d'objets, de bijoux et de tableaux, dont il ignore la
valeur mais dont la seule vue le transfigure. Cette passion essentielle et minime, dévorante pourtant, et où
l'on retrouve l'écho des démarches auxquelles Balzac se
livrait au même moment pour aménager la rue Fortunée, cette manie de thésauriser le bric-à-brac n'est
contrebattue que par sa gourmandise. Encore celle-ci
touche-t-elle moins aux satisfactions de la chère qu'aux
fascinations de la table. Longtemps invité, lorsqu'on
l'espérait au pinacle, Pons est devenu un pique-assiette,
les pierres blanches de son agenda portent des noms
de cuisiniers. Il n'est point de concessions à quoi il ne
se prête pour voir son couvert mis dans les maisons
où il s'astreint à se rendre indispensable par de menus

services et le plus lourd de sa tristesse lui vient des « capitulations infâmes » qu'il s'autorise pour ne pas rompre avec la société qui le nourrit, ou mieux qui le réchauffe.

J'ai longtemps vécu dans la proximité d'un être qui réalisait cette alliance subtile entre le collectionneur et le gastronome, l'homme de goût pour les objets impérissables et l'homme de goût pour les denrées de l'instant, confondus dans la même acception du mot « artiste ». Il honorait la vie. Mais c'était un individu en relief là où Pons est un personnage en creux, dont la longueur d'onde annonce la vulnérabilité. Seul, l'artifice des habitudes le maintient dans le train du monde. La fête tourne malgré lui, elle pourrait tourner sans lui.

L'histoire, comme dans un roman de Marcel Aymé, commence précisément un jour où la vie quotidienne se dérègle. Pons, qui escomptait un dîner de ses cousins Camusot de Marville, se voit refuser l'accès de leur salle à manger. Comprenant qu'on le considère comme « une variété du pauvre », il rentre amèrement chez lui en proclamant cette résolution, admirable chez un parasite : « Je ne veux plus aller nulle part sans invitation. » Le malheur voudra qu'on le prenne au mot et que les portes se ferment devant lui. Soulignons ici la cohérence du monde balzacien où les personnages s'enrichissent et s'éclairent d'un ouvrage à l'autre, telle cette Mme Camusot que nous avons connue généreuse et avisée dans les vertes années du *Cabinet des Antiques* avant que l'ambition ne corrompe son caractère d'épouse d'un président de chambre arriviste par persuasion.

Voici donc Pons devant sa porte. On imagine la sordide nacelle d'un vieux garçon, le camp volant précaire d'un boulevardier fourbu, une caverne aux trésors dérisoires amassés en fatras. Il n'en est rien. Ce qui attend Pons, c'est le miracle, chaque jour entretenu, d'une amitié sublime.

Depuis quelques années, Pons vit avec un pianiste allemand nommé Schmucke, qu'on a déjà croisé dans de nombreuses antichambres de « La Comédie humaine », où il enseignait la musique aux demoiselles du Faubourg. C'est une figure d'une limpidité admirable, qui tire le sourire et les larmes. A tout Castor, il faut un Pollux, à tout Oreste un Pylade, Schmuck est le second émerveillé de ce leader touchant et fâlot qu'est le malheureux Pons. S'ils ont en commun la sensibilité et l'innocence, attentives et matérialistes chez Pons, rêveuses et idéalistes chez Schmucke, c'est à ce dernier que sont réservées les grandes délicatesses du cœur et l'abnégation. Dans ce couple qui n'est pas sans rappeler celui des *Deux Pigeons* de La Fontaine (et doublement pigeons comme on verra), il est celui qui ne s'ennuie pas au logis. Disponible pour la consolation et pour l'accueil, indulgent et béat devant les faiblesses du vieux troubadour frivole, il incarne l'image du stoïcisme en chaussons de lisière. Leur portière, Mme Cibot, sorte de Rubens moustachu, veille avec une jalousie bourrue de tricoteuse sur ce petit ménage dont l'ingénuité est à la merci de toutes les trahisons. Femme de ménage d'un ménage sans femme, elle régnera sur ces « célibataires » aussi démunis que ceux de Montherlant jusqu'au jour où elle passera dans le camp ennemi. Car cette candide et frêle forteresse va subir de terribles assauts...

L'enjeu en est la collection insoupçonnée de Pons. Alors que celui-ci est tout à sa nostalgie des cérémonies aux chandelles et se languit à l'évocation des « plats couverts », orgueil d'un souper, des orages s'amoncellent autrement périlleux que les nuées mélancoliques d'une table sans aventure, et qui vont faire d'un malade un moribond. Balzac nous en prévient au milieu de son récit :

« Ici commence le drame, ou, si vous voulez, la comédie terrible de la mort d'un célibataire livré par la force des choses à la rapacité des natures cupides qui se groupent à son lit, et qui, dans ce cas, eurent pour auxiliaires la passion la plus vive, celle d'un tableaumane; l'avidité du sieur Fraisier, qui, vu dans sa caverne, va vous faire frémir; et la soif d'un Auvergnat capable de tout, même d'un crime, pour se faire un capital. »

Au départ de cette course au trésor, qui revêt la cruauté d'une chasse à courre, nous retrouvons les noires humeurs qui circulent dans « La Comédie humaine » et la plupart des visages hallucinants que Balzac a tirés de son observation presque délirante de la Société. Mais une musique s'est fait entendre, qui survit à l'hallali proclamant l'échec de la solitude. Un homme qui posséda des maisons, des maîtresses, mais dont on ne saurait citer aucun véritable ami, a murmuré l'amitié d'une façon déchirante. Après quatre-vingts romans de conquête, mettant en jeu la possession du monde, il a écrit un dernier roman de défense et préconisé la nécessité de s'unir et de s'aimer. « J'aime mieux le pauvre ménage d'un homme de cœur qui a pleuré Pons, que les Tuileries avec des hommes à face de tigres », dira le pauvre Schmucke avant de mourir lui-même. On peut mesurer le chemin parcouru et combien nous sommes loin du « Paris, à nous deux! » de Rastignac.

Alain remarquait que les personnages de Balzac vont par séries : de Marsay, Rastignac, Rubempré, d'Arthez;

ou bien : Vandenesse, Malin, Massol; ou encore ; de Maufrigneuse, d'Espard, de Rochefide...

Pons et Schmucke sont uniques. Et s'il est vrai que Balzac guérisse de misanthropie, c'est surtout à travers eux.

A. Blondin

Vers trois heures de l'après-midi, dans le mois d'octobre de l'année 1844, un homme âgé d'une soixantaine d'années, mais à qui tout le monde eût donné plus que cet âge, allait le long du boulevard des Italiens, le nez à la piste, les lèvres papelardes, comme un négociant qui vient de conclure une excellente affaire, ou comme un garçon content de lui-même au sortir d'un boudoir. C'est à Paris la plus grande expression connue de la satisfaction personnelle chez l'homme. En apercevant de loin ce vieillard, les personnes qui sont là tous les jours assises sur des chaises, livrées au plaisir d'analyser les passants, laissaient toutes poindre dans leurs physionomies ce sourire particulier aux gens de Paris, et qui dit tant de choses ironiques, moqueuses ou compatissantes, mais qui, pour animer le visage du Parisien, blasé sur tous les spectacles possibles, exigent de hautes curiosités vivantes. Un mot fera comprendre et la valeur

archéologique de ce bonhomme et la raison du
sourire qui se répétait comme un écho dans tous
les yeux. On demandait à Hyacinthe, un acteur
célèbre par ses saillies, où il faisait faire les chapeaux à la vue desquels la salle pouffe de rire :
« Je ne les fais point faire, je les garde! » répondit-il. Eh bien, il se rencontre dans le million
d'acteurs qui composent la grande troupe de Paris, des Hyacinthes sans le savoir qui gardent sur
eux tous les ridicules d'un temps, et qui vous
apparaissent comme la personnification de toute
une époque pour vous arracher une bouffée de
gaieté quand vous vous promenez en dévorant
quelque chagrin amer causé par la trahison d'un
ex-ami.

En conservant dans quelques détails de sa mise
une fidélité *quand même* aux modes de l'an 1806,
ce passant rappelait l'Empire sans être par trop
caricature. Pour les observateurs, cette finesse rend
ces sortes d'évocations extrêmement précieuses.
Mais cet ensemble de petites choses voulait l'attention analytique dont sont doués les connaisseurs en flâneries; et, pour exciter le rire à distance, le passant devait offrir une de ces énormités
à crever les yeux, comme on dit, et que les acteurs
recherchent pour assurer le succès de leurs *entrées*.
Ce vieillard, sec et maigre, portait un spencer
couleur noisette sur un habit verdâtre à boutons
de métal blanc!... Un homme en spencer, en 1844,
c'est, voyez-vous, comme si Napoléon eût daigné
ressusciter pour deux heures.

Le spencer fut inventé, comme son nom l'indique, par un lord sans doute vain de sa jolie taille. Avant la paix d'Amiens, cet Anglais avait résolu le problème de couvrir le buste sans assommer le corps par le poids de cet affreux carrick qui finit aujourd'hui sur le dos des vieux cochers de fiacre; mais comme les fines tailles sont en minorité, la mode du spencer pour homme n'eut en France qu'un succès passager, quoique ce fût une invention anglaise. A la vue du spencer, les gens de quarante à cinquante ans revêtaient par la pensée ce monsieur de bottes à revers, d'une culotte de casimir vert-pistache à nœud de rubans, et se revoyaient dans le costume de leur jeunesse! Les vieilles femmes se remémoraient leurs conquêtes! Quant aux jeunes gens, ils se demandaient pourquoi ce vieil Alcibiade avait coupé la queue à son paletot. Tout concordait si bien à ce spencer que vous n'eussiez pas hésité à nommer ce passant un homme-Empire, comme on dit un meuble-Empire; mais il ne symbolisait l'Empire que pour ceux à qui cette magnifique et grandiose époque est connue, au moins *de visu;* car il exigeait une certaine fidélité de souvenirs quant aux modes. L'Empire est déjà si loin de nous, que tout le monde ne peut pas se le figurer dans sa réalité gallo-grecque.

Le chapeau mis en arrière découvrait presque tout le front avec cette espèce de crânerie par laquelle les administrateurs et les pékins essayèrent alors de répondre à celle des militaires. C'était

d'ailleurs un horrible chapeau de soie à quatorze
francs, aux bords intérieurs duquel de hautes et
larges oreilles imprimaient des marques blan-
châtres, vainement combattues par la brosse. Le
tissu de soie mal appliqué, comme toujours, sur le
carton de la forme, se plissait en quelques endroits,
et semblait être attaqué de la lèpre, en dépit de
la main qui le pansait tous les matins.

Sous ce chapeau, qui paraissait près de tomber,
s'étendait une de ces figures falotes et drolatiques
comme les Chinois seuls en savent inventer pour
leurs magots. Ce vaste visage percé comme une
écumoire, où les trous produisaient des ombres,
et refouillé comme un masque romain, démentait
toutes les lois de l'anatomie. Le regard n'y sentait
point de charpente. Là où le dessin voulait des
os, la chair offrait des méplats gélatineux, et là
où les figures présentent ordinairement des creux,
celle-là se contournait en bosses flasques. Cette face
grotesque, écrasée en forme de potiron, attristée
par des yeux gris surmontés de deux lignes rouges
au lieu de sourcils, était commandée par un nez
à la Don Quichotte, comme une plaine est domi-
née par un bloc erratique. Ce nez exprime, ainsi
que Cervantes avait dû le remarquer, une disposition native à ce dévouement aux grandes choses
qui dégénère en duperie. Cette laideur, poussée
tout au comique, n'excitait cependant point le
rire. La mélancolie excessive qui débordait par les
yeux pâles de ce pauvre homme atteignait le mo-
queur et lui glaçait la plaisanterie sur les lèvres.

On pensait aussitôt que la nature avait interdit à ce bonhomme d'exprimer la tendresse, sous peine de faire rire une femme ou de l'affliger. Le Français se tait devant ce malheur, qui lui paraît le plus cruel de tous les malheurs : ne pouvoir plaire!

Cet homme si disgracié par la nature était mis comme le sont les pauvres de la bonne compagnie, à qui les riches essaient assez souvent de ressembler. Il portait des souliers cachés par des guêtres, faites sur le modèle de celles de la garde impériale, et qui lui permettaient sans doute de garder les mêmes chaussettes pendant un certain temps. Son pantalon en drap noir présentait des reflets rougeâtres, et sur les plis des lignes blanches ou luisantes qui, non moins que la façon, assignaient à trois ans la date de l'acquisition. L'ampleur de ce vêtement déguisait assez mal une maigreur provenue plutôt de la constitution que d'un régime pythagoricien; car le bonhomme, doué d'une bouche sensuelle à lèvres lippues, montrait en souriant des dents blanches dignes d'un requin. Le gilet à châle, également en drap noir, mais doublé d'un gilet blanc sous lequel brillait en troisième ligne le bord d'un tricot rouge, vous remettait en mémoire les cinq gilets de Garat. Une énorme cravate en mousseline blanche dont le nœud prétentieux avait été cherché par un Beau pour charmer les *femmes charmantes* de 1809, dépassait si bien le menton que la figure semblait s'y plonger comme dans un abîme. Un cordon de soie tressée, jouant les cheveux, traversait la chemise et protégeait la montre contre un vol improbable. L'habit verdâtre, d'une propreté remarquable, comptait quelque trois ans de plus que le pantalon; mais le collet en velours noir et les boutons en métal blanc récemment renouvelés trahissaient les soins domestiques poussés jusqu'à la minutie.

Cette manière de retenir le chapeau par l'occiput, le triple gilet, l'immense cravate où plongeait le menton, les guêtres, les boutons de métal sur l'habit verdâtre, tous ces vestiges des modes impériales s'harmonisaient aux parfums arriérés de la coquetterie des Incroyables, à je ne sais quoi de menu dans les plis, de correct et de sec dans l'ensemble, qui sentait l'école de David, qui rappelait les meubles grêles de Jacob. On reconnaissait d'ailleurs à la première vue un homme bien élevé en proie à quelque vice secret, ou l'un de ces petits rentiers dont toutes les dépenses sont si nettement déterminées par la médiocrité du revenu, qu'une vitre cassée, un habit déchiré, ou la peste philanthropique d'une quête, suppriment leurs menus plaisirs pendant un mois. Si vous eussiez été là, vous vous seriez demandé pourquoi le sourire animait cette figure grotesque dont l'expression habituelle devait être triste et froide, comme celle de tous ceux qui luttent obscurément pour obtenir les triviales nécessités de l'existence. Mais en remarquant la précaution maternelle avec laquelle ce vieillard singulier tenait de sa main droite un

objet évidemment précieux, sous les deux basques
gauches de son double habit, pour le garantir des
chocs imprévus; en lui voyant surtout l'air affairé
que prennent les oisifs chargés d'une commission
vous l'auriez soupçonné d'avoir trouvé quelque
chose d'équivalent au bichon d'une marquise et de
l'apporter triomphalement, avec la galanterie em-
pressée d'un homme-Empire, à la charmante
femme de soixante ans qui n'a pas encore su renoncer à la visite journalière de son *attentif*. Paris
est la seule ville au monde où vous rencontriez
de pareils spectacles, qui font de ses boulevards
un drame continu joué gratis par les Français,
au profit de l'Art.

D'après le galbe de cet homme osseux, et malgré
son hardi spencer, vous l'eussiez difficilement classé
parmi les artistes parisiens, nature de convention
dont le privilège, assez semblable à celui du gamin
de Paris, est de réveiller dans les imaginations
bourgeoises les jovialités les plus mirobolantes,
puisqu'on a remis en honneur ce vieux mot drolatique. Ce passant était pourtant un grand prix,
l'auteur de la première cantate couronnée à l'Ins-
titut, lors du rétablissement de l'Académie de
Rome, enfin M. Sylvain Pons!... l'auteur de célèbres romances roucoulées par nos mères, de deux
ou trois opéras joués en 1815 et 1816, puis, de
quelques partitions inédites. Ce digne homme finissait chef d'orchestre à un théâtre des boulevards. Il était, grâce à sa figure, professeur dans
quelques pensionnats de demoiselles, et n'avait pas

d'autres revenus que ses appointements et ses ca-
chets. Courir le cachet à cet âge!... Combien de
mystères dans cette situation peu romanesque!

Ce dernier porte-spencer portait donc sur lui
plus que les symboles de l'Empire, il portait encore un grand enseignement écrit sur ses trois
gilets. Il montrait gratis une des nombreuses victimes du fatal et funeste système nommé Concours
qui règne encore en France après cent ans de
pratique sans résultat. Cette presse des intelligences fut inventée par Poisson de Marigny, le
frère de Mme de Pompadour, nommé, vers 1746,
directeur des Beaux-Arts. Or, tâchez de compter
sur vos doigts les gens de génie fournis depuis un
siècle par les lauréats? D'abord, jamais aucun effort administratif ou scolaire ne remplacera les
miracles du hasard auquel on doit les grands
hommes. C'est, entre tous les mystères de la géné-
ration, le plus inaccessible à notre ambitieuse
analyse moderne. Puis, que penseriez-vous des
Égyptiens qui, dit-on, inventèrent des fours pour
faire éclore des poulets, s'ils n'eussent point immédiatement donné la becquée à ces mêmes poulets?
Ainsi se comporte cependant la France qui tâche
de produire des artistes par la serre chaude du
Concours; et, une fois le statuaire, le peintre, le
graveur, le musicien obtenus par ce procédé mé-
canique, elle ne s'en inquiète pas plus que le
dandy ne se soucie le soir des fleurs qu'il a mises
à sa boutonnière. Il se trouve que l'homme de
talent est Greuze ou Watteau, Félicien David ou

Pagnest, Géricault ou Decamps, Auber ou David
d'Angers, Eugène Delacroix ou Meissonier, gens
peu soucieux des grands prix et poussés en pleine
terre sous les rayons de ce soleil invisible, nommé
la Vocation.

Envoyé par l'Etat à Rome, pour devenir un
grand musicien, Sylvain Pons en avait rapporté
le goût des antiquités et des belles choses d'art.
Il se connaissait admirablement en tous ces travaux, chefs-d'œuvre de la main et de la Pensée,
compris depuis peu dans ce mot populaire, le Bric-
à-Brac. Cet enfant d'Euterpe revint donc à Paris,
vers 1810, collectionneur féroce, chargé de tableaux, de statuettes, de cadres, de sculptures en
ivoire, en bois, d'émaux, porcelaines, etc., qui,
pendant son séjour académique à Rome, avaient
absorbé la plus grande partie de l'héritage pater-
nel, autant par les frais de transport que par les
prix d'acquisition. Il avait employé de la même
manière la succession de sa mère durant le voyage
qu'il fit en Italie, après ces trois ans officiels passés
à Rome. Il voulut visiter à loisir Venise, Milan,
Florence, Bologne, Naples, séjournant dans chaque
ville en rêveur, en philosophe, avec l'insouciance
de l'artiste qui, pour vivre, compte sur son talent,
comme les filles de joie comptent sur leur beauté.
Pons fut heureux pendant ce splendide voyage
autant que pouvait l'être un homme plein d'âme
et de délicatesse, à qui sa laideur interdisait *des
succès auprès des femmes,* selon la phrase consa-
crée en 1809, et qui trouvait les choses de la vie

toujours au-dessous du type idéal qu'il s'en était
créé; mais il avait pris son parti sur cette discor-
dance entre le son de son âme et les réalités. Ce
sentiment du beau, conservé pur et vif dans son
cœur, fut sans doute le principe des mélodies ingé-
nieuses, fines, pleines de grâce qui lui valurent
une réputation de 1810 à 1814. Toute réputation
qui se fonde en France sur la vogue, sur la mode,
sur les folies éphémères de Paris, produit des Pons.
Il n'est pas de pays où l'on soit si sévère pour les
grandes choses, et si dédaigneusement indulgent
pour les petites. Bientôt noyé dans les flots d'harmonie allemande, et dans la production rossi-
nienne, si Pons fut encore, en 1824, un musicien
agréable et connu par quelques dernières romances, jugez de ce qu'il pouvait être en 1831!
Aussi, en 1844, l'année où commença le seul drame
de cette vie obscure, Sylvain Pons avait-il atteint à
la valeur d'une croche antédiluvienne; les marchands de musique ignoraient complètement son
existence, quoi qu'il fît à des prix médiocres la
musique de quelques pièces à son théâtre et aux
théâtres voisins.

Ce bonhomme rendait d'ailleurs justice aux fameux maîtres de notre époque; une belle exécution de quelques morceaux d'élite le faisait pleurer; mais sa religion n'arrivait pas à ce point où
elle frise la manie, comme chez les Kreisler d'Hoffmann; il n'en laissait rien paraître, il jouissait en
lui-même à la façon des *Hatchischins* ou des Té-
riaskis. Le génie de l'admiration, de la compréhen-

sion, la seule faculté par laquelle un homme ordinaire devient le frère d'un grand poète, est si rare à Paris, où toutes les idées ressemblent à des voyageurs passant dans une hôtellerie, que l'on doit accorder à Pons une respectueuse estime. Le fait de l'insuccès du bonhomme peut sembler exorbitant, mais il avouait naïvement sa faiblesse relativement à l'harmonie : il avait négligé l'étude du Contre-point; et l'orchestration moderne, grandie outre mesure, lui parut inabordable au moment où, par de nouvelles études, il aurait pu se maintenir parmi les compositeurs modernes, devenir, non pas Rossini, mais Hérold. Enfin, il trouva dans les plaisirs du collectionneur de si vives compensations à la faillite de la gloire, que s'il lui eût fallu choisir entre la possession de ses curiosités et le nom de Rossini, le croirait-on? Pons aurait opté pour son cher cabinet. Le vieux musicien prati-quait l'axiome de Chenavard, le savant collection-neur de gravures précieuses, qui prétend qu'on ne peut avoir de plaisir à regarder un Ruysdaël, un Hobbéma, un Holbein, un Raphaël, un Murillo, un Greuze, un Sébastien del Piombo, un Giorgione, un Albert Dürer, qu'autant que le tableau n'a coûté que cinquante francs. Pons n'admettait pas d'acquisition au-dessus de cent francs; et, pour qu'il payât un objet cinquante francs, cet objet devait en valoir trois mille. La plus belle chose du monde, qui coûtait trois cents francs, n'existait plus pour lui. Rares avaient été les occasions, mais il possédait les trois éléments du succès : les jambes du cerf, le temps des flâneurs et la patience de l'Israélite.

Ce système, pratiqué pendant quarante ans, à Rome comme à Paris, avait porté ses fruits. Après avoir dépensé depuis son retour de Rome, environ deux mille francs par an, Pons cachait à tous les regards une collection de chefs-d'œuvre en tout genre dans le catalogue atteignait au fabuleux numéro 1907. De 1811 à 1816, pendant ses courses à travers Paris, il avait trouvé pour dix francs ce qui se paie aujourd'hui mille à douze cents francs. C'était des tableaux triés dans les quarante-cinq mille tableaux qui s'exposent par an dans les ventes parisiennes; des porcelaines de Sèvres, pâte tendre, achetées chez les Auvergnats, ces satellites de la Bande-Noire, qui ramenaient sur des charrettes les merveilles de la France-Pompadour. Enfin, il avait ramassé les débris du XVIIe et du XVIIIe siècle, en rendant justice aux gens d'esprit et de génie de l'école française, ces grands inconnus, les Lepautre, les Lavallée-Poussin, etc., qui ont créé le genre Louis XV, le genre Louis XVI, et dont les œuvres défraient aujourd'hui les prétendues inventions de nos artistes, incessamment courbés sur les trésors du Cabinet des Estampes pour faire du nouveau en faisant d'adroits pastiches. Pons devait beaucoup de morceaux à ces échanges, bonheur ineffable des collectionneurs! Le plaisir d'acheter des curiosités n'est que le second, le premier, c'est de les brocanter. Le premier, Pons avait collectionné les tabatières et les

miniatures. Sans célébrité dans la Bricabraquolo-
gie, car il ne hantait pas les ventes, il ne se montrait pas chez les illustres marchands, Pons ignorait
la valeur vénale de son trésor.

Feu Dusommerard avait bien essayé de se lier
avec le musicien; mais le prince du Bric-à-Brac
mourut sans avoir pu pénétrer dans le musée Pons,
le seul qui pût être comparé à la célèbre collection Sauvageot. Entre Pons et M. Sauvageot, il se
rencontrait quelques ressemblances. M. Sauvageot,
musicien comme Pons, sans grande fortune aussi,
a procédé de la même manière, par les mêmes
moyens, avec le même amour de l'art, avec la
même haine contre ces illustres riches qui se font
des cabinets pour faire une habile concurrence
aux marchands. De même que son rival, son
émule, son antagoniste pour toutes ces œuvres de
la Main, pour ces prodiges du travail, Pons se
sentait au cœur une avarice insatiable, l'amour
de l'amant pour une belle maîtresse, et la *revente*,
dans les salles de la rue des Jeûneurs, aux coups
de marteau des commissaires priseurs, lui semblait
un crime de lèse-Bric-à-Brac. Il possédait son
musée pour en jouir à toute heure, car les âmes
créées pour admirer les grandes œuvres ont la
faculté sublime des vrais amants; ils éprouvent autant
de plaisir aujourd'hui qu'hier, ils ne se lassent jamais,
et les chefs-d'œuvre sont, heureusement, toujours
jeunes. Aussi l'objet tenu si paternellement devait-
il être une de ces trouvailles que l'on emporte,
avec quel amour! amateurs, vous le savez!

Aux premiers contours de cette esquisse biographique, tout le monde va s'écrier : « Voilà, malgré sa laideur, l'homme le plus heureux de la terre! » En effet, aucun ennui, aucun spleen ne résiste au moxa qu'on se pose à l'âme en se donnant une manie. Vous tous qui ne pouvez plus boire à ce que, dans tous les temps, on a nommé *la coupe du plaisir,* prenez à tâche de collectionner quoi que ce soit (on a collectionné des affiches!), et vous retrouverez le lingot du bonheur en petite monnaie. Une manie, c'est le plaisir passé à l'état d'idée! Néanmoins, n'enviez pas le bonhomme Pons, ce sentiment reposerait, comme tous les mouvements de ce genre, sur une erreur.

Cet homme, plein de délicatesse, dont l'âme vivait par une admiration infatigable pour la magnificence du Travail humain, cette belle lutte avec les travaux de la nature était l'esclave de celui des sept péchés capitaux que Dieu doit punir le moins sévèrement : Pons était gourmand. Son peu de fortune et sa passion pour le Bric-à-Brac lui commandaient un régime diététique tellement en horreur avec sa *gueule fine,* que le célibataire avait tout d'abord tranché la question en allant dîner tous les jours en ville. Or, sous l'Empire, on eut bien plus que de nos jours un culte pour les gens célèbres, peut-être à cause de leur petit nombre et de leur peu de prétentions politiques. On devenait poète, écrivain, musicien à si peu de frais! Pons, regardé comme le rival probable des Nicolo, des Paër et des Berton, reçut alors tant d'invitations, qu'il fut obligé de les écrire sur un agenda, comme les avocats écrivent leurs causes. Se comportant d'ailleurs en artiste, il offrait des exemplaires de ses romances à tous ses amphitryons, il *touchait le forte* chez eux, il leur apportait des loges à Feydeau, théâtre pour lequel il travaillait; il y organisait des concerts; il jouait même quelquefois du violon chez ses parents en improvisant un petit bal. Les plus beaux hommes de la France échangeaient en ce temps-là des coups de sabre avec les plus beaux hommes de la coalition; la laideur de Pons s'appela donc *originalité*, d'après la grande loi promulguée par Molière dans le fameux couplet d'Eliante. Quand il avait rendu quelque service à quelque *belle dame*, il s'entendit appeler quelquefois un homme charmant, mais son bonheur n'alla jamais plus loin que cette parole.

Pendant cette période, qui dura six ans environ, de 1810 à 1816, Pons contracta la funeste habitude de bien dîner, de voir les personnes qui l'invitaient se mettant en frais, se procurant des primeurs, débouchant leurs meilleurs vins, soignant le dessert, le café, les liqueurs, et le traitant de leur mieux, comme on traitait sous l'Empire, où beaucoup de maisons imitaient les splendeurs des rois, des reines, des princes dont regorgeait Paris. On jouait beaucoup alors à la royauté, comme on joue aujourd'hui à la Chambre en créant une foule de Sociétés à présidents, vice-présidents et secrétaires : Société linière, vinicole, séricicole, agricole, de l'industrie, etc. On est arrivé jusqu'à chercher des plaies sociales pour

constituer les guérisseurs en société! Un estomac
dont l'éducation se fait ainsi réagit nécessairement
sur le moral et le corrompt en raison de la haute
sapience culinaire qu'il acquiert. La Volupté, tapie
dans tous les plis du cœur, y parle en souveraine,
elle bat en brèche la volonté, l'honneur, elle veut
à tout prix sa satisfaction. On n'a jamais peint les
exigences de la Gueule, elles échappent à la critique
littéraire par la nécessité de vivre; mais on ne se
figure pas le nombre des gens que la Table a ruinés.
La Table est, à Paris, sous ce rapport, l'émule de la
courtisane; c'est, d'ailleurs, la Recette dont celle-ci
est la Dépense. Lorsque, d'invité perpétuel, Pons
arriva, par sa décadence comme artiste, à l'état de
pique-assiette, il lui fut impossible de passer de
ces tables si bien servies au brouet lacédémonien
d'un restaurant à quarante sous. Hélas! il lui prit
des frissons en pensant que son indépendance tenait
à de si grands sacrifices, et il se sentit capable des
plus grandes lâchetés pour continuer à bien vivre,
à savourer toutes les primeurs à leur date, enfin à
gobichonner (mot populaire, mais expressif) de bons
petits plats soignés. Oiseau picoreur, s'enfuyant le
gosier plein, et gazouillant un air pour tout remerciements, Pons éprouvait d'ailleurs un certain plaisir à bien vivre aux dépens de la société qui lui
demandait, quoi? de la monnaie de singe. Habitué
comme tous les célibataires qui ont le chez-soi en
horreur et vivent chez les autres, à ces formules, à
ces grimaces sociales par lesquelles on remplace les
sentiments dans le monde, il se servait des compli-

ments comme de menue monnaie; et, à l'égard des
personnes, il se contentait des étiquettes sans plonger une main curieuse dans les sacs.

Cette phase assez supportable dura dix autres
années; mais quelles années! Ce fut un automne
pluvieux. Pendant tout ce temps, Pons se maintint
gratuitement à table, en se rendant nécessaire dans
toutes les maisons où il allait. Il entra dans une
voie fatale en s'acquittant d'une multitude de commissions, en remplaçant les portiers et les domestiques dans mainte et mainte occasion. Préposé de
bien des achats, il devint l'espion honnête et innocent détaché d'une famille dans une autre; mais
on ne lui sut aucun gré de tant de courses et de
tant de lâchetés. — Pons est un garçon, disait-on,
il ne sait que faire de son temps, il est trop heureux
de trotter pour nous... Que deviendrait-il?

Bientôt se déclara la froideur que le vieillard
répand autour de lui. Cette bise se communique,
elle produit son effet dans la température morale,
surtout lorsque le vieillard est laid et pauvre.
N'est-ce pas être trois fois vieillard? Ce fut l'hiver
de la vie, l'hiver au nez rouge, aux joues hâves,
avec toutes sortes d'onglées!

De 1836 à 1843, Pons se vit invité rarement. Loin
de rechercher le parasite, chaque famille l'acceptait
comme on accepte un impôt; on ne lui tenait plus
compte de rien, pas même de ses services réels. Les
familles où le bonhomme accomplissait ses évolutions, toutes sans respect pour les arts, en adoration devant les résultats, ne prisaient que ce qu'elles

avaient conquis depuis 1830 : des fortunes ou des
positions sociales éminentes. Or, Pons n'ayant pas
assez de hauteur dans l'esprit ni dans les manières
pour imprimer la crainte que l'esprit ou le génie
cause au bourgeois, avait naturellement fini par
devenir moins que rien sans être néanmoins tout à
fait méprisé. Quoiqu'il éprouvât dans ce monde
de vives souffrances, comme tous les gens timides,
il les taisait. Puis, il s'était habitué par degrés à
comprimer ses sentiments, à se faire de son cœur
un sanctuaire où il se retirait. Ce phénomène, beaucoup de gens superficiels le traduisent par le mot
égoïsme. La ressemblance est assez grande entre le
solitaire et l'égoïste pour que les médisants paraissent avoir raison contre l'homme de cœur, surtout
à Paris, où personne dans le monde n'observe, où
tout est rapide comme le flot, où tout passe comme
un ministère!

Le cousin Pons succomba donc sous un acte
d'accusation d'égoïsme porté en arrière contre lui,
car le monde finit toujours par condamner ceux
qu'il accuse. Sait-on combien une défaveur immé-
ritée accable les gens timides? Qui peindra jamais
les malheurs de la Timidité! Cette situation, qui
s'aggravait de jour en jour davantage, explique la
tristesse empreinte sur le visage de ce pauvre musicien, qui vivait de capitulations infâmes. Mais les
lâchetés que toute passion exige sont autant de
liens; plus la passion en demande, plus elle vous
attache; elle fait de tous les sacrifices comme un
idéal trésor négatif où l'homme voit d'immenses

richesses. Après avoir reçu le regard insolemment
protecteur d'un bourgeois roide de bêtise, Pons
dégustait comme une vengeance le verre de vin de
Porto, la caille au gratin qu'il avait commencé de
savourer, se disant à lui-même : « Ce n'est pas
trop payé! »

Aux yeux du moraliste, il se rencontrait cependant en cette vie des circonstances atténuantes. En
effet, l'homme n'existe que par une satisfaction
quelconque. Un homme sans passion, le juste parfait, est un monstre, un demi-ange qui n'a pas
encore ses ailes. Les anges n'ont que des têtes dans
la mythologie catholique. Sur terre, le juste, c'est
l'ennuyeux Grandisson, pour qui la Vénus des car-
refours elle-même se trouverait sans sexe. Or, excepté les rares et vulgaires aventures de son voyage
en Italie, où le climat fut sans doute la raison de
ses succès, Pons n'avait jamais vu de femmes lui
sourire. Beaucoup d'hommes ont cette fatale destinée. Pons était monstre-né; son père et sa mère
l'avaient obtenu dans leur vieillesse, et il portait
les stigmates de cette naissance hors de saison sur
son teint cadavéreux qui semblait avoir été
contracté dans le bocal d'esprit-de-vin où la science
conserve certains fœtus extraordinaires. Cet artiste,
doué d'une âme tendre, rêveuse, délicate, forcé
d'accepter le caractère que lui imposait sa figure,
désespéra d'être jamais aimé. Le célibat fut donc
chez lui moins un goût qu'une nécessité. La gourmandise, le péché des moines vertueux, lui tendit
les bras; il s'y précipita comme il s'était précipité

dans l'adoration des œuvres d'art et dans son culte
pour la musique. La bonne chère et le Bric-à-Brac
furent pour lui la monnaie d'une femme; car la
musique était son état, et trouvez un homme qui
aime l'état dont il vit? A la longue, il en est d'une
profession comme du mariage, on n'en sent plus
que les inconvénients.

Brillat-Savarin a justifié par parti pris les goûts
des gastronomes; mais peut-être n'a-t-il pas assez
insisté sur le plaisir réel que l'homme trouve à table.
La digestion, en employant les forces humaines,
constitue un combat intérieur qui, chez les gastro-
lâtres, équivaut aux plus hautes jouissances de
l'amour. On sent un si vaste déploiement de la
capacité vitale, que le cerveau s'annule au profit
du second cerveau, placé dans le diaphragme, et
l'ivresse arrive par l'inertie même de toutes les facultés. Les boas gorgés d'un taureau sont si bien
ivres qu'ils se laissent tuer. Passé quarante ans,
quel homme ose travailler après son dîner?... Aussi
tous les grands hommes ont-ils été sobres. Les malades en convalescence d'une maladie grave, à qui
l'on mesure si chichement une nourriture choisie, ont
pu souvent observer l'espèce de griserie gastrique
causée par une seule aile de poulet. Le sage Pons,
dont toutes les jouissances étaient concentrées dans
le jeu de son estomac, se trouvait toujours dans la
situation de ces convalescents : il demandait à la
bonne chère toutes les sensations qu'elle peut
donner, et il les avait jusqu'alors obtenues tous les
jours. Personne n'ose dire adieu à une habitude.

Beaucoup de suicidés se sont arrêtés sur le seuil
de la Mort par le souvenir du café où ils vont jouer
tous les soirs leur partie de dominos.

En 1835, le hasard vengea Pons de l'indifférence
du beau sexe, il lui donna ce qu'on appelle, en style
familier, un bâton de vieillesse. Ce vieillard de
naissance trouva dans l'amitié un soutien pour sa
vie, il contracta le seul mariage que la société lui
permît de faire, il épousa un homme, un vieillard,
un musicien comme lui. Sans la divine fable de La
Fontaine, cette esquisse aurait eu pour titre *Les
deux Amis*. Mais n'eût-ce pas été comme un attentat
littéraire, une profanation devant laquelle tout véritable écrivain reculera? Le chef-d'œuvre de notre
fabuliste, à la fois confidence de son âme et l'histoire de ses rêves, doit avoir le privilège éternel de
ce titre. Cette page, au fronton de laquelle le poète
a gravé ces trois mots : *Les deux Amis,* est une de
ces propriétés sacrées, un temple où chaque géné-
ration entrera respectueusement et que l'univers
visitera, tant que durera la typographie.

L'ami de Pons était un professeur de piano, dont
la vie et les mœurs sympathisaient si bien avec les
siennes, qu'il disait l'avoir connu trop tard pour
son bonheur; car leur connaissance, ébauchée à une
distribution de prix, dans un pensionnat, ne datait
que de 1834. Jamais peut-être deux âmes ne se
trouvèrent si pareilles dans l'océan humain qui prit
sa source au paradis terrestre contre la volonté de
Dieu. Ces deux musiciens devinrent en peu de
temps l'un pour l'autre une nécessité. Réciproque-

ment confidents l'un de l'autre, ils furent en huit jours comme deux frères. Enfin Schmucke ne croyait pas plus qu'il pût exister un Pons, que Pons ne se doutait qu'il existât un Schmucke. Déjà, ceci suffirait à peindre ces deux braves gens, mais toutes les intelligences ne goûtent pas les brièvetés de la synthèse. Une légère démonstration est nécessaire pour les incrédules.

Ce pianiste, comme tous les pianistes, était un Allemand, Allemand comme le grand Liszt et le grand Mendelssohn, Allemand comme Steibelt, Allemand comme Mozart et Dusseck, Allemand comme Meyer, Allemand comme Dœlher, Allemand comme Thalberg, comme Dreschok, comme Hiller, comme Léopold Mayer, comme Crammer, comme Zimmerman et Kalkbrenner, comme Herz, Woëtz, Karr, Wolff, Pixis, Clara Wieck, et particulièrement tous les Allemands. Quoique grand compositeur, Schmucke ne pouvait être que démonstrateur, tant son caractère se refusait à l'audace nécessaire à l'homme de génie pour se manifester en musique. La naïveté de beaucoup d'Allemands n'est pas continue, elle a cessé; celle qui leur est restée à un certain âge, est prise, comme on prend l'eau d'un canal, à la source de leur jeunesse, et ils s'en servent pour fertiliser leur succès en toute chose, science, art ou argent, en écartant d'eux la défiance. En France, quelques gens fins remplacent cette naïveté d'Allemagne par la bêtise de l'épicier parisien. Mais Schmucke avait gardé toute sa naïveté d'enfant, comme Pons gardait sur lui les re-

liques de l'Empire, sans s'en douter. Ce véritable
et noble Allemand était à la fois le spectacle et les
spectateurs, il se faisait de la musique à lui-même.
Il habitait Paris, comme un rossignol habite sa
forêt, et il y chantait seul de son espèce, depuis
vingt ans, jusqu'au moment où il rencontra dans
Pons un autre lui-même. (Voir *Une Fille d'Eve*.)

Pons et Schmucke avaient en abondance, l'un
comme l'autre, dans le cœur et dans le caractère,
ces enfantillages de sentimentalité qui distinguent
les Allemands : comme la passion des fleurs; comme
l'adoration des effets naturels, qui les porte à planter de grosses bouteilles dans leurs jardins pour voir
en petit le paysage qu'ils ont en grand sous les
yeux; comme cette prédisposition aux recherches
qui fait faire à un savant germanique cent lieues
dans ses guêtres pour trouver une vérité qui le
regarde en riant, assise à la marge du puits sous
le jasmin de la cour; comme enfin ce besoin de prêter une signifiance psychique aux riens de la créa-
tion, qui produit les œuvres inexplicables de Jean-
Paul Richter, les griseries imprimées d'Hoffmann
et les garde-fous in-folio que l'Allemagne met autour des questions les plus simples, creusées en
manière d'abîmes, au fond desquels il ne se trouve
qu'un Allemand. Catholiques tous deux, allant à la
messe ensemble, ils accomplissaient leurs devoirs
religieux, comme des enfants n'ayant jamais rien
à dire à leurs confesseurs. Ils croyaient fermement
que la musique, la langue du ciel, était aux idées
et aux sentiments, ce que les idées et les sentiments

sont à la parole, et ils conversaient à l'infini sur ce
système, en se répondant l'un à l'autre par des or-
gies de musique pour se démontrer à eux-mêmes
leurs propres convictions, à la manière des amants.
Schmucke était aussi distrait que Pons était attentif. Si Pons était collectionneur, Schmucke était
rêveur; celui-ci éudiait les belles choses morales,
comme l'autre sauvait les belles choses matérielles.
Pons voyait et achetait une tasse de porcelaine pendant le temps que Schmucke mettait à se moucher,
en pensant à quelque motif de Rossini, de Bellini,
de Beethoven, de Mozart, et cherchant dans le
monde des sentiments où pouvait se trouver l'ori-
gine ou la réplique de cette phrase musicale.
Schmucke, dont les économies étaient administrées
par la distraction, Pons, prodigue par passion, arrivaient l'un et l'autre au même résultat : zéro dans
la bourse à la Saint-Sylvestre de chaque année.

Sans cette amitié, Pons eût succombé peut-être
à ses chagrins; mais dès qu'il eut un cœur où dé-
charger le sien, la vie devint supportable pour lui.
La première fois qu'il exhala ses peines dans le
cœur de Schmucke, le bon Allemand lui conseilla
de vivre comme lui, de pain et de fromage, chez
lui, plutôt que d'aller manger des dîners qu'on lui
faisait payer si cher. Hélas! Pons n'osa pas avouer
à Schmucke que, chez lui, le cœur et l'estomac
étaient ennemis, que l'estomac s'accommodait de ce
qui faisait souffrir le cœur, et qu'il lui fallait à tout
prix un bon dîner à déguster, comme à un homme
galant une maîtresse à... lutiner. Avec le temps,

Schmucke finit par comprendre Pons, car il était
trop Allemand pour avoir la rapidité d'observation
dont jouissent les Français, et il n'en aima que
mieux le pauvre Pons. Rien ne fortifie l'amitié
comme lorsque, de deux amis, l'un se croit supérieur à l'autre. Un ange n'aurait eu rien à dire
en voyant Schmucke, quand il se frotta les mains
au moment où il découvrit dans son ami l'intensité
qu'avait prise la gourmandise. En effet, le lendemain, le bon Allemand orna le déjeuner de frian-
dises qu'il alla chercher lui-même, et il eut soin
d'en avoir tous les jours de nouvelles pour son ami;
car depuis leur réunion ils déjeunaient tous les
jours ensemble au logis.

Il ne faudrait pas connaître Paris pour s'imaginer
que les deux amis eussent échappé à la raillerie
parisienne, qui n'a jamais rien respecté. Schmucke
et Pons, en mariant leurs richesses et leurs misères,
avaient eu l'idée économique de loger ensemble,
et ils supportaient également le loyer d'un appartement fort inégalement partagé, situé dans une
tranquille maison de la tranquille rue de Normandie, au Marais. Comme ils sortaient souvent ensemble, qu'ils faisaient souvent les mêmes boulevards côte à côte, les flâneurs du quartier les avaient
surnommés *les deux casse-noisettes*. Ce sobriquet
dispense de donner ici le portrait de Schmucke, qui
était à Pons ce que la *Nourrice de Niobé*, la fameuse
statue du Vatican, est à la *Vénus de la Tribune*.

Mme Cibot, la portière de cette maison, était le
pivot sur lequel roulait le ménage des deux casse-

noisettes; mais elle joue un si grand rôle dans le drame qui dénoua cette double existence, qu'il convient de réserver son portrait au moment de son entrée dans cette Scène.

Ce qui reste à dire sur le moral de ces deux êtres en est précisément le plus difficile à faire comprendre aux quatre-vingt-dix-neuf centièmes des lecteurs dans la quarante-septième année du XIXᵉ siècle, probablement à cause du prodigieux développement financier produit par l'établissement des chemins de fer. C'est peu de chose et c'est beaucoup. En effet, il s'agit de donner une idée de la délicatesse excessive de ces deux cœurs. Empruntons une image aux rails-ways, ne fût-ce que par façon de remboursement des emprunts qu'ils nous font. Aujourd'hui les convois en brûlant leurs rails y broient d'imperceptibles grains de sable. Introduisez ce grain de sable invisible pour les voyageurs dans leurs reins, ils ressentiront les douleurs de la plus affreuse maladie, la gravelle; on en meurt. Eh bien, ce qui, pour notre société lancée dans sa voie métallique avec une vitesse de locomotive, est le grain de sable invisible dont elle ne prend nul souci, ce grain incessamment jeté dans les fibres de ces deux êtres, et à tout propos, leur causait comme une gravelle au cœur. D'une excessive tendresse aux douleurs d'autrui, chacun d'eux pleurait de son impuissance; et, pour leurs propres sensations, ils étaient d'une finesse de sensitive qui arrivait à la maladie. La vieillesse, les spectacles continuels du drame parisien, rien n'avait endurci ces deux âmes fraîches, enfantines et pures. Plus ces deux êtres allaient, plus vives étaient leurs souffrances intimes. Hélas! il en est ainsi chez les natures chastes, chez les penseurs tranquilles et chez les vrais poètes qui ne sont tombés dans aucun excès.

Depuis la réunion de ces deux vieillards, leurs occupations, à peu près semblables, avaient pris cette allure fraternelle qui distingue à Paris les chevaux de fiacre. Levés vers les sept heures du matin en été comme en hiver, après leur déjeuner ils allaient donner leurs leçons dans les pensionnats où ils se suppléaient au besoin. Vers midi, Pons se rendait à son théâtre quand une répétition l'y appelait, et il donnait à la flânerie tous ses instants de liberté. Puis les deux amis se retrouvaient le soir au théâtre où Pons avait placé Schmucke. Voici comment.

Au moment où Pons rencontra Schmucke, il venait d'obtenir, sans l'avoir demandé, le bâton de maréchal des compositeurs inconnus, un bâton de chef d'orchestre! Grâce au comte Popinot, alors ministre, cette place fut stipulée pour le pauvre musicien, au moment où ce héros bourgeois de la Révolution de Juillet fit donner un privilège de théâtre à l'un de ces amis dont rougit un parvenu, quand, roulant en voiture, il aperçoit dans Paris un ancien camarade de jeunesse, triste-à-patte, sans sous-pieds, vêtu d'une redingote à teintes invraisemblables, et le nez à des affaires trop élevées pour des capitaux fuyards. Ancien commis voyageur, cet ami, nommé Gaudissart, avait été jadis fort utile au succès de la grande maison Popinot. Popinot, devenu comte, devenu pair de France, après avoir été deux fois ministre, ne renia point L'ILLUSTRE GAUDISSART! Bien plus, il voulut mettre le voyageur en position de renouveler sa garde-robe et de remplir sa bourse; car la politique, les vanités de la cour citoyenne n'avaient point gâté le cœur de cet ancien droguiste. Gaudissart, toujours fou des femmes, demanda le privilège d'un théâtre alors en faillite, et le ministre, en le lui donnant, eut soin de lui envoyer quelques vieux amateurs du beau sexe, assez riches pour créer une puissante commandite amoureuse de ce que cachent les maillots. Pons, parasite de l'hôtel Popinot, fut un appoint du privilège. La compagnie Gaudissart, qui fit d'ailleurs fortune, eut en 1834 l'intention de réaliser au Boulevard cette grande idée : un opéra pour le peuple. La musique des ballets et des pièces-féeries exigeaient un chef d'orchestre passable et quelque peu compositeur. L'administration à laquelle succédait la compagnie Gaudissart était depuis trop longtemps en faillite pour posséder un copiste. Pons introduisit donc Schmucke au théâtre en qualité d'entrepreneur des copies, métier obscur qui veut de sérieuses connaissances musicales. Schmucke, par le conseil de Pons, s'entendit avec le chef de ce service à l'Opéra-Comique, et n'en eut point les soins mécaniques. L'association de Schmucke et de Pons produisit un résultat merveilleux. Schmucke, très fort comme tous les Allemands sur l'harmonie, soigna l'instrumentation dans les partitions dont

le chant fut fait par Pons. Quand les connaisseurs
admirèrent quelques fraîches compositions qui ser-
virent d'accompagnement à deux ou trois grandes
pièces à succès, ils les expliquèrent par le mot
progrès, sans en chercher les auteurs. Pons et
Schmucke s'éclipsèrent dans la gloire, comme certaines personnes se noient dans leur baignoire. A
Paris, surtout depuis 1830, personne n'arrive sans
pousser, *quibuscumque viis*, et très fort, une masse
effrayante de concurrents; il faut alors beaucoup
trop de force dans les reins, et les deux amis avaient
cette gravelle au cœur, qui gêne tous les mouvements ambitieux.

Ordinairement Pons se rendait à l'orchestre de
son théâtre vers huit heures, heure à laquelle se
donnent les pièces en faveur, et dont les ouvertures
et les accompagnements exigeaient la tyrannie du
bâton. Cette tolérance existe dans la plupart des
petits théâtres; mais Pons était à cet égard d'autant plus à l'aise, qu'il mettait dans ses rapports
avec l'administration un grand désintéressement.
Schmucke suppléait d'ailleurs Pons au besoin. Avec
le temps, la position de Schmucke à l'orchestre
s'était consolidée. L'illustre Gaudissart avait reconnu, sans en rien dire, et la valeur et l'utilité
du collaborateur de Pons. On avait été obligé d'introduire à l'orchestre un piano comme aux grands
théâtres. Le piano, touché gratis par Schmucke, fut
établi auprès du pupitre du chef d'orchestre, où se
plaçait le surnuméraire volontaire. Quand on
connut ce bon Allemand, sans ambition ni préten-

tion, il fut accepté par tous les musiciens. L'administration, pour un modique traitement, chargea Schmucke des instruments qui ne sont pas représentés dans l'orchestre des théâtres du Boulevard, et qui sont souvent nécessaires, comme le piano, la viole d'amour, le cor anglais, le violoncelle, la harpe, les castagnettes de la cachucha, les sonnettes et les inventions de Sax, etc. Les Allemands, s'ils ne savent pas jouer des grands instruments de la Liberté, savent jouer naturellement de tous les instruments de musique.

Les deux vieux artistes, excessivement aimés au théâtre, y vivaient en philosophes. Ils s'étaient mis sur les yeux une taie pour ne jamais voir les maux inhérents à une troupe quand il s'y trouve un corps de ballet mêlé à des acteurs et des actrices, l'une des plus affreuses combinaisons que les nécessités de la recette aient créées pour le tourment des directeurs, des auteurs et des musiciens. Un grand respect des autres et de lui-même avait valu l'estime générale au bon et modeste Pons. D'ailleurs, dans toute sphère, une vie limpide, une honnêteté sans tache commandent une sorte d'admiration aux cœurs les plus mauvais. A Paris une belle vertu a le succès d'un gros diamant, d'une curiosité rare. Pas un acteur, pas un auteur, pas une danseuse, quelque effrontée qu'elle pût être, ne se serait permis la moindre mystification ou quelque mauvaise plaisanterie contre Pons ou contre son ami. Pons se montrait quelquefois au foyer; mais Schmucke ne connaissait que le chemin souterrain qui menait de

l'extérieur du théâtre à l'orchestre. Dans les entractes, quand il assistait à une représentation, le
bon vieux Allemand se hasardait à regarder la salle
et questionnait parfois la première flûte, un jeune
homme né à Strasbourg d'une famille allemande de
Kehl, sur les personnages excentriques dont sont
presque toujours garnies les avant-scènes. Peu à
peu l'imagination enfantine de Schmucke, dont
l'éducation sociale fut entreprise par cette flûte,
admit l'existence fabuleuse de la Lorette, la possibilité des mariages au treizième Arrondissement, les
prodigalités d'un premier sujet, et le commerce inter-
lope des ouvreuses. Les innocences du vice parurent
à ce digne homme le dernier mot des dépravations
babyloniennes, et il y souriait comme à des arabesques chinoises. Les gens habiles doivent comprendre que Pons et Schmucke étaient exploités,
pour se servir d'un mot à la mode; mais ce qu'ils
perdirent en argent, ils le gagnèrent en considération, en bons procédés.

Après le succès d'un ballet qui commença la rapide fortune de la compagnie Gaudissart, les directeurs envoyèrent à Pons un groupe en argent attribué à Benvenuto Cellini, dont le prix effrayant
avait été l'objet d'une conversation au foyer. Il
s'agissait de douze cents francs! Le pauvre honnête
homme voulut rendre ce cadeau! Gaudissart eut
mille peines à le lui faire accepter. « Ah! si nous
pouvions, dit-il à son associé, trouver des acteurs
de cet échantillon-là! » Cette double vie, si calme
en apparence, était troublée uniquement par le vice

auquel sacrifiait Pons, ce besoin féroce de dîner
en ville. Aussi, toutes les fois que Schmucke se
trouvait au logis quand Pons s'habillait, le bon
Allemand déplorait-il cette funeste habitude. « *Engore si ça l'encraissait!* » s'écriait-il souvent. Et
Schmucke rêvait au moyen de guérir son ami de
ce vice dégradant, car les amis véritables jouissent,
dans l'ordre moral, de la perfection dont est doué
l'odorat des chiens; ils flairent les chagrins de leurs
amis, ils en devinent les causes, ils s'en préoccu-
pent.

Pons, qui portait toujours, au petit doigt de la
main droite, une bague à diamant tolérée sous
l'Empire, et devenue ridicule aujourd'hui, Pons,
beaucoup trop troubadour et trop Français, n'offrait pas dans sa physionomie la sérénité divine qui
tempérait l'effroyable laideur de Schmucke. L'Allemand avait reconnu dans l'expression mélancolique
de la figure de son ami, les difficultés croissantes
qui rendaient ce métier de parasite de plus en plus
pénible. En effet, en octobre 1844, le nombre des
maisons où dînait Pons était naturellement très res-
treint. Le pauvre chef d'orchestre, réduit à par-
courir le cercle de la famille, avait, comme on va le
voir, beaucoup trop étendu la signification du mot
famille.

L'ancien lauréat était le cousin germain de la
première femme de M. Camusot, le riche marchand
de soieries de la rue des Bourdonnais, une demoiselle Pons, unique héritière d'un des fameux Pons
frères, les brodeurs de la cour, maison où le père

et la mère du musicien étaient commanditaires
après l'avoir fondée avant la Révolution de 1789, et
qui fut achetée par M. Rivet, en 1815, du père de
la première Mme Camusot. Ce Camusot, retiré
des affaires depuis dix ans, se trouvait en 1844
membre du Conseil général des Manufactures, député, etc. Pris en amitié par la tribu des Camusot,
le bonhomme Pons se considéra comme étant cousin
des enfants que le marchand de soieries eut de
son second lit, quoiqu'ils ne fussent rien, pas
même alliés.

La deuxième Mme Camusot étant une demoiselle
Cardot, Pons s'introduisit à titre de parent des Camusot dans la nombreuse famille des Cardot,
deuxième tribu bourgeoise, qui par ses alliances
formait toute une société non moins puissante que
celle des Camusot. Cardot le notaire, frère de la
seconde Mme Camusot, avait épousé une demoiselle
Chiffreville. La célèbre famille des Chiffreville, la
reine des produits chimiques, était liée avec la
grosse droguerie dont le coq fut pendant longtemps
M. Anselme Popinot que la Révolution de Juillet
avait lancé, comme on sait, au cœur de la politique
la plus dynastique. Et Pons de venir à la queue des
Camusot et des Cardot chez les Chiffreville; et de
là, chez les Popinot, toujours en qualité de cousin
des cousins.

Ce simple aperçu des dernières relations du vieux
musicien fait comprendre comment il pouvait être
encore reçu familièrement en 1844 : 1° Chez M. le
comte Popinot, pair de France, ancien ministre de

l'Agriculture et du Commerce; 2° Chez M. Cardot, ancien notaire, maire et député d'un arrondissement de Paris; 3° Chez le vieux M. Camusot, député, membre du Conseil municipal de Paris et du Conseil général des Manufactures, en route vers la pairie; 4° Chez M. Camusot de Marville, fils du premier lit, et partant le vrai, le seul cousin réel de Pons, quoique petit-cousin.

Ce Camusot, qui, pour se distinguer de son père et de son frère du second lit, avait ajouté à son nom celui de la terre de Marville, était, en 1844, président de Chambre à la Cour royale de Paris.

L'ancien notaire Cardot, ayant marié sa fille à son successeur, nommé Berthier, Pons, faisant partie de la charge, sut garder ce dîner, par-devant notaire, disait-il.

Voilà le firmament bourgeois que Pons appelait sa famille, et où il avait si péniblement conservé droit de fourchette.

De ces dix maisons, celle où l'artiste devait être le mieux accueilli, la maison du président Camusot, était l'objet de ses plus grands soins. Mais, hélas! la présidente, fille du feu sieur Thirion, huissier du cabinet des rois Louis XVIII et Charles X, n'avait jamais bien traité le petit-cousin de son mari. A tâcher d'adoucir cette terrible parente, Pons avait perdu son temps, car après avoir donné gratuitement des leçons à Mlle Camusot, il lui avait été impossible de faire une musicienne de cette fille un peu rousse. Or, Pons, la main sur l'objet précieux, se dirigeait en ce moment chez son cousin

le président, où il croyait, en entrant, être aux
Tuileries, tant les solennelles draperies vertes, les
tentures couleur carmélite et les tapis en moquette,
les meubles graves de cet appartement où respirait
la plus sévère magistrature, agissaient sur son moral.
Chose étrange! il se sentait à l'aise à l'hôtel Popinot,
rue Basse-du-Rempart, sans doute à cause des objets
d'art qui s'y trouvaient; car l'ancien ministre avait,
depuis son avènement en politique, contracté la
manie de collectionner les belles choses, sans doute
pour faire opposition à la politique qui collectionne
secrètement les actions les plus laides.

Le président de Marville demeurait rue de Hanovre, dans une maison achetée depuis dix ans par
la présidente, après la mort de son père et de sa
mère, les sieur et dame Thirion, qui lui laissèrent
environ cent cinquante mille francs d'économies.
Cette maison, d'un aspect assez sombre sur la rue où
la façade est à l'exposition du nord, jouit de l'exposition du midi sur la cour, en suite de laquelle se
trouve un assez beau jardin. Le magistrat occupe
tout le premier étage qui, sous Louis XV, avait logé
l'un des plus puissants financiers de ce temps. Le
second étant loué à une riche et vieille dame, cette
demeure présente un aspect tranquille et honorable
qui sied à la magistrature. Les restes de la magnifique terre de Marville, à l'acquisition desquels le
magistrat avait employé ses économies de vingt ans
ainsi que l'héritage de sa mère, se composent du
château, splendide monument comme il s'en rencontre encore en Normandie, et d'une bonne ferme

de douze mille francs. Un parc de cent hectares en-
toure le château. Ce luxe, aujourd'hui princier,
coûte un millier d'écus au président, en sorte que la
terre ne rapporte guère que neuf mille francs *en
sac,* comme on dit. Ces neuf mille francs et son traitement donnaient alors au président une fortune
d'environ vingt mille francs de rente, en apparence
suffisante, surtout en attendant la moitié qui devait
lui revenir dans la succession de son père, où il représentait à lui seul le premier lit; mais la vie de
Paris et les convenances de leur position avaient
obligé M. et Mme de Marville à dépenser la
presque totalité de leurs revenus. Jusqu'en 1834,
ils s'étaient trouvés gênés.

Cet inventaire explique pourquoi Mlle de Marville, jeune fille âgée de vingt-trois ans, n'était pas
encore mariée, malgré cent mille francs de dot, et
malgré l'appât de ses espérances, habilement et souvent, mais vainement présenté. Depuis cinq ans, le
cousin Pons écoutait les doléances de la présidente
qui voyait tous les substituts mariés, les nouveaux
juges au tribunal déjà pères, après avoir inutile-
ment fait briller les espérances de Mlle de Marville
aux yeux peu charmés du jeune vicomte Popinot,
fils aîné du coq de la droguerie, au profit de qui,
selon les envieux du quartier des Lombards, la Révolution de Juillet avait été faite, au moins autant
qu'à celui de la branche cadette.

Arrivé rue Choiseul et sur le point de tourner la
rue de Hanovre, Pons éprouva cette inexplicable
émotion qui tourmente les consciences pures, qui

leur inflige les supplices ressentis par les plus
grands scélérats à l'aspect d'un gendarme, et causée
uniquement par la question de savoir comment le
recevrait la présidente. Ce grain de sable, qui lui
déchirait les fibres du cœur, ne s'était jamais ar-
rondi; les angles en devenaient de plus en plus
aigus, et les gens de cette maison en ravivaient
incessamment les arêtes. En effet, le peu de cas que
les Camusot faisaient de leur cousin Pons, sa dé-
monétisation au sein de la famille, agissait sur les
domestiques qui, sans manquer d'égards envers lui,
le considéraient comme une variété du Pauvre.

L'ennemi capital de Pons était une certaine Madeleine Vivet, vieille fille sèche et mince, la femme
de chambre de Mme C. de Marville et de sa fille.
Cette Madeleine, malgré la couperose de son teint,
et peut-être à cause de cette couperose et de sa
longueur vipérine, s'était mis en tête de devenir
Mme Pons. Madeleine étala vainement vingt mille
francs d'économies aux yeux du vieux célibataire,
Pons avait refusé ce bonheur par trop couperosé.
Aussi cette Didon d'antichambre, qui voulait devenir la cousine de ses maîtres, jouait-elle les plus
méchants tours au pauvre musicien. Madeleine
s'écriait très bien : « Ah! voilà le pique-assiette! »
en entendant le bonhomme dans l'escalier et en
tâchant d'être entendue par lui. Si elle servait à
table, en l'absence du valet de chambre, elle versait
peu de vin et beaucoup d'eau dans le verre de sa
victime, en lui donnant la tâche difficile de
conduire à sa bouche, sans en rien verser, un verre

près de déborder. Elle oubliait de servir le bonhomme, et se le faisait dire par la présidente (de
quel ton?... le cousin en rougissait), ou elle lui ren-
versait de la sauce sur ses habits. C'était enfin la
guerre de l'inférieur qui se sait impuni, contre un
supérieur malheureux. A la fois femme de charge
et femme de chambre, Madeleine avait suivi M. et
Mme Camusot depuis leur mariage. Elle avait vu
ses maîtres dans la pénurie de leurs commence-
ments, en province, quand monsieur était juge au
tribunal d'Alençon; elle les avait aidés à vivre
lorsque, président au tribunal de Mantes, M. Camusot vint à Paris en 1828, où il fut nommé juge
d'instruction. Elle appartenait donc trop à la famille pour ne pas avoir des raisons de s'en venger.
Ce désir de jouer à l'orgueilleuse et ambitieuse présidente le tour d'être la cousine de monsieur, devait
cacher une de ces haines sourdes, engendrée par un
de ces graviers qui font les avalanches.

« Madame, voilà votre M. Pons, et en spencer
encore! vint dire Madeleine à la présidente, il devrait bien me dire par quel procédé il le conserve
depuis vingt-cinq ans! »

En entendant un pas d'homme dans le petit salon, qui se trouvait entre son grand salon et sa
chambre à coucher, Mme Camusot regarda sa fille
et haussa les épaules.

« Vous me prévenez toujours avec tant d'intelligence, Madeleine, que je n'ai plus le temps de
prendre un parti, dit la présidente.

— Madame, Jean est sorti, j'étais seule, M. Pons

a sonné, je lui ai ouvert la porte, et, comme il est presque de la maison, je ne pouvais pas l'empêcher de me suivre; il est là qui se débarrasse de son spencer.

— Ma pauvre Minette, dit la présidente à sa fille, nous sommes prises, nous devons maintenant dîner ici.

« Voyons, reprit-elle, en voyant à sa chère Minette une figure piteuse, faut-il nous débarrasser de lui pour toujours?

— Oh! pauvre homme! répondit Mlle Camusot, le priver d'un de ses dîners! »

Le petit salon retentit de la fausse tousserie d'un homme qui voulait dire ainsi : « Je vous entends. »

« Eh bien, qu'il entre! dit Mme Camusot à Madeleine en faisant un geste d'épaules.

— Vous êtes venu de si bonne heure, mon cousin, dit Cécile Camusot en prenant un petit air câlin, que vous nous avez surprises au moment où ma mère allait s'habiller. »

Le cousin Pons, à qui le mouvement d'épaules de la présidente n'avait pas échappé, fut si cruellement atteint, qu'il ne trouva pas un compliment à dire, et il se contenta de ce mot profond : « Vous êtes toujours charmante, ma petite cousine! » Puis se tournant vers la mère et la saluant : « Chère cousine, reprit-il, vous ne sauriez m'en vouloir de venir un peu plus tôt que de coutume, je vous apporte ce que vous m'avez fait le plaisir de me demander... »

Et le pauvre Pons, qui sciait en deux le président,

la présidente et Cécile chaque fois qu'il les appelait *cousin* ou *cousine*, tira de la poche de côté de son habit une ravissante petite boîte oblongue en bois de Sainte-Lucie, divinement sculptée.

« Ah! je l'avais oublié! » dit sèchement la présidente.

Cette exclamation n'était-elle pas atroce? n'ôtait-elle pas tout mérite au soin du parent, dont le seul tort était d'être un parent pauvre?

« Mais, reprit-elle, vous êtes bien bon, mon cousin. Vous dois-je beaucoup d'argent pour cette petite bêtise? »

Cette demande causa comme un tressaillement intérieur au cousin, il avait la prétention de solder tous ses dîners par l'offrande de ce bijou.

« J'ai cru que vous me permettiez de vous l'offrir, dit-il d'une voix émue.

— Comment! comment! reprit la présidente; mais, entre nous, pas de cérémonies, nous nous connaissons assez pour laver notre linge ensemble. Je sais que vous n'êtes pas assez riche pour faire la guerre à vos dépens. N'est-ce pas déjà beaucoup que vous ayez pris la peine de perdre votre temps à courir chez les marchands?...

— Vous ne voudriez pas de cet éventail, ma chère cousine, si vous deviez en donner la valeur, répliqua le pauvre homme offensé, car c'est un chef-d'œuvre de Watteau qui l'a peint des deux côtés; mais soyez tranquille, ma cousine, je n'ai pas payé la centième partie du prix d'art. »

Dire à un riche : « Vous êtes pauvre! » c'est dire

à l'archevêque de Grenade que ses homélies ne valent rien. Mme la présidente était beaucoup trop orgueilleuse de la position de son mari, de la possession de la terre de Marville, et de ses invitations aux bals de la cour, pour ne pas être atteinte au vif par une semblable observation, surtout partant d'un misérable musicien vis-à-vis de qui elle se posait en bienfaitrice.

« Ils sont donc bien bêtes les gens à qui vous achetez ces choses-là?... dit vivement la présidente.

— On ne connaît pas à Paris de marchands bêtes, répliqua Pons presque sèchement.

— C'est alors vous qui avez beaucoup d'esprit, dit Cécile pour calmer le débat.

— Ma petite cousine, j'ai l'esprit de connaître Lancret, Pater, Watteau, Greuze; mais j'avais surtout le désir de plaire à votre chère maman. »

Ignorante et vaniteuse, Mme de Marville ne voulait pas avoir l'air de recevoir la moindre chose de son pique-assiette, et son ignorance la servait admirablement, elle ne connaissait pas le nom de Watteau. Si quelque chose peut exprimer jusqu'où va l'amour-propre des collectionneurs, qui, certes, est un des plus vifs, car il rivalise avec l'amour-propre d'auteur, c'est l'audace que Pons venait d'avoir en tenant tête à sa cousine, pour la première fois depuis vingt ans. Stupéfait de sa hardiesse, Pons reprit une contenance pacifique en détaillant à Cécile les beautés de la fine sculpture des branches de ce merveilleux éventail. Mais, pour être dans tout le secret de la trépidation cordiale à laquelle le bonhomme

était en proie, il est nécessaire de donner une légère esquisse de la présidente.

A quarante-six ans, Mme de Marville, autrefois
petite, blonde, grasse et fraîche, toujours petite,
était devenue sèche. Son front busqué, sa bouche
rentrée, que la jeunesse décorait jadis de teintes
fines, changeaient alors son air, naturellement dédaigneux, en un air rechigné. L'habitude d'une do-
mination absolue au logis avait rendu sa physionomie dure et désagréable. Avec le temps, le blond
de la chevelure avait tourné au châtain aigre. Les
yeux, encore vifs et caustiques, exprimaient une
morgue judiciaire chargée d'une envie contenue. En
effet, la présidente se trouvait presque pauvre au
milieu de la société de bourgeois parvenus où dînait
Pons. Elle ne pardonnait pas au riche marchand
droguiste, ancien président du tribunal de Commerce, d'être devenu successivement député, ministre, comte et pair. Elle ne pardonnait pas à son
beau-père de s'être fait nommer, au détriment de
son fils aîné, député de son arrondissement, lors de
la promotion de Popinot à la pairie. Après dix-huit
ans de services à Paris, elle attendait encore pour
Camusot la place de conseiller à la Cour de Cassa-
tion, d'où l'excluait d'ailleurs une incapacité connue
au Palais. Le ministre de la Justice de 1844 regrettait la nomination de Camusot à la présidence,
obtenue en 1834; mais on l'avait placé à la Chambre
des mises en accusation où, grâce à sa routine
d'ancien juge d'instruction, il rendait des services
en rendant des arrêts. Ces mécomptes, après avoir

usé la présidente de Marville, qui ne s'abusait pas
d'ailleurs sur la valeur de son mari, la rendaient terrible. Son caractère, déjà cassant, s'était aigri. Plus
vieillie que vieille, elle se faisait âpre et sèche
comme une brosse pour obtenir, par la crainte,
tout ce que le monde se sentait disposé à lui refuser. Mordante à l'excès, elle avait peu d'amies.
Elle imposait beaucoup, car elle s'était entourée de
quelques vieilles dévotes de son acabit qui la soute-
naient à charge de revanche. Aussi les rapports du
pauvre Pons avec ce diable en jupons étaient-ils
ceux d'un écolier avec un maître qui ne parle que
par férules. La présidente ne s'expliquait donc pas
la subite audace de son cousin, elle ignorait la valeur du cadeau.

« Où donc avez-vous trouvé cela? demanda Cécile en examinant le bijou.

— Rue de Lappe, chez un brocanteur qui venait
de le rapporter d'un château qu'on a dépecé près
de Dreux. Aulnay, un château que Mme de Pompadour habitait quelquefois, avant de bâtir Ménars;
on en a sauvé les plus splendides boiseries que l'on
connaisse; elles sont si belles que Liénard, notre
célèbre sculpteur en bois, en a gardé, comme *nec
plus ultra* de l'art, deux cadres ovales pour modèles... Il y avait là des trésors. Mon brocanteur a
trouvé cet éventail dans un *bonheur-du-jour* en
marqueterie que j'aurais acheté, si je faisais collection de ces œuvres-là; mais c'est inabordable! un
meuble de Riesener vaut de trois à quatre mille
francs! On commence à reconnaître à Paris que les

fameux marqueteurs allemands et français des
XVIe, XVIIe et XVIIIe siècles ont composé de véritables
tableaux en bois. Le mérite du collectionneur est de
devancer la mode. Tenez! d'ici à cinq ans, on paiera
à Paris les porcelaines de Frankenthal, que je collectionne depuis vingt ans, deux fois plus cher que
la pâte tendre de Sèvres.

— Qu'est-ce que le Frankenthal? dit Cécile.

— C'est le nom de la fabrique de porcelaines de
l'électeur palatin; elle est plus ancienne que notre
manufacture de Sèvres, comme les fameux jardins
de Heidelberg, ruinés par Turenne, ont eu le malheur d'exister avant ceux de Versailles. Sèvres a
beaucoup copié Frankenthal... Les Allemands, il
faut leur rendre cette justice, ont fait, avant nous,
d'admirables choses en Saxe et dans le Palatinat. »

La mère et la fille se regardaient comme si Pons
leur eût parlé chinois, car on ne peut se figurer
combien les Parisiens sont ignorants et exclusifs; ils
ne savent que ce qu'on leur apprend, quand ils
veulent l'apprendre.

« Et à quoi reconnaissez-vous le Frankenthal?

— Et la signature! dit Pons avec feu. Tous ces
ravissants chefs-d'œuvre sont signés. Le Frankenthal porte un C. et un T. (Charles-Théodore) entre-
lacés et surmontés d'une couronne de prince. Le
vieux Saxe a ses deux épées et le numéro d'ordre
en or. Vincennes signait avec un cor. Vienne a un
V fermé et barré. Berlin a deux barres. Mayence a
la roue. Sèvres, les deux LL, et la porcelaine à la
reine un A qui veut dire Antoinette, surmonté de la

couronne royale. Au XVIIIᵉ siècle, tous les souverains de l'Europe ont rivalisé dans la fabrication de la porcelaine. On s'arrachait les ouvriers. Watteau dessinait des services pour la manufacture de Dresde, et ses œuvres ont acquis des prix fous. (Il faut s'y bien connaître, car, aujourd'hui, Dresde les répète et les recopie.) Alors on a fabriqué des choses admirables et qu'on ne refera plus...

— Ah bah!

— Oui, cousine! on ne refera plus certaines marqueteries, certaines porcelaines, comme on ne refera plus des Raphaël, des Titien, ni des Rembrandt, ni des Van Eyck, ni des Cranach!... Tenez! les Chinois sont bien habiles, bien adroits, eh bien, ils recopient aujourd'hui les belles œuvres de leur porcelaine dite *Grand-Mandarin*... Eh bien, deux vases de *Grand-Mandarin* ancien, du plus grand format, valent six, huit, dix mille francs, et on a la copie moderne pour deux cents francs!

— Vous plaisantez!

— Cousine, ces prix vous étonnent, mais ce n'est rien. Non seulement un service complet pour un dîner de douze personnes en pâte tendre de Sèvres, qui n'est pas de la porcelaine, vaut cent mille francs, mais c'est le prix de facture. Un pareil service se payait cinquante mille livres, à Sèvres, en 1750. J'ai vu des factures originales.

— Revenons à cet éventail, dit Cécile à qui le bijou paraissait trop vieux.

— Vous comprenez que je me suis mis en chasse, dès que votre chère maman m'a fait l'honneur de

me demander un éventail, reprit Pons. J'ai vu tous
les marchands de Paris sans y rien trouver de beau;
car, pour la chère présidente, je voulais un chef-
d'œuvre, et je pensais à lui donner l'éventail de
Marie-Antoinette, le plus beau de tous les éventails
célèbres. Mais hier, je fus ébloui par ce divin chef-
d'œuvre, que Louis XV a bien certainement commandé. Pourquoi suis-je allé chercher un éventail,
rue de Lappe! chez un Auvergnat! qui vend des
cuivres, des ferrailles, des meubles dorés? Moi, je
crois à l'intelligence des objets d'art, ils connaissent les amateurs, ils les appellent, ils leur font :
Chit! chit!... »

La présidente haussa les épaules en regardant sa
fille, sans que Pons pût voir cette mimique rapide.

« Je les connais tous, ces *rapiats-là*! « Qu'avez-
« vous de nouveau, papa Monistrol? Avez-vous des
« dessus de porte? » ai-je demandé à ce marchand,
qui me permet de jeter les yeux sur ses acquisitions
avant les grands marchands. A cette question, Monistrol me raconte comment Liénard, qui sculptait
dans la chapelle de Dreux de fort belles choses pour
la liste civile, avait sauvé à la vente d'Aulnay les
boiseries sculptées des mains des marchands de
Paris, occupés de porcelaines et de meubles in-
crustés. « Je n'ai pas eu grand-chose, me dit-il, mais
« je pourrai gagner mon voyage avec cela. » Et il
me montra le bonheur-du-jour, une merveille! C'est
des dessins de Boucher exécutés en marqueterie
avec un art... C'est à se mettre à genoux devant!
« Tenez, monsieur, me dit-il, je viens de trouver

« dans un petit tiroir fermé, dont la clef manquait
« et que j'ai forcé, cet éventail! Vous devriez bien
« me dire à qui je peux le vendre... » Et il me tire
cette petite boîte en bois de Sainte-Lucie sculpté.
« Voyez! c'est de ce Pompadour qui ressemble au
« gothique fleuri. — Oh! lui ai-je répondu, la boîte
« est jolie, elle pourrait m'aller, la boîte! car
« l'éventail, mon vieux Monistrol, je n'ai point de
« Mme Pons à qui donner ce vieux bijou; d'ail-
« leurs, on en fait des neufs, bien jolis. On peint
« aujourd'hui ces vélins-là d'une manière miracu-
« leuse et assez bon marché. Savez-vous qu'il y a
« deux mille peintres à Paris! » Et je dépliais né-
gligemment l'éventail, contenant mon admiration,
regardant froidement ces deux petits tableaux d'un
laisser-aller, d'une exécution à ravir. Je tenais l'éventail de Mme de Pompadour! Watteau s'est exter-
miné à composer cela! « Combien voulez-vous du
« meuble? — Oh! mille francs, on me les donne
« déjà! » Je lui dis un prix de l'éventail qui cor-
respondait aux frais présumés de son voyage. Nous
nous regardons alors dans le blanc des yeux, et je
vois que je tiens mon homme. Aussitôt je remets
l'éventail dans sa boîte, afin que l'Auvergnat ne se
mette pas à l'examiner, et je m'extasie sur le travail de cette boîte qui, certes, est un vrai bijou. « Si
« je l'achète, dis-je à Monistrol, c'est à cause de
« cela, voyez-vous, il n'y a que la boîte qui me
« tente. Quant à ce bonheur-du-jour, vous en aurez
« plus de mille francs, voyez donc comme ces
« cuivres sont ciselés! c'est des modèles... On peut

« exploiter cela... ça n'a pas été reproduit, on faisait
« tout *unique* pour Mme de Pompadour... » Et mon
homme, *allumé* pour son bonheur-du-jour, oublie
l'éventail, il me le laisse à rien pour prix de la révélation que je lui fais de la beauté de ce meuble de
Riesener. Et voilà! Mais il faut bien de la pratique
pour conclure de pareils marchés! C'est des combats
d'œil à œil, et quel œil que celui d'un Juif ou
d'un Auvergnat! »

L'admirable pantomime, la verve du vieil artiste
qui faisaient de lui, racontant le triomphe de sa
finesse sur l'ignorance du brocanteur, un modèle
digne du pinceau hollandais, tout fut perdu pour
la présidente et pour sa fille qui se dirent, en échan-
geant des regards froids et dédaigneux : « Quel
original!... »

« Ça vous amuse donc? » demanda la présidente.

Pons, glacé par cette question, éprouva l'envie de
battre la présidente.

« Mais, ma chère cousine, reprit-il, c'est la chasse
aux chefs-d'œuvre! Et on se trouve face à face avec
des adversaires qui défendent le gibier! c'est ruse
contre ruse! Un chef-d'œuvre doublé d'un Normand, d'un Juif ou d'un Auvergnat; mais c'est
comme dans les contes de fées, une princesse
gardée par des enchanteurs!

— Et comment savez-vous que c'est de Wat...
comment dites-vous?

— Watteau! ma cousine, un des plus grands
peintres français du XVIIIᵉ siècle! Tenez, ne voyez-

vous pas la signature? dit-il en montrant une des bergeries qui représentait une ronde dansée par de fausses paysannes et par des bergers grands seigneurs. C'est d'un entrain! Quelle verve! quels coloris! Et c'est fait! tout d'un trait! comme un paraphe de maître d'écriture; on ne sent plus le travail! Et de l'autre côté, tenez! un bal dans un salon! C'est l'hiver et l'été! Quels ornements! et comme c'est conservé! Vous voyez, la virole est en or, et elle est terminée de chaque côté par un tout petit rubis que j'ai décrassé!

— S'il en est ainsi, je ne pourrais pas, mon cousin, accepter de vous un objet d'un si grand prix. Il vaut mieux vous en faire des rentes, dit la présidente qui ne demandait pas mieux cependant que de garder ce magnifique éventail.

— Il est temps que ce qui a servi au Vice soit aux mains de la Vertu! dit le bonhomme en retrouvant de l'assurance. Il aura fallu cent ans pour opérer ce miracle. Soyez sûre qu'à la cour aucune princesse n'aura rien de comparable à ce chef-d'œuvre; car il est, malheureusement, dans la nature humaine de faire plus pour une Pompadour que pour une vertueuse reine!...

— Eh bien, je l'accepte, dit en riant la présidente. Cécile, mon petit ange, va donc voir avec Madeleine à ce que le dîner soit digne de notre cousin... »

La présidente voulait balancer le compte. Cette recommandation faite à haute voix, contrairement aux règles du bon goût, ressemblait si bien à l'ap-

point d'un paiement, que Pons rougit comme une
jeune fille prise en faute. Ce gravier un peu trop
gros lui roula pendant quelque temps dans le cœur.
Cécile, jeune personne très rousse, dont le maintien,
entaché de pédantisme, affectait la gravité judiciaire
du président et se sentait de la sécheresse de sa
mère, disparut en laissant le pauvre Pons aux prises
avec la terrible présidente.

« Elle est bien gentille, ma petite Lili, dit la présidente en employant toujours l'abréviation enfantine donnée jadis au nom de Cécile.

— Charmante! répondit le vieux musicien en
tournant ses pouces.

— Je ne comprends rien au temps où nous vi-
vons, répondit la présidente. A quoi cela sert-il
donc d'avoir pour père un Président à la Cour
royale de Paris, et commandeur de la Légion d'honneur, pour grand-père un député millionnaire, un
futur pair de France, le plus riche des marchands
de soieries en gros? »

Le dévouement du président à la dynastie nouvelle lui avait valu récemment le cordon de commandeur, faveur attribuée par quelques jaloux à
l'amitié qui l'unissait à Popinot. Ce ministre, malgré
sa modestie, s'était, comme on le voit, laissé faire
comte.

« A cause de mon fils, dit-il à ses nombreux amis.

— On ne veut que de l'argent aujourd'hui, répondit le cousin Pons, on n'a d'égards que pour les
riches, et...

— Que serait-ce donc, s'écria la présidente, si le

Ciel m'avait laissé mon pauvre petit Charles?...

— Oh! avec deux enfants, vous seriez pauvre! reprit le cousin. C'est l'effet du partage égal des biens; mais, soyez tranquille, ma belle cousine, Cécile finira par bien se marier. Je ne vois nulle part de jeune fille si accomplie. »

Voilà jusqu'où Pons avait ravalé son esprit chez ses amphitryons : il y répétait leurs idées, et il les leur commentait platement, à la manière des chœurs antiques. Il n'osait pas se livrer à l'originalité qui distingue les artistes et qui dans sa jeunesse abondait en traits fins chez lui, mais que l'habitude de s'effacer avait alors presque abolie, et qu'on rembarrait, comme tout à l'heure, quand elle reparaissait.

« Mais, je me suis mariée avec vingt mille francs de dot, seulement...

— En 1819, ma cousine! dit Pons en interrompant. Et c'était vous, une femme de tête, une jeune fille protégée par le roi Louis XVIII!

— Mais enfin ma fille est un ange de perfection, d'esprit; elle est pleine de cœur, elle a cent mille francs en mariage, sans compter les plus belles espérances, et elle nous reste sur les bras... »

Mme de Marville parla de sa fille et d'elle-même pendant vingt minutes, en se livrant aux doléances particulières aux mères qui sont en puissance de filles à marier. Depuis vingt ans que le vieux musicien dînait chez son unique cousin Camusot, le pauvre homme attendait encore un mot sur ses affaires, sur sa vie, sur sa santé. Pons était d'ailleurs

partout une espèce d'égout aux confidences domestiques, il offrait les plus grandes garanties dans
sa discrétion connue et nécessaire, car un seul mot
hasardé lui aurait fait fermer la porte de dix maisons; son rôle d'écouteur était donc doublé d'une
approbation constante; il souriait à tout, il n'accusait, il ne défendait personne; pour lui, tout le
monde avait raison. Aussi ne comptait-il plus
comme un homme, c'était un estomac! Dans cette
longue tirade, la présidente avoua, non sans quelques précautions, à son cousin, qu'elle était disposée
à prendre pour sa fille presque aveuglément les
partis qui se présenteraient. Elle alla jusqu'à regarder comme une bonne affaire un homme de
quarante-huit ans, pourvu qu'il eût vingt mille
francs de rente.

« Cécile est dans sa vingt-troisième année, et si le
malheur voulait qu'elle atteignît à vingt-cinq ou
vingt-six ans, il serait excessivement difficile de la
marier. Le monde se demande alors pourquoi une
jeune personne est restée si longtemps sur pied. On
cause déjà beaucoup trop dans notre société de cette
situation. Nous avons épuisé les raisons vulgaires :
« Elle est bien jeune. — Elle aime trop ses parents
« pour les quitter. — Elle est heureuse à la mai-
« son. — Elle est difficile, elle veut un beau nom! »
Nous devenons ridicules, je le sens bien. D'ailleurs,
Cécile est lasse d'attendre, elle souffre, pauvre petite...

— Et de quoi? demanda sottement Pons.

— Mais, reprit la mère d'un ton de duègne, elle

est humiliée de voir toutes ses amies mariées avant elle.

— Ma cousine, qu'y a-t-il donc de changé depuis la dernière fois que j'ai eu le plaisir de dîner ici, pour que vous songiez à des gens de quarante-huit ans? dit humblement le pauvre musicien.

— Il y a, répliqua la présidente, que nous devions avoir une entrevue chez un conseiller à la cour, dont le fils a trente ans, dont la fortune est considérable, et pour qui M. de Marville aurait obtenu, moyennant finance, une place de référendaire à la Cour des comptes. Le jeune homme y est déjà surnuméraire. Et l'on vient de nous dire que ce jeune homme avait fait la folie de partir pour l'Italie, à la suite d'une duchesse du Bal Mabille. C'est un refus déguisé. On ne veut pas nous donner un jeune homme dont la mère est morte, et qui jouit déjà de trente mille francs de rente, en attendant la fortune du père. Aussi, devez-vous nous pardonner notre mauvaise humeur, cher cousin : vous êtes arrivé en pleine crise. »

Au moment où Pons cherchait une de ces complimenteuses réponses qui lui venaient toujours trop tard chez les amphitryons dont il avait peur, Madeleine entra, remit un petit billet à la présidente, et attendit une réponse. Voici ce que contenait le billet :

« Si nous supposions, ma chère maman, que ce petit mot nous est envoyé du Palais par mon père qui te dirait d'aller dîner avec moi chez son ami

pour renouer l'affaire de mon mariage, le cousin
s'en irait, et nous pourrions donner suite à nos
projets chez les Popinot. »

« Qui donc monsieur m'a-t-il dépêché? demanda
vivement la présidente.

— Un garçon de salle du Palais », répondit ef-
frontément la sèche Madeleine.

Par cette réponse, la vieille soubrette indiquait
à sa maîtresse qu'elle avait ourdi ce complot, de
concert avec Cécile impatientée.

« Dites que ma fille et moi, nous y serons à
cinq heures et demie. »

Madeleine une fois sortie, la présidente regarda
le cousin Pons avec cette fausse aménité qui fait
sur une âme délicate l'effet que du vinaigre et du
lait mélangés produisent sur la langue d'un friand.

« Mon cher cousin, le dîner est ordonné, vous le
mangerez sans nous, car mon mari m'écrit de l'audience pour me prévenir que le projet de mariage
se reprend avec le conseiller, et nous allons y dîner...
Vous concevez que nous sommes sans aucune gêne
ensemble. Agissez ici comme si vous étiez chez vous.
Vous voyez la franchise dont j'use avec vous pour
qui je n'ai pas de secret... Vous ne voudriez pas
faire manquer le mariage de ce petit ange?

— Moi, ma cousine, qui voudrais au contraire lui
trouver un mari; mais dans le cercle où je vis...

— Oui, ce n'est pas probable, repartit insolemment la présidente. Ainsi, vous restez? Cécile vous
tiendra compagnie pendant que je m'habillerai.

— Oh! ma cousine, je puis dîner ailleurs », dit le bonhomme.

Quoique cruellement affecté de la manière dont s'y prenait la présidente pour lui reprocher son indigence, il était encore plus effrayé par la perspective de se trouver seul avec les domestiques.

« Mais pourquoi?... le dîner est prêt, les domestiques le mangeraient. »

En entendant cette horrible phrase, Pons se redressa comme si la décharge de quelque pile galvanique l'eût atteint, salua froidement sa cousine et alla reprendre son spencer. La porte de la chambre à coucher de Cécile qui donnait dans le petit salon était entrebâillée, en sorte qu'en regardant devant lui dans une glace, Pons aperçut la jeune fille prise d'un fou rire, parlant à sa mère par des coups de tête et des mines qui révélèrent quelque lâche mystification au vieil artiste. Pons descendit lentement l'escalier en retenant ses larmes : il se voyait chassé de cette maison, sans savoir pourquoi. « Je suis trop vieux maintenant, se disait-il, le monde a horreur de la vieillesse et de la pauvreté, deux laides choses. Je ne veux plus aller nulle part sans invitation. » Mot héroïque!...

La porte de la cuisine située au rez-de-chaussée en face de la loge du concierge, restait souvent ouverte, comme dans les maisons occupées par les propriétaires, et dont la porte cochère est toujours fermée; le bonhomme put donc entendre les rires de la cuisinière et du valet de chambre, à qui Madeleine racontait le tour joué à Pons, car elle ne supposa

point que le bonhomme évacuerait la place si
promptement. Le valet de chambre approuvait hau-
tement cette plaisanterie envers un habitué de la
maison qui, disait-il, ne donnait jamais qu'un petit
écu aux étrennes!

« Oui, mais s'il prend la mouche et qu'il ne
revienne pas, fit observer la cuisinière, ce sera toujours trois francs de perdus pour nous autres au
jour de l'an...

— Hé! comment le saurait-il? dit le valet de
chambre en réponse à la cuisinière.

— Bah! reprit Madeleine, un peu plus tôt, un
peu plus tard, qu'est-ce que cela nous fait? Il ennuie
tellement les maîtres dans les maisons où il dîne,
qu'on le chassera de partout. »

En ce moment le vieux musicien cria : « Le cordon, s'il vous plaît! » à la portière. Ce cri doulou-
reux fut accueilli par un profond silence à la cuisine.

« Il écoutait, dit le valet de chambre.

— Eh bien! tant *pire*, ou plutôt tant mieux, répliqua Madeleine, c'est un rat fini. »

Le pauvre homme, qui n'avait rien perdu des
propos tenus à la cuisine, entendit encore ce dernier mot. Il revint chez lui par les boulevards dans
l'état où serait une vieille femme après une lutte
acharnée avec des assassins. Il marchait, en se parlant à lui-même, avec une vitesse convulsive, car
l'honneur saignant le poussait comme une paille
emportée par un vent furieux. Enfin, il se trouva
sur le boulevard du Temple à cinq heures, sans

savoir comment il y était venu; mais, chose extraordinaire, il ne se sentit pas le moindre appétit.

Maintenant, pour comprendre la révolution que
le retour de Pons à cette heure allait introduire
chez lui, les explications promises sur Mme Cibot
sont ici nécessaires.

La rue de Normandie est une de ces rues au
milieu desquelles on peut se croire en province :
l'herbe y fleurit, un passant y fait événement, et
tout le monde s'y connaît. Les maisons datent de
l'époque où, sous Henri IV, on entreprit un quartier dont chaque rue porta le nom d'une province,
et au centre duquel devait se trouver une belle
place dédiée à la France. L'idée du quartier de
l'Europe fut la répétition de ce plan. Le monde se
répète en toute chose partout, même en spéculation.
La maison où demeuraient les deux musiciens est
un ancien hôtel entre cour et jardin; mais le devant,
sur la rue, avait été bâti lors de la vogue excessive
dont a joui le Marais durant le dernier siècle. Les
deux amis occupaient tout le deuxième étage dans
l'ancien hôtel. Cette double maison appartenait à
M. Pillerault, un octogénaire, qui en laissait la
gestion à M. et Mme Cibot, ses portiers
depuis vingt-six ans. Or, comme on ne donne pas
des émoluments assez forts à un portier du Marais,
pour qu'il puisse vivre de sa loge, le sieur Cibot
joignait à son sou pour livre et à sa bûche prélevée
sur chaque voie de bois, les ressources de son industrie personnelle; il était tailleur, comme beaucoup de concierges. Avec le temps, Cibot avait cessé

de travailler pour les maîtres tailleurs; car, par suite
de la confiance que lui accordait la petite bourgeoisie du quartier, il jouissait du privilège inat-
taqué de faire les raccommodages, les reprises per-
dues, les mises à neuf de tous les habits dans un
périmètre de trois rues. La loge était vaste et saine,
il y attenait une chambre. Aussi le ménage Cibot
passait-il pour un des plus heureux parmi messieurs
les concierges de l'arrondissement.

Cibot, petit homme rabougri, devenu presque olivâtre à force de rester toujours assis, à la turque,
sur une table élevée à la hauteur de la croisée
grillagée qui voyait sur la rue, gagnait à son métier
environ quarante sous par jour. Il travaillait encore, quoiqu'il eût cinquante-huit ans; mais cinquante-huit ans, c'est le plus bel âge des portiers;
ils se sont faits à leur loge, la loge est devenue pour
eux ce qu'est l'écaille pour les huîtres, et *ils sont
connus dans le quartier!*

Mme Cibot, ancienne belle écaillère, avait quitté
son poste au *Cadran-Bleu* par amour pour Cibot,
à l'âge de vingt-huit ans, après toutes les aventures
qu'une belle écaillère rencontre sans les chercher.
La beauté des femmes du peuple dure peu, surtout
quand elles restent en espalier à la porte d'un restaurant. Les chauds rayons de la cuisine se projettent sur les traits qui durcissent, les restes de
bouteilles bus en compagnie des garçons s'infiltrent
dans le teint, et nulle fleur ne mûrit plus vite que
celle d'une belle écaillère. Heureusement pour
Mme Cibot, le mariage légitime et la vie de

concierge arrivèrent à temps pour la conserver; elle
demeura comme un modèle de Rubens, en gardant
une beauté virile que ses rivales de la rue de Normandie calomniaient, en la qualifiant de *grosse
dondon*. Ses tons de chair pouvaient se comparer
aux appétissants glacis des mottes de beurre d'Isi-
gny; et nonobstant son embonpoint, elle déployait
une incomparable agilité dans ses fonctions.
Mme Cibot atteignait à l'âge où ces sortes de
femmes sont obligées de se faire la barbe. N'est-ce
pas dire qu'elle avait quarante-huit ans? Une portière à moustaches est une des plus grandes garanties d'ordre et de sécurité pour un propriétaire. Si
Delacroix avait pu voir Mme Cibot posée fièrement
sur son balai, certes il en eût fait une Bellone!

La position des époux Cibot, en style d'acte d'accusation, devait, chose singulière! affecter un jour
celle des deux amis; aussi l'historien, pour être
fidèle, est-il obligé d'entrer dans quelques détails
au sujet de la loge. La maison rapportait environ
huit mille francs, car elle avait trois appartements
complets, doubles en profondeur, sur la rue, et
trois dans l'ancien hôtel entre cour et jardin. En
outre, un ferrailleur nommé Rémonencq occupait
une boutique sur la rue. Ce Rémonencq, passé
depuis quelques mois à l'état de marchand de
curiosités, connaissait si bien la valeur bric-à-bra-
quoise de Pons, qu'il le saluait du fond de sa boutique, quand le musicien entrait ou sortait. Ainsi,
le sou pour livre donnait environ quatre cents
francs au ménage Cibot, qui trouvait en outre gra-

tuitement son logement et son bois. Or, comme les
salaires de Cibot produisaient environ sept à huit
cents francs en moyenne par an, les époux se faisaient, avec leurs étrennes, un revenu de seize cents
francs à la lettre, mangés par les Cibot qui vivaient
mieux que ne vivent les gens du peuple. — « On
ne vit qu'une fois! » disait la Cibot. Née pendant
la Révolution, elle ignorait, comme on le voit, le
catéchisme.

De ses rapports avec le *Cadran-Bleu*, cette portière, à l'œil orange et hautain, avait gardé quelques
connaissances en cuisine qui rendaient son mari
l'objet de l'envie de tous ses confrères. Aussi, parvenus à l'âge mûr, sur le seuil de la vieillesse, les
Cibot ne trouvaient-ils pas devant eux cent francs
d'économie. Bien vêtus, bien nourris, ils jouissaient
d'ailleurs dans le quartier d'une considération due
à vingt-six ans de probité stricte. S'ils ne possédaient rien, ils n'avaient *nune centime* à autrui,
selon leur expression, car Mme Cibot prodiguait
les N dans son langage. Elle disait à son mari :
« Tu n'es n'un amour! » Pourquoi? Autant vaudrait demander la raison de son indifférence en
matière de religion. Fiers tous les deux de cette vie
au grand jour, de l'estime de six ou sept rues et
de l'autocratie que leur laissait leur *propriétaire* sur
la maison, ils gémissaient en secret de ne pas avoir
aussi des rentes. Cibot se plaignait de douleurs
dans les mains et dans les jambes, et Mme Cibot
déplorait que son pauvre Cibot fût encore contraint
de travailler à son âge. Un jour viendra qu'après

trente ans d'une vie pareille, un concierge accusera
le gouvernement d'injustice, il voudra qu'on lui
donne la décoration de la Légion d'honneur!
Toutes les fois que les commérages du quartier
leur apprenaient que telle servante, après huit ou
dix ans de service, était couchée sur un testament
pour trois ou quatre cents francs en viager, c'était
des doléances de loge en loge, qui peuvent donner
une idée de la jalousie dont sont dévorées les professions infimes à Paris. « Ah çà! il ne nous arrivera
jamais, à nous autres, d'être mis sur des testaments!
Nous n'avons pas de chance! Nous sommes plus
utiles que les domestiques, cependant. Nous sommes
des gens de confiance, nous faisons les recettes, nous
veillons au grain; mais nous sommes traités ni plus
ni moins que des chiens, et voilà! — Il n'y a
qu'heur et malheur, disait Cibot en rapportant un
habit. — Si j'avais laissé Cibot à sa loge, et que je
me fusse mise cuisinière, nous aurerions trente mille
francs de placés, s'écriait Mme Cibot en causant
avec sa voisine les mains sur ses grosses hanches.
J'ai mal entendu la vie, histoire d'être logée et
chauffée dedans une bonne loge et de ne manquer
de rien. »

Lorsqu'en 1836, les deux amis vinrent occuper à
eux deux le deuxième étage de l'ancien hôtel, ils
occasionnèrent une sorte de révolution dans le ménage Cibot. Voici comment. Schmucke avait, aussi
bien que son ami Pons, l'habitude de prendre les
portiers ou portières des maisons où il logeait pour
faire faire son ménage. Les deux musiciens furent

donc du même avis en s'installant rue de Normandie pour s'entendre avec Mme Cibot, qui devint
leur femme de ménage, à raison de vingt-cinq francs
par mois, douze francs cinquante centimes pour
chacun d'eux. Au bout d'un an, la portière émérite
régna chez les deux vieux garçons, comme elle régnait sur la maison de M. Pillerault, le grand-oncle
de Mme la comtesse Popinot; leurs affaires furent
ses affaires, et elle disait : « *Mes deux messieurs.* »
Enfin, en trouvant les deux Casse-noisettes doux
comme des moutons, faciles à vivre, point défiants,
de vrais enfants, elle se mit, par suite de son cœur
de femme du peuple, à les protéger, à les adorer,
à les servir avec un dévouement si véritable, qu'elle
leur lâchait quelques semonces, et les défendait
contre toutes les tromperies qui grossissent à Paris
les dépenses de ménage. Pour vingt-cinq francs par
mois, les deux garçons, sans préméditation et sans
s'en douter, acquirent une mère. En s'apercevant de
toute la valeur de Mme Cibot, les deux musiciens lui avaient naïvement adressé des éloges, des
remerciements, de petites étrennes qui resserrèrent
les liens de cette alliance domestique. Mme Cibot
aimait mille fois mieux être appréciée à sa valeur
que payée; sentiment qui, bien connu, bonifie toujours les gages. Cibot faisait à moitié prix les
courses, les raccommodages, tout ce qui pouvait le
concerner dans le service des deux messieurs de sa
femme.

Enfin, dès la seconde année, il y eut, dans
l'étreinte du deuxième étage et de la loge, un nou-

vel élément de mutuelle amitié. Schmucke conclut
avec Mme Cibot un marché qui satisfit à sa paresse
et à son désir de vivre sans s'occuper de rien.
Moyennant trente sous par jour ou quarante-cinq
francs par mois, Mme Cibot se chargea de donner
à déjeuner et à dîner à Schmucke. Pons, trouvant
le déjeuner de son ami très satisfaisant, passa de
même un marché de dix-huit francs pour son déjeuner. Ce système de fournitures, qui jeta quatre-
vingt-dix francs environ par mois dans les recettes
de la loge, fit des deux locataires des êtres invio-
lables, des anges, des chérubins, des dieux. Il est
fort douteux que le roi des Français, qui s'y connaît,
soit servi comme le furent alors les deux Casse-
noisettes. Pour eux, le lait sortait pur de la boîte,
ils lisaient gratuitement les journaux du premier
et du troisième étage, dont les locataires se levaient
tard et à qui l'on eût dit, au besoin, que les journaux n'étaient pas arrivés. Mme Cibot tenait d'ailleurs l'appartement, les habits, le palier, tout dans
un état de propreté flamande. Schmucke jouissait,
lui, d'un bonheur qu'il n'avait jamais espéré ;
Mme Cibot lui rendait la vie facile ; il donnait
environ six francs par mois pour le blanchissage
dont elle se chargeait, ainsi que des raccommodages.
Il dépensait quinze francs de tabac par mois. Ces
trois natures de dépenses formaient un total men-
suel de soixante-six francs, lesquels, multipliés par
douze, donnent sept cent quatre-vingt-douze francs.
Joignez-y deux cent vingt francs de loyer et d'impositions, vous avez mille douze francs. Cibot ha-

billait Schmucke, et la moyenne de cette dernière
fourniture allait à cent cinquante francs. Ce profond philosophe vivait donc avec douze cents francs
par an. Combien de gens, en Europe, dont l'unique
pensée est de venir demeurer à Paris, seront agréa-
blement surpris de savoir qu'on peut y être heureux
avec douze cents francs de rente, rue de Normandie,
au Marais, sous la protection d'une Mme Cibot!

Mme Cibot fut stupéfaite en voyant rentrer le
bonhomme Pons à cinq heures du soir. Non seulement ce fait n'avait jamais eu lieu, mais encore
son monsieur ne la vit pas, ne la salua point.

« Ah! bien, Cibot, dit-elle à son mari, M. Pons
est millionnaire ou fou!

— Ça m'en a l'air », répliqua Cibot en laissant
tomber une manche d'habit où il faisait ce que,
dans l'argot des tailleurs, on appelle un *poignard*.

Au moment où Pons rentrait machinalement chez
lui, Mme Cibot achevait le dîner de Schmucke. Ce
dîner consistait en un certain ragoût, dont l'odeur
se répandait dans toute la cour. C'était des restes
de bœuf bouilli achetés chez un rôtisseur tant soit
peu regrattier, et fricassés au beurre avec des oignons coupés en tranches minces, jusqu'à ce que le
beurre fût absorbé par la viande et par les oignons,
de manière à ce que ce mets de portier présentât
l'aspect d'une friture. Ce plat, amoureusement
concoctionné pour Cibot et Schmucke, entre qui la
Cibot le partageait, accompagné d'une bouteille de
bière et d'un morceau de fromage, suffisait au vieux
maître de musique allemand. Et croyez bien que

le roi Salomon, dans sa gloire, ne dînait pas mieux
que Schmucke. Tantôt ce plat de bouilli fricassé
aux oignons, tantôt des reliefs de poulet sauté, tantôt une persillade et du poisson à une sauce inventée par la Cibot, et à laquelle une mère aurait
mangé son enfant sans s'en apercevoir, tantôt de
la venaison, selon la qualité ou la quantité de ce
que les restaurants du boulevard revendaient au
rôtisseur de la rue Boucherat, tel était l'ordinaire
de Schmucke, qui se contentait, sans mot dire, de
tout ce que lui servait la *ponne montame Zipod*.
Et, de jour en jour, la bonne Mme Cibot avait diminué cet ordinaire jusqu'à pouvoir le faire pour la
somme de vingt sous.

« Je vas savoir ce qui lui n'est arrivé, n'à ce
pauvre cher homme, dit Mme Cibot à son époux,
car v'là le dîner de M. Schmucke tout paré. »

Mme Cibot couvrit le plat de terre creux d'une
assiette en porcelaine commune; puis elle arriva,
malgré son âge, à l'appartement des deux amis, au
moment où Schmucke ouvrait à Pons.

« *Qu'as-du, mon pon ami?* dit l'Allemand effrayé
par le bouleversement de la physionomie de Pons.

— Je te dirai tout; mais je viens dîner avec
toi...

— *Tinner! tinner!* s'écria Schmucke enchanté.
Mais c'esdre imbossiple! » ajouta-t-il en pensant aux
habitudes gastrolâtriques de son ami.

Le vieil Allemand aperçut alors Mme Cibot qui
écoutait, selon son droit de femme de ménage légitime. Saisi par une de ces inspirations qui ne

brillent que dans le cœur d'un ami véritable, il alla droit à la portière, et l'emmena sur le palier.

« *Montame Zipod, ce pon Bons aime les ponnes chosses, hâlez au Gatran Pleu, temandez ein bedid tinner vin : tes angeois, di magaroni! Anvin ein rebas de Liquillis!*

— Qu'est-ce que c'est? demanda Mme Cibot.

— *Eh pien!* reprit Schmucke, *c'esde ti feau à la pourchoise eine pon boisson, ein poudeille te fin te Porteaux, dout ce qu'il y aura te meilleur en vriantise : gomme tes groguettes te risse ed ti lard vîmé! Bayez! ne tittes rien, che fus rentrai tutte l'archand temain madin.* »

Schmucke rentra d'un air joyeux en se frottant les mains; mais sa figure reprit graduellement une expression de stupéfaction, en entendant le récit des malheurs qui venaient de fondre en un moment sur le cœur de son ami. Schmucke essaya de consoler Pons, en lui dépeignant le monde à son point de vue. Paris était une tempête perpétuelle, les hommes et les femmes y étaient emportés par un mouvement de valse furieuse, et il ne fallait rien demander au monde, qui ne regarde qu'à l'extérieur, « *ed bas ad l'indérière* », dit-il. Il raconta pour la centième fois que, d'année en année, les trois seules écolières qu'il eût aimées, par lesquelles il était chéri, pour lesquelles il donnerait sa vie, de qui même il tenait une petite pension de neuf cents francs, à laquelle chacune contribuait pour une part égale d'environ trois cents francs, avaient si bien oublié, d'année en année, de le venir voir, et se trouvaient emportées

par le courant de la vie parisienne avec tant de
violence, qu'il n'avait pas pu être reçu par elles
depuis trois ans, quand il se présentait. (Il est vrai
que Schmucke se présentait chez ces grandes dames
à dix heures du matin.) Enfin, les quartiers de ses
rentes étaient payés chez des notaires.

« *Ed cebentant, c'esde tes cueirs l'or*, reprit-il.
*Anvin, c'esd mes bedides saindes Céciles, tes phames
jarmantes, montame de Bordentuère, montame de
Fentenesse, montame Ti Dilet. Quante che les fois,
c'esd aux Jambs-Elusées, sans qu'elles me foient...
ed elles m'aiment pien, et che pourrais aller tinner
chesse elles, elles seraient bien gondendes. Che
beusse aller à leur gambagne; mais je breffère te
peaucoup edre afec mon hami Bons, barce que che
le fois quand che feux, ed tus les churs.* »

Pons prit la main de Schmucke, la mit entre ses
mains, il la serra par un mouvement où l'âme se
communiquait tout entière, et tous deux ils res-
tèrent ainsi pendant quelques minutes, comme des
amants qui se revoient après une longue absence.

« *Tinne izi, dus les churs!...* reprit Schmucke qui
bénissait intérieurement la dureté de la présidente.
*Diens! nus pricapraquerons ensemble, et le tiaple
ne meddra chamais sa queue tan notre ménache.* »

Pour l'intelligence de ce mot vraiment héroïque :
nus pricapraquerons ensemble! il faut avouer que
Schmucke était d'une ignorance crasse en Bric-à-
braquologie. Il fallait toute la puissance de son
amitié pour qu'il ne cassât rien dans le salon et
dans le cabinet abandonnés à Pons pour lui servir

de musée. Schmucke, appartenant tout entier à la
musique, compositeur pour lui-même, regardait
toutes les petites bêtises de son ami, comme un poisson, qui aurait reçu un billet d'invitation, regarderait
une exposition de fleurs au Luxembourg. Il respectait ces œuvres merveilleuses à cause du respect
que Pons manifestait en époussetant son trésor. Il
répondait : « *Ui! c'esde pien choli!* » aux admira-
tions de son ami, comme une mère répond des
phrases insignifiantes aux gestes d'un enfant qui
ne parle pas encore. Depuis que les deux amis vivaient ensemble, Schmucke avait vu Pons changeant
sept fois d'horloge en en troquant toujours une
inférieure contre une plus belle. Pons possédait
alors la plus magnifique horloge de Boule, une horloge en ébène incrustée de cuivres et garnie de
sculptures, de la première manière de Boule. Boule
a eu deux manières, comme Raphaël en a eu trois.
Dans la première, il mariait le cuivre à l'ébène; et,
dans la seconde, contre ses convictions, il sacrifiait
à l'écaille; il a fait des prodiges pour vaincre ses
concurrents, inventeurs de la marqueterie en écaille.
Malgré les savantes démonstrations de Pons,
Schmucke n'apercevait pas la moindre différence
entre la magnifique horloge de la première manière
de Boule et les dix autres. Mais, à cause du bonheur
de Pons, Schmucke avait plus de soin de tous ces
prinporions que son ami n'en prenait lui-même.
Il ne faut donc pas s'étonner que le mot sublime de
Schmucke ait eu le pouvoir de calmer le désespoir
de Pons, car le : « *Nus pricapraquerons!* » de l'Alle-

mand voulait dire : « Je mettrai de l'argent dans
le bric-à-brac, si tu veux dîner ici. »

« Ces messieurs sont servis », vint dire avec un
aplomb étonnant Mme Cibot.

On comprendra facilement la surprise de Pons
en voyant et savourant le dîner dû à l'amitié de
Schmucke. Ces sortes de sensations, si rares dans la
vie, ne viennent pas du dévouement continu par
lequel deux hommes se disent perpétuellement l'un
à l'autre : « Tu as en moi un autre toi-même »
(car on s'y fait); non, elles sont causées par la comparaison de ces témoignages du bonheur de la vie
intime avec les barbaries de la vie du monde. C'est
le monde qui lie à nouveau, sans cesse, deux amis ou
deux amants, lorsque deux grandes âmes se sont mariées par l'amour ou par l'amitié. Aussi Pons essuya-
t-il deux grosses larmes! et Schmucke, de son côté,
fut obligé d'essuyer ses yeux mouillés. Ils ne se
dirent rien, mais ils s'aimèrent davantage, et ils se
firent de petits signes de tête dont les expressions
balsamiques pansèrent les douleurs du gravier introduit par la présidente dans le cœur de Pons.
Schmucke se frottait les mains à s'emporter l'épi-
derme, car il avait conçu l'une de ces inventions qui
n'étonnent un Allemand que lorsqu'elle est rapidement éclose dans son cerveau congelé par le respect
dû aux princes souverains.

« *Mon pon Bons?* dit Schmucke.

— Je te devine, tu veux que nous dînions tous
les jours ensemble...

— *Che fitrais edre assez ruche bir de vaire fifre*

tu les churs gomme ça... », répondit mélancoliquement le bon Allemand.

Mme Cibot, à qui Pons donnait de temps en temps des billets pour les spectacles du boulevard, ce qui le mettait dans son cœur à la même hauteur que son pensionnaire Schmucke, fit alors la proposition que voici : « Pardine, dit-elle, pour trois francs, sans le vin, je puis vous faire tous les jours, pour vous deux, n'un dîner n'à licher les plats, et les rendre nets comme s'ils étaient lavés.

— *Le vrai est,* répondit Schmucke, *que che tine mieix afec ce que guisine montame Zipod que les chens qui mangent le vrigod di Roi...* »

Dans son espérance, le respectueux Allemand alla jusqu'à imiter l'irrévérence des petits journaux, en calomniant le prix fixe de la table royale.

« Vraiment? dit Pons. Eh bien, j'essaierai demain! »

En entendant cette promesse, Schmucke sauta d'un bout de la table à l'autre, en entraînant la nappe, les plats, les carafes, et saisit Pons par une étreinte comparable à celle d'un gaz s'emparant d'un autre gaz pour lequel il a de l'affinité.

« *Kel ponhire!* s'écria-t-il.

— Monsieur dînera tous les jours ici! » dit orgueilleusement Mme Cibot attendrie.

Sans connaître l'événement auquel elle devait l'accomplissement de son rêve, l'excellente Mme Cibot descendit à sa loge et y entra comme Josépha entre en scène dans *Guillaume Tell.* Elle jeta les plats et les assiettes, et s'écria : « Cibot, cours cher-

cher deux demi-tasses, au *Café Turc!* et dis au garçon de fourneau que c'est pour moi! » Puis elle
s'assit en se mettant les mains sur ses puissants genoux, et regardant par la fenêtre le mur qui faisait
face à la maison, elle s'écria : « J'irai, ce soir,
consulter Mme Fontaine!... » Mme Fontaine tirait
les cartes à toutes les cuisinières, femmes de chambre, laquais, portiers, etc., du Marais. « Depuis
que ces deux messieurs sont venus chez nous, nous
avons deux mille francs de placés à la caisse d'épargne. En huit ans! quelle chance! Faut-il ne rien
gagner au dîner de M. Pons, et l'attacher à
son ménage? La poule à mame Fontaine me dira
cela. »

En ne voyant pas d'héritiers, ni à Pons ni à
Schmucke, depuis trois ans environ Mme Cibot se
flattait d'obtenir une ligne dans le testament de
ses messieurs, et elle avait redoublé de zèle dans
cette pensée cupide, poussée, très tard au milieu de
ses moustaches, jusqu'alors pleines de probité. En
allant dîner en ville tous les jours, Pons avait
échappé jusqu'alors à l'asservissement complet dans
lequel la portière voulait tenir *ses messieurs.* La
vie nomade de ce vieux troubadour-collectionneur
effarouchait les vagues idées de séduction qui vol-
tigeaient dans la cervelle de Mme Cibot et qui devinrent un plan formidable, à compter de ce mémo-
rable dîner. Un quart d'heure après, Mme Cibot
reparut dans la salle à manger, armée de deux excellentes tasses de café que flanquaient deux petits
verres de kirsch-wasser.

« *Fife montame Zipod!* s'écria Schmucke, *elle m'a tefiné.* »

Après quelques lamentations du pique-assiette que combattit Schmucke par les câlineries que le pigeon sédentaire dut trouver pour son pigeon voyageur, les deux amis sortirent ensemble. Schmucke ne voulut pas quitter son ami dans la situation où l'avait mis la conduite des maîtres et des gens de la maison Camusot. Il connaissait Pons et savait que des réflexions horriblement tristes pouvaient le saisir à l'orchestre sur son siège magistral et détruire le bon effet de sa rentrée au nid. Schmucke, en ramenant le soir, vers minuit, Pons au logis, le tenait sous le bras; et comme un amant fait pour une maîtresse adorée, il indiquait à Pons les endroits où finissait, où recommençait le trottoir; il l'avertissait quand un ruisseau se présentait; il aurait voulu que les pavés fussent en coton, que le ciel fût bleu, que les anges fissent entendre à Pons la musique qu'ils lui jouaient. Il avait conquis la dernière province qui n'était pas à lui dans ce cœur!

Pendant trois mois environ, Pons dîna tous les jours avec Schmucke. D'abord il fut forcé de retrancher quatre-vingts francs par mois sur la somme de ses acquisitions, car il lui fallut trente-cinq francs de vin environ avec les quarante-cinq francs que le dîner coûtait. Puis, malgré les soins et les lazzi allemands de Schmucke, le vieil artiste regretta les plats soignés, les petits verres de liqueurs, le bon café, le babil, les politesses fausses, les convives et

les médisances des maisons où il dînait. On ne
rompt pas au déclin de la vie avec une habitude
qui dure depuis trente-six ans. Une pièce de vin
de cent trente francs verse un liquide peu généreux
dans le verre d'un gourmet; aussi, chaque fois que
Pons portait son verre à ses lèvres, se rappelait-il
avec mille regrets poignants les vins exquis de ses
amphitryons. Donc, au bout de trois mois, les
atroces douleurs qui avaient failli briser le cœur
délicat de Pons étaient amorties; il ne pensait plus
qu'aux agréments de la société, de même qu'un
vieux homme à femmes regrette une maîtresse
quittée coupable de trop d'infidélités! Quoiqu'il es-
sayât de cacher la mélancolie profonde qui le dévo-
rait, le vieux musicien paraissait évidemment attaqué par une de ces inexplicables maladies, dont le
siège est dans le moral. Pour expliquer cette nostalgie produite par une habitude brisée, il suffira d'indiquer un des mille riens qui, semblables aux
mailles d'une cotte d'armes, enveloppent l'âme dans
un réseau de fer. Un des plus vifs plaisirs de l'ancienne vie de Pons, un des bonheurs du pique-
assiette d'ailleurs, était la *surprise*, l'impression gas-
tronomique du plat extraordinaire, de la friandise
ajoutée triomphalement dans les maisons bourgeoises par la maîtresse qui veut donner un air de
festoiement à son dîner! Ce délice de l'estomac manquait à Pons, Mme Cibot lui racontait le menu par
orgueil. Le piquant périodique de la vie de Pons
avait totalement disparu. Son dîner se passait sans
l'inattendu de ce qui, jadis, dans les ménages de nos

aïeux, se nommait le *plat couvert!* Voilà ce que
Schmucke ne pouvait pas comprendre. Pons était
trop délicat pour se plaindre, et s'il y a quelque
chose de plus triste que le génie méconnu, c'est l'estomac incompris. Le cœur dont l'amour est rebuté,
ce drame dont on abuse, repose sur un faux besoin;
car si la créature nous délaisse, on peut aimer le
créateur, il a des trésors à nous dispenser. Mais l'estomac!... Rien ne peut être comparé à ses souffrances; car, avant tout, la vie! Pons regrettait certaines crèmes, de vrais poèmes! certaines sauces
blanches, des chefs-d'œuvre! certaines volailles truf-
fées, des amours! et par-dessus tout les fameuses
carpes du Rhin qui ne se trouvent qu'à Paris et avec
quels condiments! Par certains jours Pons s'écriait :
« O Sophie! » en pensant à la cuisinière du comte
Popinot. Un passant, en entendant ce soupir, aurait cru que le bonhomme pensait à une maîtresse,
et il s'agissait de quelque chose de plus rare, d'une
carpe grasse! accompagnée d'une sauce, claire dans
la saucière, épaisse sur la langue, une sauce à mériter le prix Monthyon! Le souvenir de ces dîners
mangés fit donc considérablement maigrir le chef
d'orchestre attaqué d'une nostalgie gastrique.

Dans le commencement du quatrième mois, vers
la fin de janvier 1845, le jeune flûtiste, qui se nommait Wilhem comme presque tous les Allemands,
et Schwab pour se distinguer de tous les Wilhem,
ce qui ne le distinguait pas de tous les Schwab,
jugea nécessaire d'éclairer Schmucke sur l'état du
chef d'orchestre dont on se préoccupait au théâtre.

C'était le jour d'une première représentation où donnaient les instruments dont jouait le vieux maître allemand.

« Le bonhomme Pons décline, il y a quelque chose dans son sac qui sonne mal, l'œil est triste, le mouvement de son bras s'affaiblit, dit Wilhem Schwab en montrant le bonhomme qui montait à son pupitre d'un air funèbre.

— *C'esdre gomme ça à soissante ans, tuchurs* », répondit Schmucke.

Schmucke, semblable à cette mère des chroniques de la Canongate qui, pour jouir de son fils vingt-quatre heures de plus, le fait fusiller, était capable de sacrifier Pons au plaisir de le voir dîner tous les jours avec lui.

« Tout le monde au théâtre s'inquiète, et, comme le dit Mlle Héloïse Brisetout, notre première danseuse, il ne fait presque plus de bruit en se mouchant. »

Le vieux musicien paraissait donner du cor, quand il se mouchait, tant son nez long et creux sonnait dans le foulard. Ce tapage était la cause d'un des plus constants reproches de la présidente au cousin Pons.

« *Che tonnerais pien tes chausses pir l'amisser*, dit Schmucke, *l'annui le cagne*.

— Ma foi, dit Wilhem Schwab, M. Pons me semble un être si supérieur à nous autres pauvres diables, que je n'osais pas l'inviter à ma noce. Je me marie...

— *Ed gommend?* demanda Schmucke.

— Oh! très honnêtement, répondit Wilhem qui trouva dans la question bizarre de Schmucke une raillerie dont ce parfait chrétien était incapable.

— Allons, messieurs, à vos places! » dit Pons qui regarda dans l'orchestre sa petite armée après avoir entendu le coup de sonnette du directeur.

On exécuta l'ouverture de la *Fiancée du Diable,* une pièce féerie qui eut deux cents représentations. Au premier entracte, Wilhem et Schmucke se virent seuls dans l'orchestre désert. L'atmosphère de la salle comportait trente-deux degrés Réaumur.

« *Gondez-moi tonc fotre husdoire,* dit Schmucke à Wilhem.

— Tenez, voyez-vous, à l'avant-scène, ce jeune homme?... le reconnaissez-vous?

— *Ti tud...*

— Ah! parce qu'il a des gants jaunes, et qu'il brille de tous les rayons de l'opulence; mais c'est mon ami, Fritz Brunner de Francfort-sur-Mein...

— *Celui qui fenaid foir les bièces à l'orguesdre, brès te fus?*

— Le même. N'est-ce pas, que c'est à ne pas croire à une pareille métamorphose? »

Ce héros de l'histoire promise était un de ces Allemands dont la figure contient à la fois la raillerie sombre du Méphistophélès de Goethe et la bonhomie des romans d'Auguste Lafontaine de pacifique mémoire; la ruse et la naïveté, l'âpreté des comptoirs et le laisser-aller raisonné d'un membre du Jockey Club; mais surtout le dégoût qui met le pistolet à la main de Werther, beaucoup plus en-

nuyé des princes allemands que de Charlotte.
C'était véritablement une figure typique de l'Allemagne : beaucoup de juiverie et beaucoup de simplicité, de la bêtise et du courage, un savoir qui
produit l'ennui, une expérience que le moindre en-
fantillage rend inutile, l'abus de la bière et du tabac; mais, pour relever toutes ces antithèses, une
étincelle diabolique dans de beaux yeux bleus fatigués. Mis avec l'élégance d'un banquier, Fritz Brunner offrait aux regards de toute la salle une tête
chauve d'une odeur titianesque, de chaque côté
de laquelle se bouclaient les quelques cheveux d'un
blond ardent que la débauche et la misère lui
avaient laissés pour qu'il eût le droit de payer un
coiffeur au jour de sa restauration financière. Sa
figure, jadis belle et fraîche, comme celle du Jésus-
Christ des peintres, avait pris des tons aigres que des
moustaches rouges, une barbe fauve rendaient
presque sinistres. Le bleu pur de ses yeux s'était
troublé dans sa lutte avec le chagrin. Enfin les
mille prostitutions de Paris avaient estompé les pau-
pières et le tour de ses yeux, où jadis une mère regardait avec ivresse une divine réplique des siens.
Ce philosophe prématuré, ce jeune vieillard était
l'œuvre d'une marâtre.

Ici commence l'histoire curieuse d'un fils prodigue de Francfort-sur-Mein, le fait le plus extraordinaire et le plus bizarre qui soit jamais arrivé
dans cette ville sage, quoique centrale.

M. Gédéon Brunner, père de ce Fritz, un de ces
célèbres aubergistes de Francfort-sur-Mein qui pra-

tiquent, de complicité avec les banquiers, des inci-
sions autorisées par les lois sur la bourse des touristes, honnête calviniste d'ailleurs, avait épousé une
juive convertie, à la dot de laquelle il dut les éléments de sa fortune. Cette juive mourut, laissant son
fils Fritz, à l'âge de douze ans, sous la tutelle du
père et sous la surveillance d'un oncle maternel,
marchand de fourrures à Leipsick, le chef de la
maison Virlaz et compagnie. Brunner le père fut
obligé, par cet oncle qui n'était pas aussi doux que
ses fourrures, de placer la fortune du jeune Fritz en
beaucoup de marcs banco dans la maison Al-Sart-
child, et sans y toucher. Pour se venger de cette
exigence israélite, le père Brunner se remaria, en
alléguant l'impossibilité de tenir son immense au-
berge sans l'œil et le bras d'une femme. Il épousa
la fille d'un autre aubergiste, dans laquelle il vit
une perle; mais il n'avait pas expérimenté ce
qu'était une fille unique, adulée par un père et une
mère. La deuxième Mme Brunner fut ce que sont
les jeunes Allemandes, quand elles sont méchantes
et légères. Elle dissipa sa fortune, et vengea la première Mme Brunner en rendant son mari l'homme
le plus malheureux dans son intérieur qui fût
connu sur le territoire de la ville libre de Francfort-sur-Mein où, dit-on, les millionnaires vont faire
rendre une loi municipale qui contraigne les
femmes à les chérir exclusivement. Cette Allemande
aimait les différents vinaigres que les Allemands
appellent communément vins du Rhin. Elle aimait
les articles-Paris. Elle aimait à monter à cheval. Elle

aimait la parure. Enfin la seule chose coûteuse
qu'elle n'aimât pas, c'était les femmes. Elle prit
en aversion le petit Fritz, et l'aurait rendu fou, si
ce jeune produit du calvinisme et du mosaïsme
n'avait pas eu Francfort pour berceau, et la maison
Virlaz de Leipsick pour tutelle; mais l'oncle Virlaz,
tout à ses fourrures, ne veillait qu'aux marcs banco,
il laissa l'enfant en proie à la marâtre.

Cette hyène était d'autant plus furieuse contre ce
chérubin, fils de la belle Mme Brunner, que, malgré des efforts dignes d'une locomotive, elle ne pouvait pas avoir d'enfant. Mue par une pensée diabolique, cette criminelle Allemande lança le jeune
Fritz, à l'âge de vingt et un ans, dans des dissipations anti-germaniques. Elle espéra que le cheval
anglais, le vinaigre du Rhin et les Marguerites de
Goethe dévoreraient l'enfant de la juive et sa fortune; car l'oncle Virlaz avait laissé un bel héritage
à son petit Fritz au moment où celui-ci devint ma-
jeur. Mais si les roulettes des Eaux et les amis du
Vin, au nombre desquels était Wilhem Schwab,
achevèrent le capital Virlaz, le jeune enfant prodigue demeura pour servir, selon les vœux du Seigneur, d'exemple aux puînés de la ville de Francfort-sur-Mein, où toutes les familles l'emploient
comme un épouvantail pour garder leurs enfants
sages et effrayés dans leurs comptoirs de fer doublés de
marcs banco. Au lieu de mourir à la fleur de l'âge,
Fritz Brunner eut le plaisir de voir enterrer sa marâtre dans un de ces charmants cimetières où les
Allemands, sous prétexte d'honorer leurs morts, se

livrent à leur passion effrénée pour l'horticulture. La seconde Mme Brunner mourut donc avant ses auteurs, le vieux Brunner en fut pour l'argent qu'elle avait extrait de ses coffres, et pour des peines telles, que cet aubergiste, d'une constitution herculéenne, se vit, à soixante-sept ans, diminué comme si le fameux poison des Borgia l'avait attaqué. Ne pas hériter de sa femme après l'avoir supportée pendant dix années, fit de cet aubergiste une autre ruine de Heidelberg, mais radoubée incessamment par les *Rechnungs* des voyageurs, comme on radoube celle de Heidelberg pour entretenir l'ardeur des touristes qui affluent pour voir cette belle ruine, si bien entretenue. On en causait à Francfort comme d'une faillite, on s'y montrait Brunner au doigt en se disant : « Voilà où peut nous mener une mauvaise femme de qui l'on n'hérite pas, et un fils élevé à la française. »

En Italie et en Allemagne, les Français sont la raison de tous les malheurs, la cible de toutes les belles; *mais le dieu poursuivant sa carrière...* (Le reste comme dans l'ode de Lefranc de Pompignan).

La colère du propriétaire du *grand hôtel de Hollande* ne tomba pas seulement sur les voyageurs dont les mémoires (*Rechnung*) se ressentirent de son chagrin. Quand son fils fut totalement ruiné, Gédéon, le regardant comme la cause indirecte de tous ses malheurs, lui refusa le pain et l'eau, le sel, le feu, le logement et la pipe! ce qui, chez un père aubergiste et Allemand, est le dernier degré de la malédiction paternelle. Les autorités du pays, ne se

rendant pas compte des premiers torts du père, et
voyant en lui l'un des hommes les plus malheureux
de Francfort-sur-Mein, lui vinrent en aide; ils ex-
pulsèrent Fritz du territoire de cette ville libre, en
lui faisant une querelle d'Allemand. La justice n'est
pas plus humaine ni plus sage à Francfort qu'ailleurs, quoique cette ville soit le siège de la Diète
germanique. Rarement un magistrat remonte le
fleuve des crimes et des infortunes pour savoir qui
tenait l'urne d'où le premier filet d'eau s'épancha.
Si Brunner oublia son fils, les amis du fils imitèrent
l'aubergiste.

Ah! si cette histoire avait pu se jouer devant le
trou du souffleur pour cette assemblée, au sein de
laquelle les journalistes, les lions et quelques Parisiennes se demandaient d'où sortait la figure profondément tragique de cet Allemand surgi dans le
Paris élégant en pleine première représentation,
seul, dans une avant-scène, c'eût été bien plus beau
que la pièce-féerie de la *Fiancée du Diable,* quoique ce fût la deux cent millième représentation de
la sublime parabole jouée en Mésopotamie, trois
mille ans avant Jésus-Christ.

Fritz alla de pied à Strasbourg, et il y rencontra
ce que l'enfant prodigue de la Bible n'a pas trouvé
dans la patrie de la Sainte Ecriture. En ceci se révèle la supériorité de l'Alsace, où battent tant de
cœurs généreux pour montrer à l'Allemagne la
beauté de la combinaison de l'esprit français et de
la solidité germanique. Wilhem, depuis quelques
jours héritier de ses père et mère, possédait cent

mille francs. Il ouvrit ses bras à Fritz, il lui ouvrit
son cœur, il lui ouvrit sa maison, il lui ouvrit sa
bourse. Décrire le moment où Fritz, poudreux, malheureux et quasi lépreux, rencontra, de l'autre côté
du Rhin, une vraie pièce de vingt francs dans la
main d'un véritable ami, ce serait vouloir entreprendre une ode, et Pindare seul pourrait la lancer
en grec sur l'humanité pour y réchauffer l'amitié
mourante. Mettez les noms de Fritz et Wilhem avec
ceux de Damon et Pythias, de Castor et Pollux,
d'Oreste et Pylade, de Dubreuil et Pmejà, de
Schmucke et Pons, et de tous les noms de fantaisie
que nous donnons aux deux amis du Monomotapa,
car La Fontaine, en homme de génie qu'il était, en
a fait des apparences sans corps, sans réalité; joignez
ces deux noms nouveaux à ces illustrations avec
d'autant plus de raison que Wilhem mangea, de
compagnie avec Fritz, son héritage, comme Fritz
avait bu le sien avec Wilhem, mais en fumant, bien
entendu, toutes les espèces de tabacs connus.

Les deux amis avalèrent cet héritage, chose
étrange! dans les brasseries de Strasbourg, de la manière la plus stupide, la plus vulgaire, avec des fi-
gurantes du théâtre de Strasbourg et des Alsaciennes
qui, de leurs petits balais, n'avaient que le manche.
Et ils se disaient tous les matins l'un à l'autre :
« Il faut cependant nous arrêter, prendre un parti,
faire quelque chose avec ce qui nous reste! — Bah!
encore aujourd'hui, disait Fritz, mais demain... » Oh!
demain... Dans la vie des dissipateurs, Aujourd'hui
est un bien grand fat, mais Demain est un grand

lâche qui s'effraie du courage de son prédécesseur;
Aujourd'hui, c'est le Capitan de l'ancienne comédie,
et Demain, c'est le Pierrot de nos pantomimes.
Arrivés à leur dernier billet de mille francs, les
deux amis prirent une place aux Messageries dites
royales, qui les conduisirent à Paris, où ils se lo-
gèrent dans les combles de l'*hôtel du Rhin*, rue du
Mail, chez Graff, un ancien premier garçon de Gédéon Brunner. Fritz entra commis à six cents francs
chez les frères Keller, banquiers, où Graff le recommanda. Graff, maître de l'hôtel du Rhin, est le
frère du fameux tailleur Graff. Le tailleur prit Wilhem en qualité de teneur de livres. Graff trouva
ces deux places exiguës aux deux enfants prodigues,
en souvenir de son apprentissage à l'*hôtel de Hollande*. Ces deux faits : un ami ruiné reconnu par
un ami riche, et un aubergiste allemand s'intéres-
sant à deux compatriotes sans le sou, feront croire
à quelques personnes que cette histoire est un roman; mais toutes les choses vraies ressemblent d'autant plus à des fables, que la fable prend de notre
temps des peines inouïes pour ressembler à la vérité.

Fritz, commis à six cents francs, Wilhem, teneur
de livres aux mêmes appointements, s'aperçurent de
la difficulté de vivre dans une ville aussi courtisane
que Paris. Aussi, dès la deuxième année de leur séjour, en 1837, Wilhem, qui possédait un joli talent
de flûtiste, entra-t-il dans l'orchestre dirigé par Pons,
pour pouvoir mettre quelquefois du beurre sur son
pain. Quant à Fritz,, il ne put trouver un supplé-

ment de paie qu'en déployant la capacité financière
d'un enfant issu des Virlaz. Malgré son assiduité,
peut-être à cause de ses talents, le Francfourtois
n'atteignit à deux mille francs qu'en 1843. La Misère, cette divine marâtre, fit pour ces deux jeunes
gens ce que leurs mères n'avaient pu faire, elle leur
apprit l'économie, le monde et la vie; elle leur
donna cette grande, cette forte éducation qu'elle
dispense à coups d'étrivières aux grands hommes,
tous malheureux dans leur enfance. Fritz et Wilhem, étant des hommes assez ordinaires, n'écou-
tèrent point toutes les leçons de la Misère, ils se
défendirent de ses atteintes, ils lui trouvèrent le
sein dur, les bras décharnés, et ils n'en dégagèrent
point cette bonne fée Urgèle qui cède aux caresses
des gens de génie. Néanmoins ils apprirent toute
la valeur de la fortune, et se promirent de lui
couper les ailes, si jamais elle revenait à leur
porte.

« Eh bien, papa Schmucke, tout va vous être expliqué en un mot, reprit Wilhem qui raconta longuement cette histoire en allemand au pianiste. Le
père Brunner est mort. Il était, sans que son fils ni
M. Graff, chez qui nous logeons, en sussent rien,
l'un des fondateurs des chemins de fer badois, avec
lesquels il a réalisé des bénéfices immenses, et il
laisse quatre millions. Je joue ce soir de la flûte
pour la dernière fois. Si ce n'était pas une première
représentation, je m'en serais allé depuis quelques
jours, mais je n'ai pas voulu faire manquer ma
partie.

— *C'esdre pien, cheûne homme,* dit Schmucke.
Mais qui ébisez-fus?

— La fille de M. Graff, notre hôte, le propriétaire de l'*hôtel du Rhin.* J'aime Mlle Emilie depuis
sept ans, elle a lu tant de romans immoraux qu'elle
a refusé tous les partis pour moi, sans savoir ce qui
en adviendrait. Cette jeune personne sera très riche,
elle est l'unique héritière des Graff, les tailleurs de
la rue de Richelieu. Fritz me donne cinq fois ce
que nous avons mangé ensemble à Strasbourg, cinq
cent mille francs!... Il met un million de francs dans
une maison de banque, où M. Graff le tailleur place
cinq cent mille francs aussi; le père de ma promise
me permet d'y employer la dot, qui est de deux cent
cinquante mille francs, et il nous commandite d'autant. La maison Brunner, Schwab et compagnie
aura donc deux millions cinq cent mille francs de
capital. Fritz vient d'acheter pour quinze cent mille
francs d'actions de la Banque de France, pour y
garantir notre compte. Ce n'est pas toute la fortune
de Fritz, il lui reste encore les maisons de son père
à Francfort, qui sont estimées un million, et il a
déjà loué le *grand hôtel de Hollande* à un cousin
des Graff.

— *Fus recartez fodre hami drisdement,* répondit
Schmucke qui avait écouté Wilhem avec attention;
seriez-fus chaloux de lui?

— Je suis jaloux, mais c'est du bonheur de Fritz,
dit Wilhem. Est-ce là le masque d'un homme satisfait? J'ai peur de Paris pour lui; je lui voudrais voir
prendre le parti que je prends. L'ancien démon

peut se réveiller en lui. De nos deux têtes, ce n'est pas la sienne où il est entré le plus de plomb. Cette toilette, cette lorgnette, tout cela m'inquiète. Il n'a regardé que les lorettes dans la salle. Ah! si vous saviez comme il est difficile de marier Fritz; il a en horreur ce qu'on appelle en France *faire la cour,* et il faudrait le lancer dans une famille, comme en Angleterre on lance un homme dans l'éternité. »

Pendant le tumulte qui signale la fin de toutes les premières représentations, la flûte fit son invitation à son chef d'orchestre. Pons accepta joyeusement. Schmucke aperçut alors, pour la première fois depuis trois mois, un sourire sur la face de son ami; il le ramena rue de Normandie dans un profond silence, car il reconnut à cet éclair de joie la profondeur du mal qui rongeait Pons. Qu'un homme vraiment noble, si désintéressé, si grand par le sentiment, eût de telles faiblesses!... voilà ce qui stupéfiait le stoïcien Schmucke, qui devint horriblement triste, car il sentit la nécessité de renoncer à voir tous les jours son « *pon Bons* » à table devant lui! dans l'intérêt du bonheur de Pons; et il ne savait si ce sacrifice serait possible; cette idée le rendait fou.

Le fier silence que gardait Pons, réfugié sur le mont Aventin de la rue de Normandie, avait nécessairement frappé la présidente, qui, délivrée de son parasite, s'en tourmentait peu; elle pensait avec sa charmante fille que le cousin avait compris la plaisanterie de sa petite Lili; mais il n'en fut pas ainsi du président. Le président Camusot de Marville, petit homme gros, devenu solennel depuis son avan-

cement en la cour, admirait Cicéron, préférait
l'Opéra-Comique aux Italiens, comparait les acteurs
les uns aux autres, suivait la foule pas à pas, répétait comme de lui tous les articles du journal mi-
nistériel, et en opinant, il paraphrasait les idées du
conseiller après lequel il parlait. Ce magistrat, suffisamment connu sur les principaux traits de son
caractère, obligé par sa position à tout prendre au
sérieux, tenait surtout aux liens de famille. Comme
la plupart des maris entièrement dominés par leurs
femmes, le président affectait dans les petites choses
une indépendance que respectait sa femme. Si pendant un mois le président se contenta des raisons
banales que lui donna la présidente, relativement
à la disparition de Pons, il finit par trouver singulier que le vieux musicien, un ami de quarante ans,
ne vînt plus, précisément après avoir fait un présent
aussi considérable que l'éventail de Mme de Pompadour. Cet éventail, reconnu par le comte Popinot
pour un chef-d'œuvre, valut à la présidente, et aux
Tuileries, où l'on se passa ce bijou de main en
main, des compliments qui flattèrent excessivement
branches en ivoire dont chacune offrait des sculp-
son amour-propre; on lui détailla les beautés des dix
tures d'une finesse inouïe. Une dame russe (les
Russes se croient toujours en Russie) offrit, chez le
comte Popinot, six mille francs à la présidente de
cet éventail extraordinaire, en souriant de le voir
en de telles mains, car c'était, il faut l'avouer, un
éventail de duchesse.

« On ne peut pas refuser à ce pauvre cousin, dit

Cécile à son père, le lendemain de cette offre, de se bien connaitre à ces petites bêtises-là...

— Des petites bêtises! s'écria le président. Mais l'Etat va payer trois cent mille francs la collection de feu M. le conseiller Dusommerard, et dépenser, avec la ville de Paris par moitié, près d'un million en achetant et réparant l'hôtel Cluny pour loger ces petites bêtises-là. Ces petites bêtises-là, ma chère enfant, sont souvent les seuls témoignages qui nous restent de civilisations disparues. Un pot étrusque, un collier, qui valent quelquefois, l'un quarante, l'autre cinquante mille francs, sont des petites bêtises qui nous révèlent la perfection des arts au temps du siège de Troie, en nous démontrant que les Etrusques étaient des Troyens réfugiés en Italie. »

Tel était le genre de plaisanterie du gros petit président, il procédait avec sa femme et sa fille par de lourdes ironies.

« La réunion des connaissances qu'exigent ces petites bêtises, Cécile, reprit-il, est une science qui s'appelle l'archéologie. L'archéologie comprend l'architecture, la sculpture, la peinture, l'orfèvrerie, la céramique, l'ébénisterie, art tout moderne, les dentelles, les tapisseries, enfin toutes les créations du travail humain.

— Le cousin Pons est donc un savant? dit Cécile.

— Ah çà! pourquoi ne le voit-on plus? » demanda le président de l'air d'un homme qui ressent une commotion produite par mille observations oubliées dont la réunion subite *fait balle*, pour emprunter une expression aux chasseurs.

« Il aura pris la mouche pour des riens, répondit la présidente. Je n'ai peut-être pas été sensible autant que je le devais au cadeau de cet éventail. Je suis, vous le savez, assez ignorante...

— Vous! une des plus fortes élèves de Servin, s'écria le président, vous ne connaissez pas Watteau?

— Je connais David, Gérard, Gros, et Girodet, et Guérin, et M. de Forbin, et M. Turpin de Crissé...

— Vous auriez dû...

— Qu'aurais-je dû, monsieur? demanda la présidente en regardant son mari d'un air de reine de Saba.

— Savoir ce qu'est Watteau, ma chère, il est très à la mode », répondit le président avec une humilité qui dénotait toutes les obligations qu'il avait à sa femme.

Cette conversation avait eu lieu quelques jours avant la première représentation de la *Fiancée du Diable*, où tout l'orchestre fut frappé de l'état maladif de Pons. Mais alors les gens habitués à voir Pons à leur table, à le prendre pour messager, s'étaient tous interrogés, et il s'était répandu dans le cercle où le bonhomme gravitait une inquiétude d'autant plus grande, que plusieurs personnes l'aperçurent à son poste au théâtre. Malgré le soin avec lequel Pons évitait dans ses promenades ses anciennes connaissances quand il en rencontrait, il se trouva nez à nez avec l'ancien ministre, le comte Popinot, chez Monistrol, un des illustres et audacieux marchands du nouveau boulevard Beaumarchais, dont parlait naguère Pons à la présidente, et dont le narquois enthousiasme fait renchérir de jour en jour les curiosités, qui, disent-ils, deviennent si rares qu'on n'en trouve plus.

« Mon cher Pons, pourquoi ne vous voit-on plus? Vous nous manquez beaucoup, et Mme Popinot ne sait que penser de cet abandon.

— Monsieur le comte, répondit le bonhomme, on m'a fait comprendre dans une maison, chez un parent, qu'à mon âge on est de trop dans le monde. On ne m'a jamais reçu avec beaucoup d'égards, mais du moins on ne m'avait pas encore insulté. Je n'ai jamais demandé rien à personne, dit-il avec la fierté de l'artiste. En retour de quelques politesses, je me rendais souvent utile à ceux qui m'accueillaient; mais il paraît que je me suis trompé, je serais taillable et corvéable à merci pour l'honneur que je recevais en allant dîner chez mes amis, chez mes parents... Eh bien, j'ai donné ma démission de pique-assiette. Chez moi je trouve tous les jours ce qu'aucune table ne m'a offert, un véritable ami! »

Ces paroles, empreintes de l'amertume que le vieil artiste avait encore la faculté d'y mettre par le geste et par l'accent, frappèrent tellement le pair de France, qu'il prit le digne musicien à part.

« Ah çà, mon vieil ami, que vous est-il arrivé? Ne pouvez-vous me confier ce qui vous a blessé? Vous

me permettrez de vous faire observer que, chez moi,
vous devez avoir trouvé des égards...

— Vous êtes la seule exception que je fasse, dit
le bonhomme. D'ailleurs, vous êtes un grand seigneur, un homme d'Etat, et vos préoccupations ex-
cuseraient tout, au besoin. »

Pons, soumis à l'adresse diplomatique conquise
par Popinot dans le maniement des hommes et des
affaires, finit par raconter ses infortunes chez le président de Marville. Popinot épousa si vivement les
griefs de la victime, qu'il en parla chez lui tout
aussitôt à Mme Popinot, excellente et digne femme,
qui fit des représentations à la présidente aussitôt
qu'elle la rencontra. L'ancien ministre ayant, de son
côté, dit quelques mots à ce sujet au président, il
y eut une explication en famille chez les Camusot
de Marville. Quoique Camusot ne fût pas tout à fait
le maître chez lui, sa remontrance était trop fondée
en droit et en fait, pour que sa femme et sa fille
n'en reconnussent pas la vérité; toutes les deux, elles
s'humilièrent et rejetèrent la faute sur les domestiques. Les gens, mandés et gourmandés, n'obtinrent
leur pardon que par des aveux complets, qui dé-
montrèrent au président combien le cousin Pons
avait raison en restant chez soi. Comme les maîtres
de maison dominés par leurs femmes, le président
déploya toute sa majesté maritale et judiciaire, en
déclarant à ses gens qu'ils seraient chassés, et qu'ils
perdraient ainsi tous les avantages que leurs longs
services pouvaient leur valoir chez lui, si, désormais,
son cousin Pons et tous ceux qui lui faisaient l'hon-

neur de venir chez lui n'étaient pas traités comme lui-même. Cette parole fit sourire Madeleine.

« Vous n'avez même, dit le président, qu'une chance de salut, c'est de désarmer mon cousin par des excuses. Allez lui dire que votre maintien ici dépend entièrement de lui, car je vous renvoie tous, s'il ne vous pardonne. »

Le lendemain, le président partit d'assez bonne heure pour pouvoir faire une visite à son cousin avant l'audience. Ce fut un événement que l'apparition de M. le président de Marville annoncé par Mme Cibot. Pons, qui recevait cet honneur pour la première fois de sa vie, pressentit une réparation.

« Mon cher cousin, dit le président après les compliments d'usage, j'ai fini par savoir la cause de votre retraite. Votre conduite augmente, si c'est possible, l'estime que j'ai pour vous. Je ne vous dirai qu'un mot à cet égard. Mes domestiques sont tous renvoyés. Ma femme et ma fille sont au désespoir; elles veulent vous voir, pour s'expliquer avec vous. En ceci, mon cousin, il y a un innocent, et c'est un vieux juge; ne me punissez donc pas pour l'escapade d'une petite fille étourdie qui voulait dîner chez les Popinot, surtout quand je viens vous demander la paix, en reconnaissant que tous les torts sont de notre côté... Une amitié de trente-six ans, en la supposant altérée, a bien encore quelques droits. Voyons?... signez la paix en venant dîner avec nous ce soir... »

Pons s'embrouilla dans une diffuse réponse, et finit en faisant observer à son cousin qu'il assistait le soir aux fiançailles d'un musicien de son orchestre, qui jetait la flûte aux orties pour devenir banquier.

« Eh bien, demain.

— Mon cousin, Mme la comtesse Popinot m'a fait l'honneur de m'inviter par une lettre d'une amabilité...

— Après-demain donc... reprit le président.

— Après-demain, l'associé de ma première flûte, un Allemand, un M. Brunner, rend aux fiancés la politesse qu'il reçoit d'eux aujourd'hui...

— Vous êtes bien assez aimable pour qu'on se dispute ainsi le plaisir de vous recevoir, dit le président. Eh bien, dimanche prochain! à huitaine... comme on dit au Palais.

— Mais nous dînons chez un M. Graff, le beau-père de la flûte...

— Eh bien, à samedi! D'ici là, vous aurez le temps de rassurer une petite fille qui a déjà versé des larmes sur sa faute. Dieu ne demande que le repentir, serez-vous plus exigeant que le Père Eternel avec cette pauvre petite Cécile?... »

Pons, pris par ses côtés faibles, se rejeta dans des formules plus que polies, et reconduisit le président jusque sur le palier. Une heure après, les gens du président arrivèrent chez le bonhomme Pons; ils se montrèrent ce que sont les domestiques, lâches et patelins : ils pleurèrent! Madeleine prit à part M. Pons, et se jeta résolument à ses pieds.

« C'est moi, monsieur, qui ai tout fait, et monsieur sait bien que je l'aime, dit-elle en fondant en

larmes. C'est à la vengeance, qui me bouillait dans
le sang, que monsieur doit s'en prendre de toute
cette malheureuse affaire. Nous perdrons *nos viagers!*... Monsieur, j'étais folle, et je ne voudrais pas
que mes camarades souffrissent de ma folie... Je
vois bien, maintenant, que le sort ne m'a pas faite
pour être à monsieur. Je me suis raisonnée, j'ai eu
trop d'ambition, mais je vous aime toujours, monsieur. Pendant dix ans je n'ai pensé qu'au bonheur
de faire le vôtre et de soigner tout ici. Quelle belle
destinée!... Oh! si monsieur savait combien je
l'aime! Mais monsieur a dû s'en apercevoir à toutes
mes méchancetés. Si je mourais demain, qu'est-ce
qu'on trouverait?... un testament en votre faveur,
monsieur... oui, monsieur, dans ma malle, sous mes
bijoux! »

En faisant mouvoir cette corde, Madeleine livra
le vieux garçon aux jouissances d'amour-propre que
causera toujours une passion inspirée, quand même
elle déplaît. Après avoir pardonné noblement à Madeleine, il reçut tout le monde à merci en disant
qu'il parlerait à sa cousine la présidente pour obtenir que tous les gens restassent chez elle. Pons se vit
avec un plaisir ineffable rétabli dans toutes ses jouissances habituelles, sans avoir commis de lâcheté.
Le monde était venu vers lui, la dignité de son
caractère allait y gagner; mais en expliquant son
triomphe à son ami Schmucke, il eut la douleur de
le voir triste, et plein de doutes inexprimés. Néanmoins, à l'aspect du changement subit qui eut lieu
dans la physionomie de Pons, le bon Allemand fi-

nit par se réjouir en immolant le bonheur qu'il
avait goûté de posséder pendant près de quatre
mois son ami tout entier. Les maladies morales
ont sur les maladies physiques un avantage
immense, elles guérissent instantanément, par
l'accomplissement du désir qui les cause,
comme elles naissent par la privation : Pons, dans
cette matinée, ne fut plus le même homme. Le
vieillard triste, moribond, fit place au Pons satisfait,
qui naguère apportait à la présidente l'éventail de
la marquise de Pompadour. Mais Schmucke tomba
dans des rêveries profondes sur ce phénomène sans
le comprendre, car le stoïcisme vrai ne s'expliquera
jamais la courtisanerie française. Pons était un vrai
Français de l'Empire, en qui la galanterie du dernier siècle s'unissait au dévouement pour la femme.
tant célébré dans les romances de *Partant pour la
Syrie,* etc. Schmucke enterra son chagrin dans son
cœur sous les fleurs de sa philosophie allemande;
mais en huit jours il devint jaune et Mme Cibot
usa d'artifices pour introduire le *médecin du quartier* auprès de Schmucke. Ce médecin craignit un
ictère, et il laissa Mme Cibot foudroyée par ce mot
savant dont l'explication est *jaunisse!*

Pour la première fois peut-être, les deux amis
allaient dîner ensemble en ville; mais, pour
Schmucke, c'était faire une excursion en Allemagne.
En effet, Johann Graff, le maître de l'*hôtel du
Rhin,* et sa fille Emilie, Wolfgang Graff, le tailleur
et sa femme, Fritz Brunner et Wilhem Schwab
étaient Allemands. Pons et le notaire se trouvaient

les seuls Français admis au banquet. Les tailleurs
qui possédaient un magnifique hôtel situé rue de
Richelieu, entre la rue Neuve-des-Petits-Champs et
la rue Villedo, avaient élevé leur nièce, dont le père
craignit avec raison le contact des gens de toute
espèce qui viennent dans un hôtel. Ces dignes tailleurs, qui aimaient cette enfant comme si c'eût été
leur fille, donnaient le rez-de-chaussée au jeune ménage. Là devait s'établir la maison de Banque Brunner, Schwab et compagnie. Comme ces arrangements
dataient d'un mois environ, temps voulu pour recueillir l'héritage dévolu à Brunner, auteur de
toute cette félicité, l'appartement des futurs époux
avait été richement mis à neuf et meublé par le
fameux tailleur. Les bureaux de la maison de
Banque étaient ménagés dans l'aile qui réunissait
une magnifique maison de produit bâtie sur la rue
à l'ancien hôtel sis entre cour et jardin.

En allant de la rue de Normandie à la rue de Richelieu, Pons obtint du distrait Schmucke les détails de cette nouvelle histoire de l'enfant prodigue,
pour qui la Mort avait tué l'aubergiste gras. Pons,
fraîchement réconcilié avec ses plus proches parents,
fut aussitôt atteint du désir de marier Fritz Brunner avec Cécile de Marville. Le hasard voulut que
le notaire des frères Graff fût précisément le gendre
et le successeur de Cardot, ancien second premier
clerc de l'Etude, chez qui dînait souvent Pons.

« Ah! c'est vous, monsieur Berthier, dit le vieux
musicien en tendant la main à son ex-amphitryon.

— Et pourquoi ne nous faites-vous plus le plaisir

de venir dîner chez nous? demanda le notaire. Ma
femme était inquiète de vous. Nous vous avons vu
à la première représentation de la *Fiancée du
Diable,* et notre inquiétude est devenue de la curiosité.

— Les vieillards sont susceptibles, répondit le
bonhomme, ils ont le tort d'être d'un siècle en retard; mais qu'y faire?... c'est bien assez d'en représenter un, ils ne peuvent pas être de celui qui les
voit mourir.

— Ah! dit le notaire d'un air fin, on ne court
pas deux siècles à la fois.

— Ah çà! demanda le bonhomme en attirant le
jeune notaire dans un coin, pourquoi ne mariez-
vous pas ma cousine Cécile de Marville?...

— Ah! pourquoi... reprit le notaire. Dans ce
siècle, où le luxe a pénétré jusque dans les loges de
concierge, les jeunes gens hésitent à joindre leur
sort à celui de la fille d'un président à la Cour
royale de Paris, quand on ne lui constitue que cent
mille francs de dot. On ne connaît pas encore de
femme qui ne coûte à son mari que trois mille
francs par an, dans la classe où sera placé le mari
de Mlle de Marville. Les intérêts d'une semblable
dot peuvent donc à peine solder les dépenses de toilette d'une future épouse. Un garçon, doué de
quinze à vingt mille francs de rente, demeure dans
un joli entresol, le monde ne lui demande aucun
tapage, il peut n'avoir qu'un seul domestique, il
applique tous ses revenus à ses plaisirs, il n'a d'autre
décorum à garder que celui dont se charge son tail-

leur. Caressé par toutes les mères prévoyantes, il est un des rois de la fashion parisienne. Au contraire, une femme exige une maison montée, elle prend la voiture pour elle; si elle va au spectacle, elle veut une loge, là où le garçon ne payait que sa stalle; enfin elle devient toute la représentation de la fortune que le garçon représentait naguère à lui seul. Supposez aux époux trente mille francs de rente? dans le monde actuel, le garçon riche devient un pauvre diable qui regarde au prix d'une course à Chantilly. Introduisez des enfants?... la gêne se déclare. Comme M. et Mme de Marville commencent à peine la cinquantaine, les *espérances* ont quinze ou vingt ans d'échéance; aucun garçon ne se soucie de les garder si longtemps en portefeuille; et le calcul gangrène si bien le cœur des étourdis qui dansent la polka chez Mabille avec des lorettes, que tous les jeunes gens à marier étudient les deux faces de ce problème sans avoir besoin de nous pour le leur expliquer. Entre nous, Mlle de Marville laisse à ses *prétendus* le cœur assez tranquille pour que la tête soit à sa place, et ils se livrent tous à ces réflexions anti-matrimoniales. Si quelque jeune homme, jouissant de sa raison et de vingt mille francs de rente, se dessine *in petto* un programme d'alliance pour satisfaire à d'ambitieuses pensées, Mlle de Marville y répond fort peu...

— Et pourquoi? demanda le musicien stupéfait.

— Ah!... répondit le notaire, aujourd'hui, presque tous ces garçons, fussent-ils laids comme nous deux, mon cher Pons, ont l'impertinence de

vouloir une dot de six cent mille francs, des filles
de grande maison, très belles, très spirituelles, bien
élevées, sans tare, parfaites.

— Ma cousine se mariera donc difficilement?

— Elle restera fille, tant que le père et la mère
ne se décideront pas à lui donner Marville en dot;
et, s'ils l'avaient voulu, elle serait déjà la vicomtesse
Popinot... Mais voici M. Brunner, nous allons lire
l'acte de société de la maison Brunner et le contrat
de mariage. »

Une fois les présentations et les compliments
faits, Pons, engagé par les parents à signer au
contrat, entendit la lecture des actes, et, vers cinq
heures et demie, on passa dans la salle à manger.
Le dîner fut un de ces repas somptueux comme en
donnent les négociants quand ils font trêve aux
affaires, et qui d'ailleurs attestait les relations de
Graff, le maître de l'*Hôtel du Rhin* avec les premiers fournisseurs de Paris. Jamais Pons ni
Schmucke n'avaient connu pareille chère. Il y eut
des *plats à ravir la pensée!*... des nouilles d'une délicatesse inédite, des éperlans d'une friture incomparable, un ferra de Genève à la vraie sauce genevoise,
et une crème pour plum-pudding à étonner le fameux docteur qui l'a, dit-on, inventée à Londres.
On sortit de table à dix heures du soir. Ce qui
s'était bu de vin du Rhin et de vins français étonnerait des dandies, car on ne sait pas tout ce que
les Allemands peuvent absorber de liquides en restant calmes et tranquilles. Il faut dîner en Allemagne et voir les bouteilles se succédant les unes

aux autres comme le flot succède au flot sur une
belle plage de la Méditerranée, et disparaissant
comme si les Allemands avaient la puissance absor-
bante de l'éponge et du sable; mais harmonieuse-
ment, sans le tapage français; le discours reste sage
comme l'improvisation d'un usurier, les visages
rougissent comme ceux des fiancées peintes dans
les fresques de Cornélius ou de Schnorr, c'est-à-dire
imperceptiblement, et les souvenirs s'épanchent
comme la fumée des pipes, avec lenteur.

Vers dix heures et demie, Pons et Schmucke se
trouvèrent sur un banc dans le jardin, chacun à
côté de l'ancienne flûte, sans trop savoir qui les
avait amenés à s'expliquer leurs caractères, leurs
opinions et leurs malheurs. Au milieu de ce pot
pourri de confidences, Wilhem parla de son désir
de marier Fritz, mais avec une force, avec une éloquence vineuse.

« Que dites-vous de ce programme pour votre
ami Brunner? s'écria Pons à l'oreille de Wilhem :
une jeune personne charmante, raisonnable, vingt-
quatre ans, appartenant à une famille de la plus
haute distinction, le père occupe une des places les
plus élevées de la magistrature, il y a cent mille
francs de dot, et des espérances pour un million.

— Attendez! répondit Schwab, je vais en parler
à l'instant à Fritz. »

Et les deux musiciens virent Brunner et son ami
tournant dans le jardin, passant et repassant sous
leurs yeux, l'un écoutant l'autre alternativement.
Pons, dont la tête était un peu lourde et qui, sans

être absolument ivre, avait autant de légèreté dans
les idées que de pesanteur dans leur enveloppe,
observa Fritz Brunner à travers ce nuage diaphane
que cause le vin, et voulut voir sur cette physionomie des aspirations vers le bonheur de la famille.
Schwab présenta bientôt à M. Pons, son ami, son
associé, lequel remercia beaucoup le vieillard de la
peine qu'il daignait prendre. Une conversation s'en-
gagea, dans laquelle Schmucke et Pons, ces deux
célibataires, exaltèrent le mariage, et se permirent,
sans y entendre malice, ce calembour : « que c'était
la fin de l'homme. » Quand on servit des glaces, du
thé, du punch et des gâteaux dans le futur appartement des futurs époux, l'hilarité fut au comble
parmi ces estimables négociants, presque tous gris,
en apprenant que le commanditaire de la maison
de banque allait imiter son associé.

Schmucke et Pons, à deux heures du matin, rentrèrent chez eux par les boulevards, en philosophant
à perte de raison sur l'arrangement musical des
choses en ce bas monde.

Le lendemain, Pons alla chez sa cousine la présidente, en proie à la joie profonde de rendre le
bien pour le mal. Pauvre chère belle âme!... Certainement il atteignit au sublime, et tout le monde
en conviendra, car nous sommes dans un siècle où
l'on donne le prix Monthyon à ceux qui font leur
devoir, en suivant les préceptes de l'Evangile.

« Ah! ils auront d'immenses obligations à leur
pique-assiette », se disait-il en tournant la rue de
Choiseul.

Un homme moins absorbé que Pons dans son contentement, un homme du monde, un homme défiant eût observé la présidente et sa fille en revenant dans cette maison; mais ce pauvre musicien était un enfant, un artiste plein de naïveté, ne croyant qu'au bien moral comme il croyait au beau dans les arts; il fut enchanté des caresses que lui firent Cécile et la présidente. Ce bonhomme qui, depuis douze ans, voyait jouer le vaudeville, le drame et la comédie sous ses yeux, ne reconnut pas les grimaces de la comédie sociale sur lesquelles sans doute il était blasé. Ceux qui hantent le monde parisien et qui ont compris la sécheresse d'âme et de corps de la présidente, ardente seulement aux honneurs et enragée d'être vertueuse, sa fausse dévotion et la hauteur de caractère d'une femme habituée à commander chez elle, peuvent imaginer quelle haine cachée elle portait au cousin de son mari, depuis le tort qu'elle s'était donné. Toutes les démonstrations de la présidente et de sa fille furent donc doublées d'un formidable désir de vengeance, évidemment ajournée. Pous la première fois de sa vie, Amélie avait eu tort vis-à-vis du mari qu'elle régentait. Enfin, elle devait se montrer affectueuse pour l'auteur de sa défaite!... Il n'y a d'analogue à cette situation que certaines hypocrisies qui durent des années dans le sacré collège des cardinaux ou dans les chapitres des chefs d'ordres religieux. A trois heures, au moment où le président revint du Palais, Pons avait à peine fini de raconter les incidents merveilleux de sa connaissance avec

M. Frédéric Brunner, et le repas de la veille qui n'avait fini que le matin, et tout ce qui concernait ledit Frédéric Brunner. Cécile était allée droit au fait, en s'enquérant de la manière dont s'habillait Frédéric Brunner, de la taille, de la tournure, de la couleur des cheveux et des yeux, et lorsqu'elle eut conjecturé que Frédéric avait l'air distingué, elle admira la générosité de son caractère.

« Donner cinq cent mille francs à son compagnon d'infortune! oh! maman, j'aurai voiture et loge aux Italiens. »

Et Cécile devint presque jolie en pensant à la réalisation de toutes les prétentions de sa mère pour elle, et à l'accomplissement des espérances dont elle désespérait.

Quant à la présidente, elle dit ce seul mot : « Chère petite *fillette*, tu peux être mariée dans quinze jours. »

Toutes les mères appellent leurs filles qui ont vingt-trois ans, des *fillettes!*

« Néanmoins, dit le président, encore faut-il le temps de prendre des renseignements, jamais je ne donnerai ma fille au premier venu...

— Quant aux renseignements, c'est chez Berthier que se sont faits les actes, répondit le vieil artiste. Quant au jeune homme, ma chère cousine, vous savez ce que vous m'avez dit! Eh bien, il a quarante ans passés, la moitié de la tête est sans cheveux, il veut trouver dans la famille un port contre les orages, je ne l'en ai pas détourné; tous les goûts sont dans la nature...

— Raison de plus pour voir M. Frédéric Brunner, répliqua le président. Je ne veux pas donner
ma fille à quelque valétudinaire.

— Eh bien, ma cousine, vous allez juger de mon
prétendu, dans cinq jours, si vous voulez; car dans
vos idées, une entrevue suffirait... »

Cécile et la présidente firent un geste d'enchante-
ment.

« Frédéric, qui est un amateur très distingué,
m'a prié de lui laisser voir en détail ma petite
collection, reprit le cousin Pons. Vous n'avez jamais
vu mes tableaux, mes curiosités, venez, dit-il à ses
deux parentes, vous serez là comme des dames amenées par mon ami Schmucke, et vous ferez connaissance avec le futur, sans être compromises. Frédéric
peut parfaitement ignorer qui vous êtes.

— A merveille! » s'écria le président.

On peut deviner les égards qui furent prodigués
au parasite jadis dédaigné. Le pauvre homme fut,
ce jour-là, le cousin de la présidente. L'heureuse
mère, noyant sa haine dans les flots de sa joie,
trouva des regards, des sourires, des paroles qui
mirent le bonhomme en extase à cause du bien
qu'il faisait, et à cause de l'avenir qu'il entrevoyait.
Ne devait-il pas trouver dans les maisons Brunner,
Schwab, Graff, des dîners semblables à celui de la
signature du contrat? Il apercevait une vie de cocagne et une suite merveilleuse de *plats couverts!*
de surprises gastronomiques, de vins exquis!

« Si notre cousin Pons nous fait faire une pareille affaire, dit le président à sa femme quand

Pons fut parti, nous devons lui constituer une rente équivalente à ses appointements de chef d'orchestre.

— Certainement », dit la présidente.

Cécile fut chargée, dans le cas où elle agréerait le jeune homme, de faire accepter cette ignoble munificence au vieux musicien.

Le lendemain, le président, désireux d'avoir des preuves authentiques de la fortune de M. Frédéric Brunner, alla chez le notaire. Berthier, prévenu par la présidente, avait fait venir son nouveau client, le banquier Schwab, l'ex-flûte. Ebloui d'une pareille alliance pour son ami (on sait combien les Allemands respectent les distinctions sociales! en Allemagne, une femme est Mme la générale, Mme la conseillère, Mme l'avocate), Schwab fut coulant comme un collectionneur qui croit fourber un marchand.

« Avant tout, dit le père de Cécile à Schwab, comme je donnerai par contrat ma terre de Marville à ma fille, je désirerais la marier sous le régime dotal. M. Brunner placerait alors un million en terres pour augmenter Marville, en constituant un immeuble dotal qui mettrait l'avenir de ma fille et celui de ses enfants à l'abri des chances de la Banque. »

Berthier se caressa le menton en pensant : « Il va bien, monsieur le président. »

Schwab, après s'être fait expliquer l'effet du régime dotal, se porta fort pour son ami. Cette clause accomplissait le vœu qu'il avait entendu former à

Fritz de trouver une combinaison qui l'empêchât jamais de retomber dans la misère.

« Il se trouve en ce moment pour douze cent mille francs de fermes et d'herbages à vendre, dit le président.

— Un million en actions de la Banque suffira bien, dit Schwab, pour garantir le compte de notre maison à la Banque; Fritz ne veut pas mettre plus de deux millions dans les affaires, il fera ce que vous demandez, monsieur le président. »

Le président rendit ses deux femmes presque folles en leur apprenant ces nouvelles. Jamais capture si riche ne s'était montrée si complaisante au filet conjugal.

« Tu seras Mme Brunner de Marville, dit le père à sa fille, car j'obtiendrai pour ton mari la permission de joindre ce nom au sien, et plus tard il aura des lettres de naturalité. Si je deviens pair de France, il me succédera! »

La présidente employa cinq jours à apprêter sa fille. Le jour de l'entrevue, elle habilla Cécile elle-même, elle l'équipa de ses mains avec le soin que l'amiral de la flotte bleue mit à armer le yacht de plaisance de la reine d'Angleterre quand elle partit pour son voyage d'Allemagne.

De leur côté, Pons et Schmucke nettoyèrent, époussetèrent le musée de Pons, l'appartement, les meubles, avec l'agilité de matelots brossant un vaisseau d'amiral. Pas un grain de poussière dans les bois sculptés. Tous les cuivres reluisaient. Les glaces des pastels laissaient voir nettement les œuvres de

Latour, de Greuze et de Liautard, l'illustre auteur
de la *Chocolatière,* le miracle de cette peinture,
hélas! si passagère. L'inimitable émail des bronzes
florentins chatoyait. Les vitraux coloriés resplen-
dissaient de leurs fines couleurs. Tout brillait dans
sa forme et jetait sa phrase à l'âme dans ce concert
de chefs-d'œuvre organisé par deux musiciens aussi
poètes l'un que l'autre.

Assez habiles pour éviter les difficultés d'une entrée en scène, les femmes vinrent les premières, elles
voulaient être sur leur terrain. Pons présenta son
ami Schmucke à ses parentes, auxquelles il parut
être un idiot. Occupées comme elles l'étaient d'un
fiancé quatre fois millionnaire, les deux ignorantes
prêtèrent une attention médiocre aux démonstrations artistiques du bonhomme Pons. Elles regardaient d'un œil indifférent les émaux de Petitot
espacés dans les champs en velours rouge de trois
cadres merveilleux. Les fleurs de Van Huysum, de
David de Heim, les insectes d'Abraham Mignon, les
Van Eyck, les Albert Dürer, les vrais Cranach, le
Giorgione, le Sébastien del Piombo, Backuysen. Hobbéma, Géricault, les raretés de la peinture, rien ne
piquait leur curiosité, car elles attendaient le soleil
qui devait éclairer ces richesses; néanmoins, elles
furent surprises de la beauté de quelques bijoux
étrusques et de la valeur réelle des tabatières. Elles
s'extasiaient par complaisance en tenant à la main
des bronzes florentins, quand Mme Cibot annonça
M. Brunner! Elles ne se retournèrent point et pro-
fitèrent d'une superbe glace de Venise encadrée dans

de monstrueux morceaux d'ébène sculptés, pour
examiner le phénix des prétendus.

Frédéric, prévenu par Wilhem, avait massé le peu
de cheveux qui lui restait. Il portait un joli pantalon d'une nuance douce quoique sombre, un gilet
de soie d'une élégance suprême et d'une coupe
neuve, une chemise à points à jour d'une toile
faite à la main par une Frisonne, une cravate bleue
à filets blancs. La chaîne de sa montre sortait de
chez Florent et Chanor, ainsi que la pomme de
sa canne. Quant à l'habit, le père Graff l'avait taillé
lui-même dans le plus beau drap. Des gants de
Suède annonçaient l'homme qui avait déjà mangé
la fortune de sa mère. On aurait deviné le petit
coupé bas, à deux chevaux, du banquier en voyant
miroiter ses bottes vernies, si l'oreille des deux commères n'en avait entendu déjà le roulement dans
la rue de Normandie.

Quand le débauché de vingt ans est la chrysalide
d'un banquier, il éclôt à quarante ans un observateur, d'autant plus fin que Brunner avait compris
tout le parti qu'un Allemand peut tirer de sa naïveté. Il eut, pour cette matinée, l'air rêveur d'un
homme qui se trouve entre la vie de famille à
prendre et les dissipations de la vie de garçon à
continuer. Chez un Allemand francisé, cette physionomie parut à Cécile le superlatif du romanesque. Elle vit un Werther dans l'enfant des Virlaz.
Quelle est la jeune fille qui ne se permet pas un
petit roman dans l'histoire de son mariage? Cécile
se regarda comme la plus heureuse des femmes,

quand Brunner, à l'aspect des magnifiques œuvres
collectionnées pendant quarante ans de patience,
s'enthousiasma, les estima, pour la première fois,
à leur valeur, à la grande satisfaction de Pons.
« C'est un poète! se dit Mlle de Marville, il voit là
des millions. Un poète est un homme qui ne compte
pas, qui laisse sa femme maîtresse des capitaux,
un homme facile à mener et qu'on occupe de niai-
series. »

Chaque carreau des deux croisées de la chambre
du bonhomme était un vitrail suisse colorié, dont le
moindre valait mille francs, et il comptait seize de
ces chefs-d'œuvre à la recherche desquels voyagent
aujourd'hui les amateurs. En 1815, ces vitraux
se vendaient entre six et dix francs. Le prix des
soixante tableaux qui composaient cette divine collection, chefs-d'œuvre purs, sans un repeint, authentiques, ne pouvait être connu qu'à la chaleur des
enchères. Autour de chaque tableau s'épanouissait
un cadre d'une immense valeur, et l'on en voyait
de toutes les façons : le cadre vénitien avec ses
gros ornements semblables à ceux de la vaisselle
actuelle des Anglais, le cadre romain si remarquable
par ce que les artistes appellent le *fla-fla!* le cadre
espagnol à rinceaux hardis, les cadres flamands et
allemands avec leurs naïfs personnages, le cadre
d'écaille incrusté d'étain, de cuivre, de nacre,
d'ivoire; le cadre en ébène, le cadre en buis, le
cadre en cuivre, le cadre Louis XIII, Louis XIV,
Louis XV et Louis XVI, enfin une collection unique
des plus beaux modèles. Pons, plus heureux que

les conservateurs des Trésors de Dresde et de
Vienne, possédait un cadre du fameux Brustolone,
le Michel-Ange du bois.

Naturellement Mlle de Marville demanda des
explications à chaque curiosité nouvelle. Elle se fit
initier à la connaissance de ces merveilles par Brunner. Elle fut si naïve dans ses exclamations, elle
parut si heureuse d'apprendre de Frédéric la valeur,
la beauté d'une peinture, d'une sculpture, d'un
bronze, que l'Allemand dégela : sa figure devint
jeune. Enfin, de part et d'autre, on alla plus loin
qu'on ne le voulait dans cette première rencontre,
toujours due au hasard.

Cette séance dura trois heures. Brunner offrit
la main à Cécile pour descendre l'escalier. En descendant les marches avec une sage lenteur, Cécile,
qui causait toujours beaux-arts, fut étonnée de l'admiration de son prétendu pour les brimborions de
son cousin Pons.

« Vous croyez donc que tout ce que nous venons
de voir vaut beaucoup d'argent?

— Eh! mademoiselle, si M. votre cousin voulait
me vendre sa collection, j'en donnerais ce soir huit
cent mille francs, et je ne ferais pas une mauvaise
affaire. Les soixante tableaux monteraient seuls à
une somme plus forte en vente publique.

— Je le crois, puisque vous me le dites, répondit-elle, et il faut bien que cela soit, car c'est ce
dont vous vous êtes le plus occupé.

— Oh! mademoiselle!... s'écria Brunner. Pour
toute réponse à ce reproche, je vais demander à

Mme votre mère la permission de me présenter
chez elle pour avoir le bonheur de vous revoir. »

« Est-elle spirituelle, ma *fillette!* » pensa la présidente qui marchait sur les talons de sa fille.
« Ce sera avec le plus grand plaisir, monsieur,
ajouta-t-elle à haute voix. J'espère que vous viendrez
avec notre cousin Pons à l'heure du dîner; M. le
président sera charmé de faire votre connaissance...
— Merci, cousin. » Elle pressa le bras de Pons d'une
façon tellement significative, que la phrase sacra-
mentelle : « C'est entre nous à la vie à la mort! »
n'eût pas été si forte. Elle embrassa Pons par l'œillade qui accompagna ce : « Merci, cousin. »

Après avoir mis la jeune personne en voiture, et
quand le coupé de remise eut disparu dans la rue
Charlot, Brunner parla bric-à-brac à Pons qui parlait mariage.

« Ainsi, vous ne voyez pas d'obstacle?... dit
Pons.

— Ah! répliqua Brunner; la petite est insigni-
fiante, la mère est un peu pincée... nous verrons.

— Une belle fortune à venir, fit observer Pons.
Plus d'un million...

— A lundi! répéta le millionnaire. Si vous vouliez vendre votre collection de tableaux, j'en donnerais bien cinq à six cent mille francs...

— Ah! s'écria le bonhomme qui ne se savait pas
si riche; mais je ne pourrais pas me séparer de ce
qui fait mon bonheur... Je ne vendrais ma collection
que livrable après ma mort.

— Eh bien, nous verrons...

— Voilà deux affaires en train », dit le collectionneur qui ne pensait qu'au mariage.

Brunner salua Pons et disparut, emporté par
son brillant équipage. Pons regarda fuir le petit
coupé sans faire attention à Rémonencq qui fumait
sa pipe sur le pas de la porte.

Le soir même, chez son beau-père que la présidente de Marville alla consulter, elle trouva la
famille Popinot. Dans son désir de satisfaire une
petite vengeance bien naturelle au cœur des mères,
quand elles n'ont pas réussi à capturer un fils de
famille, Mme de Marville fit entendre que Cécile
faisait un mariage superbe. Qui Cécile épouse-t-elle
donc? fut une demande qui courut sur toutes les
lèvres. Et alors, sans croire trahir ses secrets, la
présidente dit tant de petits mots, fit tant de confidences à l'oreille, confirmées par Mme Berthier
d'ailleurs, que voici ce qui se disait le lendemain
dans l'empyrée bourgeois où Pons accomplissait ses
évolutions gastronomiques.

Cécile de Marville se marie avec un jeune Allemand qui se fait banquier par humanité, car il est
riche de quatre millions; c'est un héros de roman,
un vrai Werther, charmant, un bon cœur, ayant
fait ses folies, qui s'est épris de Cécile à en perdre
la tête, c'est un amour à première vue, et d'autant
plus sûr, que Cécile avait pour rivales toutes les
madones peintes de Pons, etc.

Le surlendemain, quelques personnes vinrent
complimenter la présidente uniquement pour savoir
si la dent d'or existait, et la présidente fit ces varia-

tions admirables que les mères pourront consulter, comme autrefois on consultait le *parfait secrétaire*.

« Un mariage n'est fait, disait-elle à Mme Chiffreville, que quand on revient de la mairie et de l'église, et nous n'en sommes encore qu'à des entrevues; aussi compté-je assez sur votre amitié pour ne pas parler de nos espérances...

— Vous êtes bien heureuse, madame la présidente, les mariages se concluent aujourd'hui bien difficilement.

— Que voulez-vous? C'est un hasard; mais les mariages se font souvent ainsi.

— Eh bien! vous mariez donc Cécile? disait Mme Cardot.

— Oui, répondait la présidente en comprenant la malice du *donc*. Nous étions exigeants, c'est ce qui retardait l'établissement de Cécile. Mais nous trouvons tout : fortune, amabilité, bon caractère, et un joli homme. Ma chère petite fille méritait bien cela d'ailleurs. M. Brunner est un charmant garçon, plein de distinction; il aime le luxe, il connaît la vie, il est fou de Cécile, il l'aime sincèrement; et, malgré ses trois ou quatre millions, Cécile l'accepte... Nous n'avions pas de prétentions si élevées, mais... Les avantages ne gâtent rien...

— Ce n'est pas tant la fortune que l'affection inspirée par ma fille qui nous décide, disait la présidente à Mme Lebas. M. Brunner est si pressé, qu'il veut que le mariage se fasse dans les délais légaux.

— C'est un étranger...

— Oui, madame; mais j'avoue que je suis bien heureuse. Non, ce n'est pas un gendre, c'est un fils que j'aurai. M. Brunner est d'une délicatesse vraiment séduisante. On n'imagine pas l'empressement qu'il a mis à se marier sous le régime dotal... C'est une grande sécurité pour les familles. Il achète pour douze cent mille francs d'herbages qui seront réunis un jour à Marville. »

Le lendemain, c'était d'autres variations sur le même thème. Ainsi, M. Brunner était un grand seigneur, faisant tout en grand seigneur; il ne comptait pas; et, si M. de Marville pouvait obtenir des lettres de grande naturalité (le ministère lui devait bien un petit bout de loi), le gendre deviendrait pair de France. On ne connaissait pas la fortune de M. Brunner, il avait *les plus beaux chevaux et les plus beaux équipages de Paris, etc.*

Le plaisir que les Camusot prenaient à publier leurs espérances disait assez combien ce triomphe était inespéré.

Aussitôt après l'entrevue chez le cousin Pons, M. de Marville, poussé par sa femme, décida le ministre de la Justice, son premier président et le procureur général à dîner chez lui le jour de la présentation du phénix des gendres. Les trois grands personnages acceptèrent, quoique invités à bref délai; chacun d'eux comprit le rôle que leur faisait jouer le père de famille, et ils lui vinrent en aide avec plaisir. En France on porte assez volontiers secours aux mères de famille qui pêchent un gendre riche. Le comte et la comtesse Popinot se prêtèrent également à compléter le luxe de cette journée, quoique cette invitation leur parût être de mauvais goût. Il y eut en tout onze personnes. Le grand-père de Cécile, le vieux Camusot et sa femme, ne pouvaient manquer à cette réunion, destinée par la position des convives à engager définitivement M. Brunner, annoncé, comme on l'a vu, comme un des plus riches capitalistes de l'Allemagne, un homme de goût (il aimait la *fillette*), le futur rival des Nucingen, des Keller, des du Tillet, etc.

« C'est notre jour, dit avec une simplicité fort étudiée la présidente à celui qu'elle regardait comme son gendre en lui nommant les convives, nous n'avons que des intimes. D'abord, le père de mon mari, qui, vous le savez, doit être promu pair de France; puis M. le comte et la comtesse Popinot, dont le fils ne s'est pas trouvé assez riche pour Cécile, et nous n'en sommes pas moins bons amis, notre ministre de la Justice, notre premier président, notre procureur-général, enfin nos amis... Nous serons obligés de dîner un peu tard, à cause de la Chambre où la séance ne finit jamais qu'à six heures. »

Brunner regarda Pons d'une manière significative, et Pons se frotta les mains, en homme qui dit : « Voilà nos amis, mes amis!... »

La présidente, en femme habile, eut quelque chose de particulier à dire à son cousin, afin de laisser Cécile un instant en tête-à-tête avec son Werther. Cécile bavarda considérablement, et s'arrangea pour que Frédéric aperçût un dictionnaire

allemand, une grammaire allemande, un Goethe
qu'elle avait cachés.

« Ah! vous apprenez l'allemand? » dit Brunner
en rougissant.

Il n'y a que les Françaises pour inventer ces
sortes de trappes.

« Oh! dit-elle, êtes-vous méchant!... ce n'est pas
bien, monsieur, de fouiller ainsi dans mes cachettes.
Je veux lire Goethe dans l'original, répondit-elle.
Et il y a deux ans que j'apprends l'allemand.

— La grammaire est donc bien difficile à comprendre, car il n'y a pas dix feuillets de coupés... »
répondit naïvement Brunner.

Cécile, confuse, se retourna pour ne pas laisser
voir sa rougeur. Un Allemand ne résiste pas à ces
sortes de témoignages, il prit Cécile par la main,
la ramena tout interdite sous son regard, et la
regarda comme les fiancés se regardent dans les
romans d'Auguste Lafontaine, de pudique mémoire.

« Vous êtes adorable! » dit-il.

Celle-ci fit un geste mutin qui signifiait : « Et
vous donc! qui ne vous aimerait? » « Maman, ça
va bien! » dit-elle à l'oreille de sa mère qui revint
avec Pons.

L'aspect d'une famille pendant une soirée pareille
ne se décrit pas. Chacun était content de voir une
mère qui mettait la main sur un bon parti pour
sa fille. On félicitait par des mots à double entente
ou à double détente, et Brunner qui feignait de
ne rien comprendre, et Cécile qui comprenait tout,

et le président qui quêtait des compliments. Tout
le sang de Pons lui tinta dans les oreilles, il crut
voir tous les becs de gaz de la rampe de son théâtre
quand Cécile lui dit à voix basse avec les plus
ingénieux ménagements l'intention de son père,
relativement à une rente viagère de douze cents
francs que le vieil artiste refusa positivement, en
objectant la révélation que Brunner lui avait faite
de sa fortune mobilière.

Le ministre, le premier président, le procureur-
général, les Popinot, tous les gens affairés s'en allèrent. Il ne resta bientôt plus que le vieux M. Camusot, et Cardot, l'ancien notaire, assisté de son gendre
Berthier. Le bonhomme Pons, se voyant en famille,
remercia fort maladroitement le président et la
présidente de la proposition que Cécile venait de
lui faire. Les gens de cœur sont ainsi, tout à leur
premier mouvement. Brunner, qui vit dans cette
rente offerte ainsi, comme une prime, fit sur lui-
même un retour israélite, et prit une attitude
qui dénotait la rêverie plus que froide du calcu-
lateur.

« Ma collection ou son prix appartiendra toujours à votre famille, que j'en traite avec notre ami
Brunner ou que je la garde », disait Pons en apprenant à la famille étonnée qu'il possédait de si
grandes valeurs.

Brunner observa le mouvement qui eut lieu chez
tous ces ignorants, en faveur d'un homme qui passait d'un état taxé d'indigence à une fortune,
comme il avait observé déjà les gâteries de la mère

et du père pour leur Cécile, idole de la maison, et il se plut alors à exciter les surprises et les exclamations de ces dignes bourgeois.

« J'ai dit à mademoiselle que les tableaux de M. Pons valaient cette somme pour moi; mais au prix que les objets d'art uniques ont acquis, personne ne peut prévoir la valeur à laquelle cette collection atteindrait en vente publique. Les soixante tableaux monteraient à un million, j'en ai vu plusieurs de cinquante mille francs.

— Il fait bon être votre héritier, dit l'ancien notaire à Pons.

— Mais mon héritier, c'est ma cousine Cécile », répliqua le bonhomme en persistant dans sa parenté.

Un mouvement d'admiration se manifesta pour le vieux musicien.

« Ce sera une très riche héritière », dit en riant Cardot qui partit.

On laissa Camusot le père, le président, la présidente, Cécile, Brunner, Berthier et Pons ensemble; car on présuma que la demande officielle de la main de Cécile allait se faire. En effet, lorsque ces personnes furent seules, Brunner commença par une demande, qui parut d'un bon augure aux parents.

« J'ai cru comprendre, dit Brunner en s'adressant à la présidente, que mademoiselle était fille unique...

— Certainement, répondit-elle avec orgueil.

— Vous n'aurez de difficultés avec personne »,

répondit le bonhomme Pons pour décider Brunner
à formuler sa demande.

Brunner devint soucieux, et un fatal silence
amena la froideur la plus étrange. Il semblait que
la présidente eût avoué que sa *fillette* était épilep-
tique. Le président, jugeant que sa fille ne devait
pas être là, lui fit un signe que Cécile comprit,
elle sortit. Brunner resta muet. On se regarda. La
situation devint gênante. Le vieux Camusot, homme
d'expérience, emmena l'Allemand dans la chambre
de la présidente, sous prétexte de lui montrer l'éventail trouvé par Pons, en devinant qu'il surgissait
quelques difficultés et il demanda par un geste à
son fils, à sa belle-fille et à Pons de le laisser avec
le futur.

« Voilà ce chef-d'œuvre! dit le vieux marchand
de soieries en montrant l'éventail.

— Cela vaut cinq mille francs, répondit Brunner
après l'avoir contemplé.

— N'étiez-vous pas venu, monsieur, reprit le futur pair de France, pour demander la main de ma
petite-fille?

— Oui, monsieur, dit Brunner, et je vous prie
de croire qu'aucune alliance ne peut être plus
flatteuse pour moi que celle-là. Je ne trouverai
jamais une jeune personne plus belle, plus aimable,
qui me convienne mieux que Mlle Cécile; mais...

— Ah! pas de mais, dit le vieux Camusot, ou
voyons sur-le-champ la traduction de vos mais,
mon cher monsieur...

— Monsieur! reprit gravement Brunner, je suis

bien heureux que nous ne soyons engagés ni les uns
ni les autres, car la qualité de fille unique, si précieuse pour tout le monde, excepté pour moi, qualité que j'ignorais, croyez-moi, est un empêchement
absolu...

— Comment, monsieur, dit le vieillard stupéfait,
d'un avantage immense, vous en faites un tort?
Votre conduite est vraiment extraordinaire, et je
voudrais bien en connaître les raisons.

— Monsieur, reprit l'Allemand avec flegme, je
suis venu ce soir avec l'intention de demander, à
M. le président, la main de sa fille. Je voulais faire
un sort brillant à Mlle Cécile en lui offrant tout
ce qu'elle eût consenti à accepter de ma fortune;
mais une fille unique est un enfant que l'indulgence
de ses parents habitue à faire ses volontés, et qui
n'a jamais connu la contrariété. Il en est ici comme
dans plusieurs familles, où j'ai pu jadis observer
le culte qu'on avait pour ces espèces de divinités :
non seulement votre petite-fille est l'idole de la
maison, mais encore Mme la présidente y porte
les... vous savez quoi! Monsieur, j'ai vu le ménage
de mon père devenir par cette cause, un enfer. Ma
marâtre, cause de tous mes malheurs, fille unique,
adorée, la plus charmante des fiancées, est devenu
un diable incarné. Je ne doute pas que Mlle Cécile
ne soit une exception à mon système, mais je ne
suis plus un jeune homme, j'ai quarante ans, et la
différence de nos âges entraîne des difficultés qui
ne me permettent pas de rendre heureuse une jeune
personne habituée à voir faire à Mme la présidente

toutes ses volontés, et que Mme la présidente écoute
comme un oracle. De quel droit exigerais-je le changement des idées et des habitudes de Mlle Cécile?
Au lieu d'un père et d'une mère complaisants à
ses moindres caprices, elle rencontrera l'égoïsme
d'un quadragénaire; si elle résiste, c'est le quadragénaire qui sera vaincu. J'agis donc en honnête
homme, je me retire. D'ailleurs, je désire être entièrement sacrifié, s'il est toutefois nécessaire d'expliquer pourquoi je n'ai fait qu'une visite ici...

— Si tels sont vos motifs, monsieur, dit le futur
pair de France, quelque singuliers qu'ils soient, ils
sont plausibles...

— Monsieur, ne mettez pas en doute ma sincérité,
reprit vivement Brunner en l'interrompant. Si vous
connaissez une pauvre fille dans une famille chargée
d'enfants, bien élevée néanmoins, sans fortune,
comme il s'en trouve beaucoup en France, et que
son caractère m'offre des garanties, je l'épouse. »

Pendant le silence qui suivit cette déclaration,
Frédéric Brunner quitta le grand-père de Cécile,
revint saluer poliment le président et la présidente,
et se retira. Vivant commentaire du salut de son
Werther, Cécile se montra pâle comme une mori-
bonde, elle avait tout écouté, cachée dans la garde-
robe de sa mère.

« Refusée!... dit-elle à l'oreille de sa mère.

— Et pourquoi? demanda la présidente à son
beau-père embarrassé.

— Sous le joli prétexte que les filles uniques
sont des enfants gâtés, répondit le vieillard. Et

il n'a pas tout à fait tort, ajouta-t-il en saisissant cette occasion de blâmer sa belle-fille, qui l'ennuyait fort depuis vingt ans.

— Ma fille en mourra! vous l'aurez tuée!... » dit la présidente à Pons en retenant sa fille qui trouva joli de justifier ces paroles en se laissant aller dans les bras de sa mère.

Le président et sa femme traînèrent Cécile dans un fauteuil, où elle acheva de s'évanouir. Le grand-père sonna les domestiques.

« J'aperçois la trame ourdie par monsieur », dit la mère furieuse en désignant le pauvre Pons.

Pons se dressa comme s'il avait entendu retentir à ses oreilles la trompette du Jugement dernier.

« Monsieur, reprit la présidente dont les yeux furent comme deux fontaines de bile verte, monsieur a voulu répondre à une innocente plaisanterie par une injure. A qui fera-t-on croire que cet Allemand soit dans son bon sens? Ou il est complice d'une atroce vengeance, ou il est fou. J'espère, monsieur Pons, qu'à l'avenir vous nous épargnerez le déplaisir de vous voir dans une maison où vous avez essayé de porter la honte et le déshonneur. »

Pons, devenu statue, tenait les yeux sur une rosace du tapis et tournait ses pouces.

« Eh bien, vous êtes encore là, monstre d'ingratitude!... s'écria la présidente en se retournant. Nous n'y serons jamais, monsieur ni moi, si jamais monsieur se présentait! dit-elle aux domestiques en leur montrant Pons. Allez chercher le docteur, Jean. Et vous, Madeleine, de l'eau de corne de cerf! »

Pour la présidente, les raisons alléguées par Brunner n'étaient que le prétexte sous lequel il s'en
cachait d'inconnues; mais la rupture du mariage
n'en devenait que plus certaine. Avec cette rapidité
de pensée qui distingue les femmes dans les grandes
circonstances, Mme de Marville avait trouvé la
seule manière de réparer cet échec en attribuant à
Pons une vengeance préméditée. Cette conception
infernale par rapport à Pons, satisfaisait à l'honneur
de la famille. Fidèle à sa haine contre Pons, elle
avait fait d'un simple soupçon de femme, une vérité.
En général, les femmes ont une foi particulière,
une morale à elles, elles croient à la réalité de tout
ce qui sert leurs intérêts et leurs passions. La présidente alla bien plus loin, elle persuada pendant
toute la soirée au président sa propre croyance, et
le magistrat fut convaincu le lendemain de la cul-
pabilité de son cousin. Tout le monde trouvera
la conduite de la présidente horrible; mais en
pareille circonstance, chaque mère imitera Mme Camusot, elle aimera mieux sacrifier l'honneur d'un
étranger que celui de sa fille. Les moyens change-
ront, le but sera le même.

Le musicien descendit avec rapidité l'escalier;
mais il marcha d'un pas lent par les boulevards,
jusqu'au théâtre où il entra machinalement; il se
mit à son pupitre machinalement et dirigea machinalement l'orchestre. Durant les entractes, il répondit si vaguement à Schmucke, que Schmucke
dissimula ses inquiétudes, il pensa que Pons était
devenu fou. Chez une nature aussi enfantine que

celle de Pons, la scène qui venait de se passer prenait les proportions d'une catastrophe... Réveiller
une effroyable haine, là où il avait voulu donner le
bonheur, c'était un renversement total d'existence.
Il avait enfin reconnu dans les yeux, dans le
geste, dans la voix de la présidente, une inimitié
mortelle.

Le lendemain Mme Camusot de Marville prit un
grand parti, d'ailleurs exigé par la circonstance et
auquel le président souscrivit. On résolut de donner
en dot à Cécile la terre de Marville, l'hôtel de la
rue de Hanovre et cent mille francs. Dans la matinée, la présidente alla voir la comtesse Popinot,
en comprenant qu'il fallait répondre à un pareil
échec par un mariage tout fait. Elle raconta la
vengeance épouvantable et l'affreuse mystification
préparée par Pons. Tout parut croyable quand on
apprit que le prétexte de cette rupture était la
condition de fille unique. Enfin, la présidente fit
reluire avec art l'avantage de se nommer Popinot
de Marville et l'énormité de la dot. Au prix où
sont les biens en Normandie, à deux pour cent,
cet immeuble représentait environ neuf cent mille
francs, et l'hôtel de la rue de Hanovre était estimé
deux cent cinquante mille francs. Aucune famille
raisonnable ne pouvait refuser une pareille alliance;
aussi le comte Popinot et sa femme l'acceptèrent-ils;
puis, en gens intéressés à l'honneur de la famille
dans laquelle ils entraient, promirent leur concours
pour expliquer la catastrophe arrivée la veille.

Or, chez le même vieux Camusot, grand-père de

Cécile, devant les mêmes personnes qui s'y trouvaient quelques jours auparavant et auxquelles la
présidente avait chanté ses litanies-Brunner, cette
même présidente, à qui chacun craignait de parler,
alla bravement au-devant des explications.

« Vraiment aujourd'hui, disait-elle, on ne saurait
prendre trop de précautions quand il s'agit de
mariage, et surtout quand on a affaire à des étrangers.

— Et pourquoi, madame?

— Que vous est-il arrivé? demanda Mme Chiffreville.

— Vous ne connaissez pas notre aventure avec
ce Brunner, qui avait l'audace d'aspirer à la main
de Cécile?... C'est le fils d'un cabaretier allemand,
le neveu d'un marchand de peaux de lapins.

— Est-ce possible? Vous, si sagace!... dit une
dame.

— Ces aventuriers sont si fins! Mais nous avons
tout su par Berthier. Cet Allemand a pour ami un
pauvre diable qui joue de la flûte! Il est lié avec un
homme qui tient un garni, rue du Mail, avec des
tailleurs... Nous avons appris qu'il a mené la
vie la plus crapuleuse, et aucune fortune ne peut
suffire à un drôle qui a déjà mangé celle de sa
mère...

— Mais mademoiselle votre fille eût été bien malheureuse!... dit Mme Berthier.

— Et comment vous a-t-il été présenté? demanda
la vieille Mme Lebas.

— C'est une vengeance de M. Pons; il nous a

présenté ce beau monsieur-là pour nous livrer au
ridicule... Ce Brunner, ça veut dire Fontaine (on
nous le donnait pour un grand seigneur), est d'une
assez triste santé, chauve, les dents gâtées; aussi
m'a-t-il suffi de le voir une fois pour me défier de
lui.

— Mais cette grande fortune dont vous me par-
liez? demanda timidement une jeune femme.

— La fortune n'est pas aussi considérable qu'on
le dit. Les tailleurs, le maître d'hôtel et lui, tous
ont gratté leurs caisses pour faire une maison de
Banque.. Aujourd'hui, qu'est-ce que la Banque,
quand on la commence? c'est la licence de se ruiner.
Une femme qui se couche millionnaire peut se
réveiller réduite à ses *propres*. Du premier mot,
à première vue, nous avons eu notre opinion faite
sur ce monsieur qui ne sait rien de nos usages. On
voit à ses gants, à son gilet, que c'est un ouvrier,
le fils d'un gargotier allemand, sans noblesse dans
les sentiments, un buveur de bière, et qui fume!...
ah! madame! vingt-cinq pipes par jour. Quel eût
été le sort de ma pauvre Lili?... J'en frémis encore.
Dieu nous a sauvés! Cécile n'aimait d'ailleurs pas
ce monsieur... Pouvions-nous attendre une pareille
mystification d'un parent, d'un habitué de notre
maison, qui dîne chez nous deux fois par semaine
depuis vingt ans! que nous avons couvert de bien-
faits, et qui jouait si bien la comédie qu'il a nommé
Cécile son héritière devant le garde des Sceaux, le
procureur général, le premier président... Ce Brunner et M. Pons s'entendaient pour s'attribuer l'un

à l'autre des millions!... Non, je vous l'assure, vous toutes, mesdames, vous eussiez été prises à cette mystification d'artiste! »

En quelques semaines, les familles réunies des Popinot, des Camusot et leurs adhérents avaient remporté dans le monde un triomphe facile, car personne n'y prit la défense du misérable Pons, du parasite, du sournois, de l'avare, du faux bonhomme enseveli sous le mépris, regardé comme une vipère réchauffée au sein des familles, comme un homme d'une méchanceté rare, un saltimbanque dangereux qu'on devait oublier.

Un mois environ après le refus du faux Werther, le pauvre Pons, sorti pour la première fois de son lit où il était resté en proie à une fièvre nerveuse, se promenait le long des boulevards, au soleil, appuyé sur le bras de Schmucke. Au boulevard du Temple, personne ne riait plus des deux Casse-noisettes, à l'aspect de la destruction de l'un et de la touchante sollicitude de l'autre pour son ami convalescent. Arrivés sur le boulevard Poissonnière, Pons avait repris des couleurs, en respirant cette atmosphère des boulevards, où l'air a tant de puissance; car, là où la foule abonde, le fluide est si vital, qu'à Rome on a remarqué le manque de *mala aria* dans l'infect Ghetto où pullulent les Juifs. Peutêtre aussi l'aspect de ce qu'il se plaisait jadis à voir tous les jours, le grand spectacle de Paris, agissait-il sur le malade. En face du théâtre des Variétés, Pons laissa Schmucke, car ils allaient côte à côte; mais le convalescent quittait de temps en temps son ami

pour examiner les nouveautés fraîchement expo-
sées dans les boutiques. Il se trouva nez à nez avec
le comte Popinot, qu'il aborda de la façon la plus
respectueuse, l'ancien ministre étant un des hommes
que Pons estimait et vénérait le plus.

« Ah! monsieur, répondit sévèrement le pair de
France, je ne comprends pas que vous ayez assez
peu de tact pour saluer une personne alliée à la
famille où vous avez tenté d'imprimer la honte et
le ridicule par une vengeance comme les artistes
savent en inventer... Apprenez, monsieur, qu'à dater
d'aujourd'hui nous devons être complètement étrangers l'un à l'autre. Mme la comtesse Popinot partage l'indignation que votre conduite chez les Marville a inspirée à toute la société. »

L'ancien ministre passa, laissant Pons foudroyé.
Jamais les passions, ni la justice, ni la politique,
jamais les grandes puissances sociales ne consultent
l'état de l'être sur qui elles frappent. L'homme
d'Etat, pressé par l'intérêt de famille d'écraser Pons,
ne s'aperçut point de la faiblesse physique de ce
redoutable ennemi.

« *Qu'as-du, mon baufre ami?* s'écria Schmucke
en devenant aussi pâle que Pons.

— Je viens de recevoir un nouveau coup de poignard dans le cœur, répondit le bonhomme en
s'appuyant sur le bras de Schmucke. Je crois qu'il
n'y a que le Bon Dieu qui ait de droit de faire le
bien, voilà pourquoi tous ceux qui se mêlent de
sa besogne en sont si cruellement punis. »

Ce sarcasme d'artiste fut un suprême effort de

cette excellente créature qui voulut dissiper l'effroi peint sur la figure de son ami.

« *Che le grois* », répondit simplement Schmucke.

Ce fut inexplicable pour Pons, à qui ni les Camusot ni les Popinot n'avaient envoyé de billet de faire part du mariage de Cécile. Sur le boulevard des Italiens, Pons vit venir à lui M. Cardot. Pons, averti par l'allocution du pair de France, se garda bien d'arrêter ce personnage, chez qui, l'année dernière, il dînait une fois tous les quinze jours, il se contenta de le saluer; mais le maire, le député de Paris, regarda Pons d'un air indigné sans lui rendre son salut.

« Va donc lui demander ce qu'ils ont tous contre moi, dit le bonhomme à Schmucke qui connaissait dans tous ses détails la catastrophe survenue à Pons.

— *Monsir*, dit finalement Schmucke à Cardot, *mône hâmi Bons relèfe d'eine malatie, et fu ne l'afez sans tude bas regonni.*

— Parfaitement.

— *Mais qu'afez-fus tonc à lui rebroger?*

— Vous avez pour ami un monstre d'ingratitude, un homme qui, s'il vit encore, c'est que, comme dit le proverbe : La mauvaise herbe croît en dépit de tout. Le monde a bien raison de se défier des artistes, ils sont malins et méchants comme des singes. Votre ami a essayé de déshonorer sa propre famille, de perdre de réputation une jeune fille pour se venger d'une innocente plaisanterie, je ne veux plus avoir la moindre relation avec lui; je

tâcherai d'oublier que je l'ai connu, qu'il existe.
Ces sentiments, monsieur, sont ceux de toutes les
personnes de ma famille, de la sienne, et des gens
qui faisaient au sieur Pons l'honneur de le recevoir...

— *Mais, monsir, fus ètes ein home rézonaple;
ed, si fus le bermeddez, che fais fu egsbliguer
l'avaire...*

— Restez, si vous en avez le cœur, son ami, libre
à vous, monsieur, répliqua Cardot; mais n'allez pas
plus avant, car je crois devoir vous prévenir que
j'envelopperai dans la même réprobation ceux qui
tenteraient de l'excuser, de le défendre.

— *Te le chisdivier?*

— Oui, car sa conduite est injustifiable, comme
elle est inqualifiable. »

Sur ce bon mot, le député de la Seine continua
son chemin sans vouloir entendre une syllabe de
plus.

« J'ai déjà les deux pouvoirs de l'Etat contre
moi, dit en souriant le pauvre Pons quand
Schmucke eut fini de lui redire ces sauvages impré-
cations.

— *Doud esd gondre nus*, répliqua douloureusement Schmucke. *Hâlons-nus-en, bir ne ba rengon-
drer t'audres pèdes.* »

C'était la première fois de sa vie, vraiment ovine,
que Schmucke proférait de telles paroles. Jamais
sa mansuétude quasi divine n'avait été troublée,
il eût souri naïvement à tous les malheurs qui seraient venus à lui; mais voir maltraiter son sublime

Pons, cet Aristide inconnu, ce génie résigné, cette
âme sans fiel, ce trésor de bonté, cet or pur!... il
éprouvait l'indignation d'Alceste, et il appelait les
amphitryons de Pons, des *bêtes!* Chez cette paisible
nature, ce mouvement équivalait à toutes les fureurs
de Roland. Dans une sage prévision, Schmucke fit
retourner Pons vers le boulevard du Temple; et
Pons se laissa conduire, car le malade était dans
la situation de ces lutteurs qui ne comptent plus
les coups. Le hasard voulut que rien ne manquât
en ce monde contre le pauvre musicien. L'ava-
lanche qui roulait sur lui devait tout contenir : la
Chambre des pairs, la Chambre des députés, la
famille, les étrangers, les forts, les faibles, les innocents!

Sur le boulevard Poissonnière, en revenant chez
lui, Pons vit venir la fille de ce même M. Cardot,
une jeune femme qui avait assez éprouvé de malheurs pour être indulgente. Coupable d'une faute
tenue secrète, elle s'était faite l'esclave de son mari.
De toutes les maîtresses de maison où il dînait,
Mme Berthier était la seule que Pons nommât de
son petit nom; il lui disait : « Félicie! » et il
croyait parfois être compris par elle. Cette douce
créature parut contrariée de rencontrer le cousin
Pons; car, malgré l'absence de toute parenté avec
la famille de la seconde femme de son cousin le
vieux Camusot, il était traité de cousin; mais, ne
pouvant l'éviter, Félicie Berthier s'arrêta devant le
moribond.

« Je ne vous croyais pas méchant, mon cousin;

mais si, de tout ce que j'entends dire de vous, le quart seulement est vrai, vous êtes un homme bien faux... Oh! ne vous justifiez pas! ajouta-t-elle vivement en voyant faire à Pons un geste, c'est inutile par deux raisons : la première, c'est que je n'ai le droit d'accuser, ni de juger, ni de condamner personne, sachant par moi-même que ceux qui paraissent avoir le plus de torts peuvent offrir des excuses; la seconde, c'est que vos raisons ne serviraient à rien. M. Berthier, qui a fait le contrat de Mlle de Marville et du vicomte Popinot, est tellement irrité contre vous que, s'il apprenait que je vous ai dit un seul mot, que je vous ai parlé pour la dernière fois, il me gronderait. Tout le monde est contre vous.

— Je le vois bien, madame! » répondit d'une voix émue le pauvre musicien qui salua respectueusement la femme du notaire.

Et il reprit péniblement le chemin de la rue de Normandie en s'appuyant sur le bras de Schmucke avec une pesanteur qui trahit au vieil Allemand une défaillance physique courageusement combattue. Cette troisième rencontre fut comme le verdict prononcé par l'agneau qui repose au pied de Dieu, le courroux de cet ange des pauvres, le symbole des Peuples, est le dernier mot du Ciel. Les deux amis arrivèrent chez eux sans avoir échangé une parole. En certaines circonstances de la vie, on ne peut que sentir son ami près de soi. La consolation parlée aigrit la plaie, elle en révèle la profondeur. Le vieux pianiste avait, comme vous le voyez,

le génie de l'amitié, la délicatesse de ceux qui, ayant
beaucoup souffert, savent les coutumes de la souffrance.

Cette promenade devait être la dernière du bonhomme Pons. Le malade tomba d'une maladie dans
une autre. D'un tempérament sanguin-bilieux, la
bile passa dans le sang, il fut pris par une violente
hépatite. Ces deux maladies successives étant les
seules de sa vie, il ne connaissait point de médecin;
et, dans une pensée toujours excellente d'abord, maternelle même, la sensible et dévouée Cibot amena
le médecin du quartier. A Paris, dans chaque quartier, il existe un médecin dont le nom et la demeure
ne sont connus que de la classe inférieure, des petits
bourgeois, des portiers, et qu'on nomme conséquemment le médecin du quartier. Ce médecin, qui fait
les accouchements et qui saigne, est en médecine
ce qu'est dans les *Petites-Affiches* le *domestique
pour tout faire*. Obligé d'être bon pour les pauvres,
assez expert à cause de sa longue pratique, il est
généralement aimé. Le docteur Poulain, amené chez
ce malade par Mme Cibot, et reconnu par
Schmucke, écouta, sans y faire attention, les doléances du vieux musicien, qui, pendant toute la
nuit, s'était gratté la peau devenue tout à fait insensible. L'état des yeux, cerclés de jaune, s'accordait avec ce symptôme.

« Vous avez eu, depuis deux jours, quelque violent chagrin, dit le docteur à son malade.

— Hélas! oui, répondit Pons.

— Vous avez la maladie que monsieur a failli

avoir, dit-il en montrant Schmucke, la jaunisse;
mais ce ne sera rien », ajouta le docteur Poulain en
écrivant une ordonnance.

Malgré ce dernier mot si consolant, le docteur
avait jeté sur le malade un de ces regards hippocra-
tiques, où la sentence de mort, quoique cachée
sous une commisération de costume, est toujours
devinée par des yeux intéressés à savoir la vérité.
Aussi Mme Cibot, qui plongea dans les yeux du
docteur un coup d'œil d'espion, ne se méprit-elle
pas à l'accent de la phrase médicale ni à la physionomie hypocrite du docteur Poulain, et elle le
suivit à sa sortie.

« Croyez-vous que ce ne sera rien? dit Mme Cibot au docteur sur le palier.

— Ma chère madame Cibot, votre monsieur est
un homme mort, non par suite de l'invasion de la
bile dans le sang, mais à cause de sa faiblesse morale. Avec beaucoup de soins, cependant, votre malade peut encore s'en tirer; il faudrait le sortir d'ici,
l'emmener voyager...

— Et avec quoi?... dit la portière. Il n'a pour
tout potage que sa place, et son ami vit de quelques
petites rentes que lui font de grandes dames auxquelles il aurait, à l'entendre, rendu des services, des
dames très charitables. C'est deux enfants que je
soigne depuis neuf ans.

— Je passe ma vie à voir des gens qui meurent,
non pas de leurs maladies, mais de cette grande et
incurable blessure, le manque d'argent. Dans combien de mansardes ne suis-je pas obligé, loin de

faire payer ma visite, de laisser cent sous sur la cheminée!...

— Pauvre cher monsieur Poulain... dit Mme Cibot. Ah! si vous n'aviez les cent mille livres de rente que possèdent certains *grigous* du quartier, qui sont de vrais *décharnés* des enfers (déchaînés), vous seriez le représentant du Bon Dieu sur la terre. »

Le médecin, parvenu, par l'estime de messieurs les concierges de son arrondissement, à se faire une petite clientèle qui suffisait à peine à ses besoins, leva les yeux au ciel et remercia Mme Cibot par une moue digne de Tartuffe.

« Vous dites donc, mon cher monsieur Poulain, qu'avec beaucoup de soins, notre cher malade en reviendrait?

— Oui, s'il n'est pas trop attaqué dans son moral par le chagrin qu'il a éprouvé.

— Pauvre homme! qui donc a pu le chagriner? C'est un brave homme qui n'a son pareil sur terre que dans son ami, M. Schmucke!... Je vais savoir de quoi n'il retourne! Et c'est moi qui me charge de savonner ceux qui m'ont *sangé* mon monsieur...

— Ecoutez, ma chère madame Cibot, dit le médecin qui se trouvait alors sur le pas de la porte cochère, un des principaux caractères de la maladie de votre monsieur, c'est une impatience constante à propos de rien, et, comme il n'est pas vraisemblable qu'il puisse prendre une garde, c'est vous qui le soignerez. Ainsi...

— *Ch'est-i de mochieur Ponche que vouche par-*

lez? » demanda le marchand de ferraille qui fumait
une pipe.

Et il se leva de dessus la borne de la porte pour
se mêler à la conversation de la portière et du médecin.

« Oui, papa Rémonencq! répondit Mme Cibot à
l'Auvergnat.

— *Eh bienne! il est plus richeu que moucheu
Monichtrolle, et que les cheigneurs de la curio-
chité... Cheu me connaiche achez dedans l'artique
pour vous dire que le cher homme a deche trégeors!*

— Tiens, j'ai cru que vous vous moquiez de
moi l'autre jour, quand je vous ai montré toutes
ces antiquailles-là pendant que mes messieurs
étaient sortis », dit Mme Cibot à Rémonencq.

A Paris, où les pavés ont des oreilles, où les portes
ont une langue, où les barreaux des fenêtres ont
des yeux, rien n'est plus dangereux que de causer
devant les portes cochères. Les derniers mots qu'on
se dit là, et qui sont à la conversation ce qu'un
post-scriptum est à une lettre, contiennent des in-
discrétions aussi dangereuses pour ceux qui les laissent écouter que pour ceux qui les recueillent. Un
seul exemple pourra suffire à corroborer celui que
présente cette histoire.

Un jour, l'un des premiers coiffeurs du temps de
l'Empire, époque à laquelle les hommes soignaient
beaucoup leurs cheveux, sortait d'une maison où
il venait de coiffer une jolie femme, et où il avait
la pratique de tous les riches locataires. Parmi ceux-
ci florissait un vieux garçon armé d'une gouver-

nante, qui détestait les héritiers de son monsieur.
Le ci-devant jeune homme, gravement malade, venait de subir une consultation des plus fameux
médecins, qui ne s'appelaient pas encore *les princes*
de la science. Sortis par hasard en même temps que
le coiffeur, les médecins, en se disant adieu sur le
pas de la porte cochère, parlaient, la science et la
vérité sur la main, comme ils se parlent entre eux
quand la farce de la consultation est jouée. « C'est
un homme mort, dit le docteur Haudry. — Il n'a
pas un mois à vivre... répondit Desplein, à moins
d'un miracle. » Le coiffeur entendit ces paroles.
Comme tous les coiffeurs, il entretenait des intelligences avec les domestiques. Poussé par une cupidité monstrueuse, il remonte aussitôt chez le
ci-devant jeune homme, et il promet à la servante-
maîtresse une assez belle prime si elle peut décider
son maître à placer une grande partie de sa fortune
en viager. Dans la fortune du vieux garçon moribond, âgé d'ailleurs de cinquante-six années, qui
devaient compter double à cause de ses campagnes
amoureuses, il se trouvait une magnifique maison
sise rue de Richelieu, valant alors deux cent cinquante mille francs. Cette maison, objet de la
convoitise du coiffeur, lui fut vendue moyennant
une rente viagère de trente mille francs. Ceci se
passait en 1806. Ce coiffeur retiré, septuagénaire
aujourd'hui, paie encore la rente en 1846. Comme
le ci-devant jeune homme a quatre-vingt-seize ans,
est en enfance, et qu'il a épousé sa Mme Evrard, il
peut aller encore fort loin. Le coiffeur ayant donné

quelque trente mille francs à la bonne, l'immeuble
lui coûte plus d'un million; mais la maison vaut
aujourd'hui près de huit à neuf cent mille francs.

A l'imitation de ce coiffeur, l'Auvergnat avait
écouté les derniers mots dits par Brunner à Pons
sur le pas de sa porte, le jour de l'entrevue du
fiancé-phénix avec Cécile; il avait donc désiré pénétrer dans le musée de Pons. Rémonencq, qui vivait en bonne intelligence avec les Cibot, fut bientôt introduit dans l'appartement des deux amis en
leur absence. Rémonencq, ébloui de tant de richesses, vit *un coup à monter,* ce qui veut dire dans
l'argot des marchands une fortune à voler, et il y
songeait depuis cinq à six jours.

« *Che badine chi peu,* répondit-il à Mme Cibot
et au docteur Poulain, *que nous caugerons de la
choge, et que chi ce braveu mocheu veutte une ren-
teu viachère de chinquante mille francs, che vous
paille un pagnier de vin du paysse chi vous me...*

— Y pensez-vous? dit le médecin à Rémonencq,
cinquante mille francs de rente viagère!... Mais si
le bonhomme est si riche, soigné par moi, gardé par
Mme Cibot, il peut guérir alors... car les maladies
de foie sont les inconvénients des tempéraments très
forts...

— *Ai-che dite chinquante? Maiche un mocheu,
là, dechus le passe de voustre porte, lui a proupou-
ché chet chent mille francs, et cheulement des tabe-
lausse, fouchtra!* »

En entendant cette déclaration de Rémonencq,
Mme Cibot regarda le docteur Poulain d'un air

étrange, le diable allumait un feu sinistre dans ses yeux couleur orange.

« Allons! n'écoutons pas de pareilles fariboles, reprit le médecin assez heureux de savoir que son client pouvait payer toutes les visites qu'il allait faire.

— *Moncheu le doucteurre, chi ma chère madame Chibot, puiche que le moncheux est au litte, veutte me laicher amenar mon eccephert, che chuis chure de trover l'archant, en deuche heures, quand il s'achirait de chet chent mille franques...*

— Bien, mon ami! répondit le docteur. Allons, madame Cibot, ayez soin de ne jamais contrarier le malade; il faut vous armer de patience, car tout l'irritera, le fatiguera, même vos attentions pour lui; attendez-vous à ce qu'il ne trouve rien de bien...

— Il sera joliment difficile, dit la portière.

— Voyons, écoutez-moi bien, reprit le médecin avec autorité. La vie de M. Pons est entre les mains de ceux qui le soigneront; aussi viendrai-je le voir peut-être deux fois, tous les jours. Je commencerai ma tournée par lui... »

Le médecin avait soudain passé de l'insouciance profonde où il était sur le sort de ses malades pauvres, à la sollicitude la plus tendre, en reconnaissant la possibilité de cette fortune, d'après le sérieux du spéculateur.

« Il sera soigné comme un roi », répondit Mme Cibot avec un factice enthousiasme.

La portière attendit que le médecin eût tourné la rue Charlot avant de reprendre la conversation avec Rémonencq. Le ferrailleur achevait sa pipe, le dos appuyé au chambranle de la porte de sa boutique. Il n'avait pas pris cette position sans dessein, il voulait voir venir à lui la portière.

Cette boutique, jadis occupée par un café, était restée telle que l'Auvergnat l'avait trouvée en la prenant à bail. On lisait encore : *Café de Normandie,* sur le tableau long qui couronne les vitrages de toutes les boutiques modernes. L'Auvergnat avait fait peindre, gratis sans doute, au pinceau et avec une couleur noire par quelque apprenti peintre en bâtiment, dans l'espace qui restait sous *Café de Normandie,* ces mots : *Rémonencq, ferrailleur, achète les marchandises d'occasion.* Naturellement, les glaces, les tables, les tabourets, les étagères, tout le mobilier du café de Normandie avait été vendu. Rémonencq avait loué, moyennant six cents francs, la boutique toute nue, l'arrière-boutique, la cuisine et une seule chambre en entresol, où couchait autrefois le premier garçon, car l'appartement dépendant du café de Normandie fut compris dans une autre location. Du luxe primitif déployé par le limonadier, il ne restait qu'un papier vert-clair uni dans la boutique, et les fortes barres de fer de la devanture avec leurs boulons.

Venu là, en 1831, après la Révolution de Juillet, Rémonencq commença par étaler des sonnettes cassées, des plats fêlés, des ferrailles, de vieilles balances, des poids anciens repoussés par la loi sur les nouvelles mesures que l'Etat seul n'exécute pas, car

il laisse dans la monnaie publique les pièces d'un
et de deux sous qui datent du règne de Louis XVI.
Puis cet Auvergnat, de la force de cinq Auvergnats,
acheta des batteries de cuisine, des vieux cadres, des
vieux cuivres, des porcelaines écornées. Insensiblement, à force de s'emplir et de se vider, la boutique ressembla aux farces de Nicolet, la nature
des marchandises s'améliora. Le ferrailleur suivit
cette prodigieuse et sûre martingale, dont les effets se manifestent aux yeux des flâneurs assez philosophes pour étudier la progression croissante des
valeurs qui garnissent ces intelligentes boutiques.
Au fer-blanc, aux quinquets, aux tessons succèdent
des cadres et des cuivres. Puis viennent les porcelaines. Bientôt la boutique, un moment changée en
Crouteum, passe au muséum. Enfin, un jour, le vi-
trage poudreux s'est éclairci, l'intérieur est restauré,
l'Auvergnat quitte le velours et les vestes, il porte
des redingotes! on l'aperçoit comme un dragon gardant son trésor; il est entouré de chefs-d'œuvre, il
est devenu fin connaisseur, il a décuplé ses capitaux
et ne se laisse plus prendre à aucune ruse, il sait
les tours du métier. Le monstre est là, comme une
vieille au milieu de vingt jeunes filles qu'elle offre
au public. La beauté, les miracles de l'art sont indifférents à cet homme à la fois fin et grossier qui
calcule ses bénéfices et rudoie les ignorants. Devenu
comédien, il joue l'attachement à ses toiles, à ses
marqueteries, ou il feint la gêne, ou il suppose des
prix d'acquisition, il offre de montrer des borde-
reaux de vente. C'est un Protée, il est dans la même

heure Jocrisse, Janot, queue-rouge, ou Mondor, ou
Harpagon, ou Nicodème.

Dès la troisième année, on vit chez Rémonencq
d'assez belles pendules, des armures, de vieux tableaux; et il faisait, pendant ses absences, garder sa
boutique par une grosse femme fort laide, sa sœur,
venue du pays à pied, sur sa demande. La Rémonencq, espèce d'idiote au regard vague et vêtue
comme une idole japonaise, ne cédait pas un centime sur les prix que son frère indiquait; elle va-
quait d'ailleurs aux soins du ménage, et résolvait le
problème en apparence insoluble de vivre des
brouillards de la Seine. Rémonencq et sa sœur se
nourrissaient de pain et de harengs, d'épluchures,
de restes de légumes ramassés dans les tas d'ordures
que les restaurateurs laissent au coin de leurs
bornes. A eux deux, ils ne dépensaient pas, le pain
compris, douze sous par jour, et la Rémonencq cousait ou filait de manière à les gagner.

Ce commencement du négoce de Rémonencq,
venu pour être commissionnaire à Paris, et qui, de
1825 à 1831, fit les commissions des marchands de
curiosités du boulevard Beaumarchais et des chau-
dronniers de la rue de Lappe, est l'histoire nor-
male de beaucoup de marchands de curiosités. Les
Juifs, les Normands, les Auvergnats et les Sa-
voyards, ces quatre races d'hommes ont les mêmes
instincts, ils font fortune par les mêmes moyens. Ne
rien dépenser, gagner de légers bénéfices, et cumuler
intérêts et bénéfices, telle est leur Charte. Et cette
Charte est une vérité.

En ce moment, Rémonencq, réconcilié avec son ancien bourgeois Monistrol, en affaires avec de gros marchands, allait *chiner* (le mot technique) dans la banlieue de Paris qui, vous le savez, comporte un rayon de quarante lieues. Après quatorze ans de pratique, il était à la tête d'une fortune de soixante mille francs, et d'une boutique bien garnie. Sans casuel, rue de Normandie où la modicité du loyer le retenait, il vendait ses marchandises aux marchands, en se contentant d'un bénéfice modéré. Toutes ses affaires se traitaient en patois d'Auvergne, dit *charabia*. Cet homme caressait un rêve! Il souhaitait d'aller s'établir sur les boulevards. Il voulait devenir un riche marchand de curiosités, et traiter un jour directement avec les amateurs. Il contenait d'ailleurs un négociant redoutable. Il gardait sur sa figure un enduit poussiéreux produit par la limaille de fer et collé par la sueur, car il faisait tout lui-même; ce qui rendait sa physionomie d'autant plus impénétrable, que l'habitude de la peine physique l'avait doué de l'impassibilité stoïque des vieux soldats de 1799. Au physique, Rémonencq apparaissait comme un homme court et maigre, dont les petits yeux, disposés comme ceux des cochons, offraient, dans leur champ d'un bleu froid, l'avidité concentrée, la ruse narquoise des Juifs, moins leur apparente humilité doublée du profond mépris qu'ils ont pour les chrétiens.

Les rapports entre les Cibot et les Rémonencq étaient ceux du bienfaiteur et de l'obligé. Mme Ci-

bot, convaincue de l'excessive pauvreté des Auvergnats, leur vendait à des prix fabuleux les restes
de Schmucke et de Cibot. Les Rémonencq payaient
une livre de croûtes sèches et de mie de pain deux
centimes et demi, un centime et demi une écuellée
de pommes de terre, et ainsi du reste. Le rusé Rémonencq n'était jamais censé faire d'affaires pour
son compte. Il représentait toujours Monistrol, et
se disait dévoré par les riches marchands; aussi les
Cibot plaignaient-ils sincèrement les Rémonencq.
Depuis onze ans, l'Auvergnat n'avait pas encore
usé la veste en velours, le pantalon de velours et le
gilet de velours qu'il portait; mais ces trois parties
du vêtement, particulier aux Auvergnats, étaient
criblées de pièces, mises gratis par Cibot. Comme
on le voit, tous les Juifs ne sont pas en Israël.

« Ne vous moquez-vous pas de moi, Rémonencq? dit la portière. Est-ce que M. Pons peut
avoir une pareille fortune et mener la vie qu'il
mène? Il n'a pas cent francs chez lui!...

— *Leje amateurs chont touches comme cha*, répondit sentencieusement Rémonencq.

— Ainsi, vous croyez, nà vrai, que mon monsieur
n'a pour sept cent mille francs...

— *Rien qu'en dedans leche tableausse... il en a
eune que ch'il en voulait chinquante mille franques,
queu che les trouveraisse quand che devrais me
strangula. Vous chavez bien leje petite cadres en
cuivre esmaillé, pleine de velurse rouche, où chont
des pourtraictes... Eh bien, ch'esce desche émauche
de Petittotte que moncheu le minichtre du gou-*

varnemente, eune anchien deroguisse, paille mille
escus pièche...

— Il y en a trente! dans les deux cadres, dit la
portière dont les yeux se dilatèrent.

— *Eh bien, chuchez de chon trégeor?* »

Mme Cibot, prise de vertige, fit volte-face. Elle
conçut aussitôt l'idée de se faire coucher sur le testament du bonhomme Pons, à l'imitation de toutes
les servantes-maîtresses dont *les viagers* avaient ex-
cité tant de cupidités dans le quartier du Marais.
Habitant en idée une commune aux environs de
Paris, elle s'y pavanait dans une maison de campagne où elle soignait sa basse-cour, son jardin, et
où elle finissait ses jours, servie comme une reine,
ainsi que son pauvre Cibot, qui méritait tant de
bonheur, comme tous les anges oubliés, incompris.

Dans le mouvement brusque et naïf de la portière, Rémonencq aperçut la certitude d'une réussite. Dans le métier de *chineur* (tel est le nom des
chercheurs d'occasions, du verbe *chiner*, aller à la
recherche des occasions et conclure de bons marchés
avec des détenteurs ignorants); dans ce métier, la
difficulté consiste à pouvoir s'introduire dans les
maisons. On ne se figure pas les ruses à la Scapin,
les tours à la Sganarelle, et les séductions à la Do-
rine qu'inventent les chineurs pour entrer chez le
bourgeois. C'est des comédies dignes du théâtre, et
toujours fondées comme ici, sur la rapacité des domestiques. Les domestiques, surtout à la campagne
ou dans les provinces, pour trente francs d'argent
ou de marchandises, font conclure des marchés où

le chineur réalise des bénéfices de mille à deux mille
francs. Il y a tel service de vieux Sèvres, pâte tendre,
dont la conquête, si elle était racontée, montrerait
toutes les ruses diplomatiques du congrès de Mun-
ster, toute l'intelligence déployée à Nimègue, à
Utrecht, à Riswick, à Vienne, dépassées par les chineurs, dont le comique est bien plus franc que celui
des négociateurs. Les chineurs ont des moyens d'action qui plongent tout aussi profondément dans les
abîmes de l'intérêt personnel que ceux si péniblement cherchés par les ambassadeurs pour déter-
miner la rupture des alliances les mieux cimen-
tées.

« *Ch'ai choliment allumé la Chibot*, dit le frère
à la sœur en lui voyant reprendre sa place sur une
chaise dépaillée. *Et doncques, che vais conchulleter
le cheul qui s'y connaiche, nostre Chuif, un bon
Chuif qui ne nouche a presté qu'à quinche pour
chent!* »

Rémonencq avait lu dans le cœur de la Cibot.
Chez les femmes de cette trempe, vouloir, c'est agir;
elles ne reculent devant aucun moyen pour arriver
au succès; elles passent de la probité la plus entière
à la scélératesse la plus profonde, en un instant.
La probité, comme tous nos sentiments, d'ailleurs,
devrait se diviser en deux probités : une probité
négative, une probité positive. La probité négative
serait celle des Cibot, qui sont probes tant qu'une
occasion de s'enrichir ne s'offre pas à eux. La probité positive serait celle qui reste toujours dans la
tentation jusqu'à mi-jambes sans y succomber,

comme celle des garçons de recettes. Une foule d'intentions mauvaises se rua dans l'intelligence et dans le cœur de cette portière par l'écluse de l'intérêt ouverte à la diabolique parole du ferrailleur. La Cibot monta, vola, pour être exact, de la loge à l'appartement de ses deux messieurs, et se montra le visage masqué de tendresse, sur le seuil de la chambre où gémissaient Pons et Schmucke. En voyant entrer la femme de ménage, Schmucke lui fit signe de ne pas dire un mot des véritables opinions du docteur en présence du malade; car l'ami, le sublime Allemand, avait lu dans les yeux du docteur; et elle y répondit par un autre signe de tête, en exprimant une profonde douleur.

« Eh bien, mon cher monsieur, comment vous sentez-vous? » dit la Cibot.

La portière se posa au pied du lit, les poings sur ses hanches et les yeux fixés sur le malade amoureusement; mais quelles paillettes d'or en jaillissaient! C'eût été terrible comme un regard de tigre, pour un observateur.

« Mais bien mal! répondit le pauvre Pons, je ne me sens plus le moindre appétit. Ah! le monde! le monde! s'écriait-il en pressant la main de Schmucke qui tenait, assis au chevet du lit, la main de Pons, et avec qui sans doute le malade parlait des causes de sa maladie. — J'aurais bien mieux fait, mon bon Schmucke, de suivre tes conseils! de dîner ici tous les jours depuis notre réunion! de renoncer à cette société qui roule sur moi, comme un tombereau sur un œuf, et pourquoi?...

— Allons, allons, mon bon monsieur, pas de doléances, dit la Cibot, le docteur m'a dit la vérité... »
Schmucke tira la portière par la robe.

« Hé! vous pouvez vous n'en tirer, mais n'avec
beaucoup de soins... Soyez tranquille, vous n'avez
près de vous n'un bon ami, et, sans me vanter,
n'une femme qui vous soignera comme n'une mère
soigne son premier enfant. J'ai tiré Cibot d'une maladie que M. Poulain l'avait condamné, qu'il lui
n'avait jeté, comme on dit, le drap sur le nez, qu'il
n'était n'abandonné comme mort... Eh bien, vous
qui n'en êtes pas là, Dieu merci, quoique vous soyez
assez malade, comptez sur moi... je vous n'en tirerai n'a moi seule! Soyez tranquille, ne vous n'agitez
pas comme ça. » Elle ramena la couverture sur les
mains du malade. « N'allez! mon fiston, dit-elle,
M. Schmucke et moi, nous passerons les nuits, là,
n'a votre chevet... Vous serez mieux gardé qu'un
prince, et... d'ailleurs, vous n'êtes assez riche pour
ne vous rien refuser de ce qu'il faut à votre maladie... Je viens de m'arranger avec Cibot; car, pauvre
cher homme, qué qui ferait sans moi... Eh bien, je
lui n'ai fait entendre raison, et nous vous aimons
tant tous les deux, qu'il a consenti à ce que je sois
n'ici la nuit... Et pour un homme comme lui... c'est
un fier sacrifice, allez! car il m'aime comme au premier jour. Je ne sais pas ce qu'il n'a! c'est la loge!
tous deux à côté de l'autre toujours!... Ne vous dé-
couvrez donc pas ainsi... dit-elle en s'élançant à la
tête du lit et ramenant les couvertures sur la poi-
trine de Pons... Si vous n'êtes pas gentil, si vous ne

faites pas bien tout ce qu'ordonnera M. Poulain, qui est, voyez-vous, l'image du Bon Dieu sur la terre, je ne me mêle plus de vous... Faut m'obéir..

— *Ui, montame Zipod! il fus opéira*, répondit Schmucke, *gar il feud fifre bir son pon hami Schmucke, che le carandis.*

— Ne vous impatientez pas, surtout, car votre maladie, dit la Cibot, vous n'y pousse assez, sans que vous n'augmentiez votre défaut de patience. Dieu nous envoie nos maux, mon cher bon monsieur, il nous punit de nos fautes, vous n'avez bien quelques chères petites fautes n'à vous reprocher!.. »

Le malade inclina la tête négativement.

« Oh! n'allez! vous n'aurez aimé dans votre jeunesse, vous n'aurez fait vos fredaines, vous n'avez peut-être quelque part n'un fruit de vos amours, qui n'est sans pain, ni feu, ni lieu... Monstres d'hommes! Ça n'aime n'un jour, et puis : « Frist! » Ça ne pense plus n'à rien, pas même n'aux mois de nourrice! Pauvres femmes!...

— Mais il n'y a que Schmucke et ma pauvre mère qui m'aient jamais aimé, dit tristement le pauvre Pons.

— Allons! nous n'êtes pas n'un saint! vous n'avez été jeune et vous deviez n'être bien joli garçon. A vingt ans... moi, bon comme vous l'êtes, je vous n'aurais aimé...

— J'ai toujours été laid comme un crapaud! dit Pons au désespoir.

— Vous dites cela par modestie, car vous n'avez cela pour vous, que vous n'êtes modeste.

— Mais non, ma chère madame Cibot, je vous le
répète, j'ai toujours été laid, et je n'ai jamais été
aimé...

— Par exemple! vous?... dit la portière. Vous voulez n'à cette heure me faire accroire que vous n'êtes
à votre âge, comme n'une rosière... à d'autres! n'un
musicien! un homme de théâtre! mais ce serait
n'une femme qui me dirait cela, que je ne la croi-
rais pas.

— *Montame Zibod! fus allez l'irrider!* cria Schmucke en voyant Pons qui se tortillait comme un
ver dans son lit.

— Taisez-vous n'aussi, vous n'êtes deux vieux libertins... Vous n'avez beau n'être laids, il n'y a si
vilain couvercle qui ne trouve son pot! comme dit
le proverbe! Cibot s'est bien fait n'aimer d'une des
plus belles écaillères de Paris... vous n'êtes infiniment mieux que lui... Vous n'êtes bon! vous... n'allons, vous n'avez fait vos farces! Et Dieu vous punit
d'avoir abandonné vos enfants, comme Abraham!... » Le malade abattu trouva la force de faire
encore un geste de dénégation. « Mais soyez tranquille, ça ne vous empêchera de vivre n'autant que
Mathusalem.

— Mais laissez-moi donc tranquille! cria Pons, je
n'ai jamais su ce que c'était que d'être aimé!... je
n'ai pas eu d'enfants, je suis seul sur la terre...

— Nà, bien vrai?... demanda la portière, car vous
n'êtes si bon, que les femmes, qui, voyez-vous, n'aiment la bonté, c'est ce qui les attache... et il me
semblait impossible que dans votre bon temps...

— Emmène-la! dit Pons à l'oreille de Schmucke, elle m'agace!

— Monsieur Schmucke alors, n'en a des enfants... Vous n'êtes tous comme ça, vous autres vieux garçons...

— Moi! s'écria Schmucke en se dressant sur ses jambes, mais...

— Allons, vous n'aussi, vous n'êtes sans héritiers, n'est-ce pas! Vous n'êtes venus tous deux comme des champignons sur cette terre.

— *Foyons, fenez!* » répondit Schmucke.

Le bon Allemand prit héroïquement Mme Cibot par la taille, et l'emmena dans le salon, sans tenir compte de ses cris.

« Vous voudriez n'à notre âge, n'abuser d'une pauvre femme!... criait la Cibot en se débattant dans les bras de Schmucke.

— *Ne griez pas!*

— Vous, le meilleur des deux! répondit la Cibot. Ah! j'ai n'eu tort de parler d'amour n'à des vieillards qui n'ont jamais connu de femmes! j'ai n'allumé vos feux, monstre, s'écria-t-elle en voyant les yeux de Schmucke brillant de colère. N'à la garde! n'à la garde! on m'enlève.

— *Fus edes eine pedde!* répondit l'Allemand. *Foyons, qu'a tid le togdeur?...*

— Vous me brutalisez ainsi, dit en pleurant la Cibot rendue à la liberté, moi qui me jetterais dans le feu pour vous deux! Ah! bien, n'on dit que les hommes se connaissent à l'user... Comme c'est vrai! C'est pas mon pauvre Cibot qui me malmènerait

ainsi... Moi qui fais de vous mes enfants; car je n'ai
pas d'enfants, et je disais hier, oui, pas plus tard
qu'hier, à Cibot : « Mon ami, Dieu savait bien
« ce qu'il faisait en nous refusant des enfants, car
« j'ai deux enfants là-haut! » Voilà, par la sainte
croix de Dieu, sur l'âme de ma mère, ce que je lui
disais...

— *Eh! mais qu'a tid le togdeur?* demanda rageu-
sement Schmucke qui pour la première fois de sa
vie frappa du pied.

— Eh bien, il n'a dit, répondit Mme Cibot en attirant Schmucke dans la salle à manger, il n'a dit
que notre cher bien-aimé chéri de n'amour de malade serait en danger de mourir, s'il n'était pas bien
soigné; mais je suis là, malgré vos brutalités; car
vous n'êtes brutal, vous que je croyais si doux. N'en
avez-vous de ce tempérament!... N'ah! vous n'abu-
seriez donc n'encore n'à votre âge d'une femme,
gros polisson?...

— *Bolizon! moâ?... Fus ne gombrenez toncques
bas que che n'ame que Bons.*

— N'à la bonne heure, vous me laisserez tranquille, n'est-ce pas? dit-elle en souriant à Schmucke.
Vous ferez bien, car Cibot casserait les os à quicon-
que n'attenterait à son noneur!

— *Zoignez-le pien, ma petite montam Zibod,* reprit Schmucke en essayant de prendre la main à
Mme Cibot.

— N'ah! voyez-vous, n'encore?

— *Egoudez-moi tonc? dud ce que c'haurai zera à
fus, zi nus le zauffons...*

— Eh bien, je vais chez l'apothicaire, chercher ce qu'il faut... car, voyez-vous, monsieur, ça coûtera cette maladie; n'et comment ferez-vous?...

— *Che dravaillerai! Che feux que Bons zoid soigné gomme ein brince...*

— Il le sera, mon bon monsieur Schmucke; et, voyez-vous, ne vous inquiétez de rien. Cibot et moi, nous n'avons deux mille francs d'économies, *elles* sont à vous, et n'il y a longtemps que je mets du mien ici, n'allez!...

— *Ponne phâme!* s'écria Schmucke en s'essuyant les yeux, *quel cueir!*

— Séchez des larmes qui m'honorent, car voilà ma récompense, à moi! dit mélodramatiquement la Cibot. Je suis la plus désintéressée de toutes les créatures, mais n'entrez pas n'avec des larmes n'aux yeux, car M. Pons croirait qu'il est plus malade qu'il n'est. »

Schmucke, ému de cette délicatesse, prit enfin la main de la Cibot et la lui serra.

« N'épargnez-moi! dit l'ancienne écaillère en jetant à Schmucke un regard tendre.

— *Bons,* dit le bon Allemand en rentrant, *c'esd eine anche que montam Zibod, c'esd eine anche pafard, mais c'esde eine anche.*

— Tu crois?... je suis devenu défiant depuis un mois, répondit le malade en hochant la tête. Après tous mes malheurs, on ne croit plus à rien qu'à Dieu et à toi!...

— *Cuéris, et nus fifrons dus trois gomme tes roisse!* » s'écria Schmucke.

« Cibot! s'écria la portière essoufflée, en entrant dans sa loge. Ah! mon ami, notre fortune n'est faite! Mes deux messieurs n'ont pas d'héritiers, ni d'enfants naturels, ni rien... quoi!... Oh! j'irai chez Mme Fontaine me faire tirer les cartes, pour savoir ce que nous n'aurons de rente!...

— Ma femme, répondit le petit tailleur, ne comptons pas sur les souliers d'un mort pour être bien chaussés.

— Ah çà! vas-tu m'asticoter, toi, dit-elle en donnant une tape amicale à Cibot. Je sais ce que je sais! M. Poulain n'a condamné M. Pons! Et nous serons riches! Je serai sur le testament... Je m'en charge! Tire ton aiguille et veille n'à ta loge, tu ne feras plus longtemps ce métier-là! Nous nous retirerons n'à la campagne, n'à Batignolles. N'une belle maison, n'un beau jardin, que tu t'amuseras à cultiver, et j'aurai n'une servante!...

— *Eh bien, voichine, comment cha va là haute,* demanda Rémonencq, *chavez-vous se che que vautte chette collectchion?...*

— Non, non pas encore! N'on ne va pas comme ça! mon brave homme. Moi, j'ai commencé par me faire dire des choses plus importantes...

— *Pluche impourtantes!* s'écria Rémonencq; *maiche, che qui este plus impourtant que chette choge...*

— Allons, gamin! laisse-moi conduire la barque, dit la portière avec autorité.

— *Maiche, tante pour chent, chur chet chent mille franques, vouche auriez de quoi reschter bourcheois pour le reschte de vostre vie...*

— Soyez tranquille, papa Rémonencq, quand il faudra savoir ce que valent toutes les choses que le bonhomme a amassées, nous verrons... »

Et la portière, après être allée chez l'apothicaire pour y prendre les médicaments ordonnés par le docteur Poulain, remit au lendemain sa consultation chez Mme Fontaine, en pensant qu'elle trouverait les facultés de l'oracle plus nettes, plus fraîches, en s'y trouvant de bon matin avant tout le monde; car il y a souvent foule chez Mme Fontaine.

Après avoir été pendant quarante ans l'antagoniste de la célèbre Mlle Lenormand, à qui d'ailleurs elle a survécu, Mme Fontaine était alors l'oracle du Marais. On ne se figure pas ce que sont les tireuses de cartes pour les classes inférieures parisiennes, ni l'influence immense qu'elles exercent sur les déterminations des personnes sans instruction; car les cuisinières, les portières, les femmes entretenues, les ouvriers, tous ceux qui, dans Paris, vivent d'espérances, consultent les êtres privilégiés qui possèdent l'étrange et inexpliqué pouvoir de lire dans l'avenir. La croyance aux sciences occultes est bien plus répandue que ne l'imaginent les savants, les avocats, les notaires, les médecins, les magistrats et les philosophes. Le peuple a des instincts indélébiles. Parmi ces instincts, celui qu'on nomme si sottement *superstition,* est aussi bien dans le sang du peuple que dans l'esprit des gens supérieurs. Plus d'un homme d'Etat consulte, à Paris, les tireuses de cartes. Pour les incrédules, l'astrologie judiciaire (alliance de mots excessivement bizarre) n'est que l'exploitation d'un sentiment inné, l'un des plus forts de notre nature, la Curiosité. Les incrédules nient donc complètement les rapports que la divination établit entre la destinée humaine et la configuration qu'on en obtient par les sept ou huit moyens principaux qui composent l'astrologie judiciaire. Mais il en est des sciences occultes comme de tant d'effets naturels repoussés par les esprits forts ou par les philosophes matérialistes, c'est-à-dire ceux qui s'en tiennent uniquement aux faits visibles, solides, aux résultats de la cornue ou des balances de la physique et de la chimie modernes; ces sciences subsistent, elles continuent leur marche, sans progrès d'ailleurs, car depuis environ deux siècles la culture en est abandonnée par les esprits d'élite.

En ne regardant que le côté possible de la divination, croire que les événements antérieurs de la vie d'un homme, que les secrets connus de lui seul peuvent être immédiatement représentés par des cartes qu'il mêle, qu'il coupe et que le diseur d'horoscope divise en paquets d'après des lois mystérieuses, c'est l'absurde; mais c'est l'absurde qui condamnait la vapeur, qui condamne encore la navigation aérienne, qui condamnait les inventions de la poudre et de l'imprimerie, celle des lunettes, de la gravure, et la dernière grande découverte, la daguerréotypie. Si quelqu'un fût venu dire à Napoléon qu'un édifice et qu'un homme sont incessamment et à toute heure représentés par une

image dans l'atmosphère, que tous les objets existants y ont un spectre saisissable, perceptible, il
aurait logé cet homme à Charenton, comme Richelieu logea Salomon de Caus à Bicêtre, lorsque le
martyr normand lui apporta l'immense conquête
de la navigation à vapeur. Et c'est là cependant
ce que Daguerre a prouvé par sa découverte. Eh
bien, si Dieu a imprimé, pour certains yeux clairvoyants, la destinée de chaque homme dans sa physionomie, en prenant ce mot comme l'expression totale du corps, pourquoi la main ne résumerait-elle
pas la physionomie, puisque la main est l'action
humaine tout entière et son seul moyen de manifestation? De là la chiromancie. La société n'imite-
t-elle pas Dieu? Prédire à un homme les événements
de sa vie à l'aspect de sa main, n'est pas un fait
plus extraordinaire chez celui qui a reçu les facultés
du Voyant, que le fait de dire à un soldat qu'il se
battra, à un avocat qu'il parlera, à un cordonnier
qu'il fera des souliers ou des bottes, à un cultivateur qu'il fumera la terre et la labourera. Choisissons un exemple frappant. Le génie est tellement
visible en l'homme, qu'en se promenant à Paris, les
gens les plus ignorants devinent un grand artiste
quand il passe. C'est comme un soleil moral dont
les rayons colorent tout à son passage. Un imbécile
ne se reconnaît-il pas immédiatement par des impressions contraires à celles que produit l'homme
de génie? Un homme ordinaire passe presque inaperçu. La plupart des observateurs de nature sociale
et parisienne peuvent dire la profession d'un pas-

sant en le voyant venir. Aujourd'hui, les mystères
du sabbat, si bien peints par les peintres du
XVIe siècle, ne sont plus des mystères. Les Egyp-
tiennes ou les Egyptiens, pères des Bohémiens, cette
nation étrange, venue des Indes, faisait tout uni-
ment prendre du hatschich à ses clients. Les phénomènes produits par cette conserve expliquent parfaitement le chevauchage sur les balais, la fuite
par les cheminées, les *visions réelles,* pour ainsi
dire, des vieilles changées en jeunes femmes, les
danses furibondes et les délicieuses musiques qui
composaient les fantaisies des prétendus adorateurs
du diable.

Aujourd'hui tant de faits avérés, authentiques,
sont issus des sciences occultes, qu'un jour ces
sciences seront professées comme on professe la
chimie et l'astronomie. Il est même singulier qu'au
moment où l'on crée à Paris des chaires de slave,
de mantchou, de littératures aussi peu *professables*
que les littératures du Nord, qui, au lieu de fournir
des leçons, devraient en recevoir, et dont les titu-
laires répètent d'éternels articles sur Shakspeare ou
sur le XVIe siècle, on n'ait pas restitué, sous le nom
d'Anthropologie, l'enseignement de la philosophie
occulte, l'une des gloires de l'ancienne Université.
En ceci, l'Allemagne, ce pays à la fois si grand
et si enfant, a devancé la France, car on y professe cette science, bien plus utile que les différentes PHILOSOPHIES, qui sont toutes la même
chose.

Que certains êtres aient le pouvoir d'apercevoir

les faits à venir dans le germe des causes, comme le grand inventeur aperçoit une industrie, une science dans un effet naturel inaperçu du vulgaire, ce n'est plus une de ces violentes exceptions qui font rumeur, c'est l'effet d'une faculté reconnue, et qui serait en quelque sorte le somnambulisme de l'esprit. Si donc cette proposition, sur laquelle reposent les différentes manières de déchiffrer l'avenir, semble absurde, le fait est là. Remarquez que prédire les gros événements de l'avenir n'est pas, pour le Voyant, un tour de force plus extraordinaire que celui de deviner le passé. Le passé, l'avenir sont également impossibles à savoir, dans le système des incrédules. Si les événements accomplis ont laissé des traces, il est vraisemblable d'imaginer que les événements à venir ont leurs racines. Dès qu'un *diseur de bonne aventure* vous explique minutieusement les faits connus de vous seul, dans votre vie antérieure, il peut vous dire les événements que produiront les causes existantes. Le monde moral est taillé pour ainsi dire sur le patron du monde naturel; les mêmes effets s'y doivent retrouver avec les différences propres à leurs divers milieux. Ainsi, de même que les corps se projettent réellement dans l'atmosphère en y laissant subsister ce spectre saisi par le daguerréotype qui l'arrête au passage; de même, les idées, créations réelles et agissantes, s'impriment dans ce qu'il faut nommer l'atmosphère du monde spirituel, y produisent des effets, y vivent *spectralement* (car il est nécessaire de forger des mots pour exprimer des phénomènes

innomés), et dès lors certaines créatures douées
de facultés rares peuvent parfaitement apercevoir
ces formes ou ces traces d'idées.

Quant aux moyens employés pour arriver aux
visions, c'est là le merveilleux le plus explicable,
dès que la main du consultant dispose les objets
à l'aide desquels on lui fait représenter les hasards
de sa vie. En effet, tout s'enchaîne dans le monde
réel. Tout mouvement y correspond à une cause,
toute cause se rattache à l'ensemble; et, conséquemment, l'ensemble se représente dans le moindre
mouvement. Rabelais, le plus grand esprit de l'humanité moderne, cet homme qui résuma Pythagore,
Hippocrate, Aristophane et Dante, a dit, il y a
maintenant trois siècles : L'homme est un micro-
cosme. Trois siècles après, Swedenborg, le grand
prophète suédois, disait que la terre était un
homme. Le prophète et le précurseur de l'incré-
dulité se rencontraient ainsi dans la plus grande
des formules. Tout est fatal dans la vie humaine,
comme dans la vie de notre planète. Les
moindres accidents, les plus futiles, y sont subor-
donnés. Donc les grandes choses, les grands desseins,
les grandes pensées s'y reflètent nécessairement dans
les plus petites actions, et avec tant de fidélité, que
si quelque conspirateur mêle et coupe un jeu de
cartes, il y écrira le secret de sa conspiration pour
le Voyant appelé bohème, diseur de bonne aventure, charlatan, etc. Dès qu'on admet la fatalité,
c'est-à-dire l'enchaînement des causes, l'astrologie
judiciaire existe et devient ce qu'elle était jadis,

une science immense, car elle comprend la faculté
de déduction qui fit Cuvier si grand, mais
spontanée, au lieu d'être, comme chez ce beau
génie, exercée dans les nuits studieuses du cabinet.

L'astrologie judiciaire, la divination, a régné pendant sept siècles, non pas comme aujourd'hui sur
les gens du peuple, mais sur les plus grandes intelligences, sur les souverains, sur les reines et sur les
gens riches. Une des plus grandes sciences de l'Anti-
quité, le magnétisme animal, est sorti des sciences occultes, comme la chimie est sortie des fourneaux des
alchimistes. La craniologie, physiognomonie, la né-
vrologie en sont également issues; et les illustres créateurs de ces sciences, en apparence nouvelles, n'ont
eu qu'un tort, celui de tous les inventeurs, et qui
consiste à systématiser absolument des faits isolés,
dont la cause génératrice échappe encore à l'analyse.
Un jour l'Eglise catholique et la Philosophie moderne se sont trouvées d'accord avec la Justice pour
proscrire, persécuter, ridiculiser les mystères de la
Cabale ainsi que ses adeptes, et il s'est fait une
regrettable lacune de cent ans dans le règne et
l'étude des sciences occultes. Quoi qu'il en soit, le
peuple et beaucoup de gens d'esprit, les femmes
surtout, continuent à payer leurs contributions à
la mystérieuse puissance de ceux qui peuvent soulever le voile de l'avenir; ils vont leur acheter de
l'espérance, du courage, de la force, c'est-à-dire
ce que la religion seule peut donner. Aussi cette
science est-elle toujours pratiquée, non sans quel-

ques risques. Aujourd'hui, les sorciers, garantis de tout supplice par la tolérance due aux encyclopédistes du XVIIIe siècle, ne sont plus justiciables que de la police correctionnelle, et dans le cas seulement où ils se livrent à des manœuvres frauduleuses, quand ils effraient leurs pratiques dans le dessein d'extorquer de l'argent, ce qui constitue une escroquerie. Malheureusement l'escroquerie et souvent le crime accompagnent l'exercice de cette faculté sublime. Voici pourquoi.

Les dons admirables qui font le Voyant se rencontrent ordinairement chez les gens à qui l'on décerne l'épithète de brutes. Ces brutes sont les vases d'élection où Dieu met les élixirs qui surprennent l'humanité. Ces brutes donnent les prophètes, les saint Pierre, les l'Hermite. Toutes les fois que la pensée demeure dans sa totalité, reste bloc, ne se débite pas en conversation, en intrigues, en œuvres de littérature, en imaginations de savant, en efforts administratifs, en conceptions d'inventeur, en travaux guerriers, elle est apte à jeter des feux d'une intensité prodigieuse, contenus comme le diamant brut garde l'éclat de ses facettes. Vienne une circonstance! cette intelligence s'allume, elle a des ailes pour franchir les distances, des yeux divins pour tout voir; hier, c'était un charbon, le lendemain, sous le jet du fluide inconnu qui la traverse, c'est un diamant qui rayonne. Les gens supérieurs, usés sur toutes les faces de leur intelligence, ne peuvent jamais, à moins de ces miracles que Dieu se permet quelquefois, offrir cette puissance suprême. Aussi les devins et les devineresses sont-ils presque toujours des mendiants ou des mendiantes à esprits vierges, des êtres en apparence grossiers, des cailloux roulés dans les torrents de la misère, dans les ornières de la vie, où ils n'ont dépensé que des souffrances physiques. Le prophète, le Voyant, c'est enfin Martin le laboureur, qui a fait trembler Louis XVIII en disant un secret que le roi pouvait seul savoir, c'est une Mlle Lenormand, une cuisinière comme Mme Fontaine, une Négresse presque idiote, un pâtre vivant avec des bêtes à cornes, un faquir assis au bord d'une pagode, et qui, tuant la chair, fait arriver l'esprit à toute la puissance inconnue des facultés somnambulesques. C'est en Asie que de tout temps se sont rencontrés les héros des sciences occultes. Souvent alors ces gens qui, dans l'état ordinaire, restent ce qu'ils sont, car ils remplissent en quelque sorte les fonctions physiques et chimiques des corps conducteurs de l'électricité, tour à tour métaux inertes ou canaux pleins de fluides mystérieux; ces gens, redevenus eux-mêmes s'adonnent à des pratiques, à des calculs qui les mènent en police correctionnelle, voire même, comme le fameux Balthazar, en cour d'assises et au bagne. Enfin ce qui prouve l'immense pouvoir que la Cartomancie exerce sur les gens du peuple, c'est que la vie ou la mort du pauvre musicien dépendait de l'horoscope que Mme Fontaine allait tirer à Mme Cibot.

Quoique certaines répétitions soient inévitables dans une histoire aussi considérable et aussi chargée

de détails que l'est une histoire complète de la société française au XIXᵉ siècle, il est inutile de peindre
le taudis de Mme Fontaine, déjà décrit dans *les
Comédiens sans le savoir*. Seulement il est nécessaire
de faire observer que Mme Cibot entra chez
Mme Fontaine, qui demeure rue Vieille-du-Temple,
comme les habitués du café Anglais entrent dans
ce restaurant pour y déjeuner. Mme Cibot, pratique
fort ancienne, amenait là souvent des jeunes personnes et des commères dévorées de curiosité.

La vieille domestique qui servait de prévôt à la
tireuse de cartes ouvrit la porte du sanctuaire, sans
prévenir sa maîtresse.

« C'est Mme Cibot! Entrez, ajouta-t-elle, il n'y
a personne.

— Eh bien, ma petite, qu'avez-vous donc pour
venir si matin? » dit la sorcière.

Mme Fontaine, alors âgée de soixante-dix-huit
ans, méritait cette qualification par son extérieur
digne d'une Parque.

« J'ai *les sangs tournés*, donnez-moi le grand jeu!
s'écria la Cibot, il s'agit de ma fortune. »

Et elle expliqua la situation dans laquelle elle se
trouvait, en demandant une prédiction pour son
sordide espoir.

« Vous ne savez pas ce que c'est que le grand
jeu? dit solennellement Mme Fontaine.

— Non, je ne suis pas n'assez riche pour n'en
n'avoir jamais vu la farce! Cent francs!... Excusez
du peu! N'où que je les n'aurais pris? Mais n'aujourd'hui, n'il me le faut!

— Je ne le joue pas souvent, ma petite, répondit Mme Fontaine, je ne le donne aux riches que dans les grandes occasions, et on me le paie vingt-cinq louis; car, voyez-vous, ça me fatigue, ça m'use! l'*Esprit* me tripote, là, dans l'estomac. C'est, comme on disait autrefois, aller au sabbat!

— Mais, quand je vous dis, ma bonne mame Fontaine, qu'il s'agit de mon n'avenir...

— Enfin pour vous à qui je dois tant de consultations, je vais me livrer à l'Esprit! » répondit Mme Fontaine en laissant voir sur sa figure décrépite une expression de terreur qui n'était pas jouée.

Elle quitta sa vieille bergère crasseuse, au coin de sa cheminée, alla vers sa table couverte d'un drap vert dont toutes les cordes usées pouvaient se compter, et où dormait à gauche un crapaud d'une dimension extraordinaire, à côté d'une cage ouverte et habitée par une poule noire aux plumes ébouriffées.

« Astaroth! ici, mon fils! » dit-elle en donnant un léger coup d'une longue aiguille à tricoter sur le dos du crapaud, qui la regarda d'un air intelligent. « Et vous, mademoiselle Cléopâtre!... attention! » reprit-elle en donnant un petit coup sur le bec de la vieille poule. Mme Fontaine se recueillit, elle demeura pendant quelques instants immobile; elle eut l'air d'une morte, ses yeux tournèrent et devinrent blancs. Puis elle se roidit, et dit : « Me voilà! » d'une voix caverneuse. Après avoir automatiquement éparpillé du millet pour Cléopâtre, elle prit son grand jeu, le mêla convulsivement, et le fit couper par Mme Cibot, mais en soupirant profondément. Quand cette image de la Mort en turban crasseux, en casaquin sinistre, regarda les grains de millet que la poule noire piquait, et appela son crapaud Astaroth pour qu'il se promenât sur les cartes étalées, Mme Cibot eut froid dans le dos, elle tressaillit. Il n'y a que les grandes croyances qui donnent de grandes émotions. Avoir ou n'avoir pas de rentes, telle était la question, a dit Shakspeare.

Après sept ou huit minutes pendant lesquelles la sorcière ouvrit et lut un grimoire d'une voix sépulcrale, examina les grains qui restaient, le chemin que faisait le crapaud en se retirant, elle déchiffra le sens des cartes en y dirigeant ses yeux blancs.

« Vous réussirez! quoique rien dans cette affaire ne doive aller comme vous le croyez! dit-elle. Vous aurez bien des démarches à faire. Mais vous recueillerez le fruit de vos peines. Vous vous conduirez bien mal, mais ce sera pour vous comme pour tous ceux qui sont auprès des malades, et qui convoitent une part de succession. Vous serez aidée dans cette œuvre de malfaisance par des personnages considérables... Plus tard, vous vous repentirez dans les angoisses de la mort, car vous mourrez assassinée par deux forçats évadés, un petit à cheveux rouges et un vieux tout chauve, à cause de la fortune qu'on vous supposera dans le village où vous vous retirerez avec votre second mari... Allez, ma fille, vous êtes libre d'agir ou de rester tranquille. »

L'exaltation intérieure qui venait d'allumer des torches dans les yeux caves de ce squelette si froid en apparence, cessa. Lorsque l'horoscope fut prononcé, Mme Fontaine éprouva comme un éblouissement et fut en tout point semblable aux somnambules quand on les réveille; elle regarda tout d'un air étonné; puis elle reconnut Mme Cibot et parut surprise de la voir en proie à l'horreur peinte sur ce visage.

« Eh bien, ma fille! dit-elle d'une voix tout à fait différente de celle qu'elle avait eue en prophétisant, êtes-vous contente?... »

Mme Cibot regarda la sorcière d'un air hébété sans pouvoir lui répondre.

« Ah! vous avez voulu le grand jeu! je vous ai traitée comme une vieille connaissance. Donnez-moi cent francs, seulement...

— Cibot, mourir? s'écria la portière.

— Je vous ai donc dit des choses bien terribles?... demanda très ingénument Mme Fontaine.

— Mais oui!... dit la Cibot en tirant de sa poche cent francs et les posant au bord de la table, mourir assassinée!...

— Ah! voilà, vous voulez le grand jeu!... Mais consolez-vous, tous les gens assassinés dans les cartes ne meurent pas.

— Mais c'est-y possible, mame Fontaine?

— Ah! ma petite belle, moi je n'en sais rien! Vous avez voulu frapper à la porte de l'avenir, j'ai tiré le cordon, voilà tout, et *il* est venu!

— Qui? il? dit Mme Cibot.

— Eh bien, l'Esprit, quoi! répliqua la sorcière impatientée.

— Adieu, mame Fontaine! s'écria la portière. Je ne connaissais pas le grand jeu, vous m'avez bien effrayée, n'allez!...

— Madame ne se met pas deux fois par mois dans cet état-là! dit la servante en reconduisant la portière jusque sur le palier. Elle crèverait à la peine, tant ça la lasse. Elle va manger des côtelettes et dormir pendant trois heures... »

Dans la rue, en marchant, la Cibot fit ce que font les consultants avec les consultations de toute espèce. Elle crut à ce que la prophétie offrait de favorable à ses intérêts et douta des malheurs annoncés. Le lendemain, affermie dans ses résolutions, elle pensait à tout mettre en œuvre pour devenir riche en se faisant donner une partie du Musée Pons. Aussi n'eut-elle plus, pendant quelque temps, d'autre pensée que celle de combiner les moyens de réussir. Le phénomène expliqué ci-dessus, celui de la concentration des forces morales chez tous les gens grossiers qui, n'usant pas leurs facultés intelligentielles ainsi que les gens du monde par une dépense journalière, les trouvent fortes et puissantes au moment où joue dans leur esprit cette arme redoutable appelée l'idée fixe, se manifesta chez la Cibot à un degré supérieur. De même que l'idée fixe produit les miracles des évasions et les miracles du sentiment, cette portière, appuyée par la cupi-

dité, devint aussi forte qu'un Nucingen aux abois,
aussi spirituelle sous sa bêtise que le séduisant La
Palférine.

Quelques jours après, sur les sept heures du matin, en voyant Rémonencq occupé d'ouvrir sa boutique, elle alla chattement à lui.

« Comment faire pour savoir la vérité sur la
valeur des choses entassées chez mes messieurs? lui
demanda-t-elle.

— Ah! c'est bien facile, répondit le marchand de
curiosités dans son affreux charabia qu'il est inutile
de continuer à figurer pour la clarté du récit. Si
vous voulez jouer franc jeu avec moi, je vous indi-
querai un appréciateur, un bien honnête homme,
qui saura la valeur des tableaux à deux sous près.

— Qui?

— M. Magus, un Juif qui ne fait plus d'affaires
que pour son plaisir. »

Elie Magus, dont le nom est trop connu dans la
Comédie humaine pour qu'il soit nécessaire de parler de lui, s'était retiré du commerce des tableaux
et des curiosités, en imitant, comme marchand, la
conduite que Pons avait tenue comme amateur. Les
célèbres appréciateurs, feu Henry, MM. Pigeot et
Moret, Théret, Georges et Roëhn, enfin, les experts
du Musée, étaient tous des enfants, comparés à
Elie Magus, qui devinait un chef-d'œuvre sous une
crasse centenaire, qui connaissait toutes les Ecoles
et l'écriture de tous les peintres.

Ce Juif, venu de Bordeaux à Paris, avait quitté
le commerce en 1835, sans quitter les dehors misé-

rables qu'il gardait, selon les habitudes de la plupart des Juifs, tant cette race est fidèle à ses traditions. Au Moyen Age, la persécution obligeait les Juifs à porter des haillons pour déjouer les soupçons, à toujours se plaindre, pleurnicher, crier à la misère. Ces nécessités d'autrefois sont devenues, comme toujours, un instinct de peuple, un vice endémique. Elie Magus, à force d'acheter des diamants et de les revendre, de brocanter les tableaux et les dentelles, les hautes curiosités et les émaux, les fines sculptures et les vieilles orfèvreries, jouissait d'une immense fortune inconnue, acquise dans ce commerce, devenu si considérable. En effet, le nombre des marchands a décuplé depuis vingt ans à Paris, la ville où toutes les curiosités du monde se donnent rendez-vous. Quant aux tableaux, ils ne se vendent que dans trois villes : à Rome, à Londres et à Paris.

Elie Magus vivait, chaussée des Minimes, petite et vaste rue qui mène à la place Royale, où il possédait un vieil hôtel acheté pour un morceau de pain, comme on dit, en 1831. Cette magnifique construction contenait un des plus fastueux appartements décorés du temps de Louis XV, car c'était l'ancien hôtel de Maulaincourt. Bâti par ce célèbre président de la cour des Aides, cet hôtel, à cause de sa situation, n'avait pas été dévasté durant la Révolution. Si le vieux Juif s'était décidé, contre les lois israélites, à devenir propriétaire, croyez qu'il eut bien ses raisons. Le vieillard finissait, comme nous finissons tous, par une manie poussée jusqu'à

la folie. Quoiqu'il fût avare autant que son ami
feu Gobseck, il se laissa prendre par l'admiration
des chefs-d'œuvre qu'il brocantait; mais son goût,
de plus en plus épuré, difficile, était devenu l'une
de ces passions qui ne sont permises qu'aux rois,
quand ils sont riches et qu'ils aiment les arts. Semblable au second roi de Prusse, qui ne s'enthou-
siasmait pour un grenadier que lorsque le sujet
atteignait à six pieds de hauteur, et qui dépensait
des sommes folles pour le pouvoir joindre à son
musée vivant de grenadiers, le brocanteur retiré ne
se passionnait que pour des toiles irréprochables,
restées telles que le maître les avait peintes, et du
premier ordre dans l'œuvre. Aussi Elie Magus ne
manquait-il pas une seule des grandes ventes, visi-
tait-il tous les marchés, et voyageait-il par toute
l'Europe. Cette âme vouée au lucre, froide comme un
glaçon, s'échauffait à la vue d'un chef-d'œuvre, absolument comme un libertin, lassé des femmes,
s'émeut devant une fille parfaite, et s'adonne à la
recherche des beautés sans défauts. Ce Don Juan
des toiles, cet adorateur de l'idéal, trouvait dans
cette admiration des jouissances supérieures à celle
que donne à l'avare la contemplation de l'or. Il
vivait dans un sérail de beaux tableaux!

Ces chefs-d'œuvre, logés comme doivent l'être
les enfants des princes, occupaient tout le premier
étage de l'hôtel qu'Elie Magus avait fait restaurer,
et avec quelle splendeur! Aux fenêtres, pendaient
en rideaux les plus beaux brocarts d'or de Venise.
Sur les parquets, s'étendaient les plus magnifiques

tapis de la Savonnerie. Les tableaux, au nombre
de cent environ, étaient encadrés dans les cadres
les plus splendides, redorés tous avec esprit par le
seul doreur de Paris qu'Elie trouvât consciencieux,
par Servais, à qui le vieux Juif apprit à dorer avec
l'or anglais, or infiniment supérieur à celui des
batteurs d'or français. Servais est, dans l'art du
doreur, ce qu'était Thouvenin dans la reliure, un
artiste amoureux de ses œuvres. Les fenêtres de cet
appartement étaient protégées par des volets garnis
en tôle. Elie Magus habitait deux chambres en
mansarde au deuxième étage, meublées pauvrement,
garnies de ses haillons, et sentant la juiverie, car
il achevait de vivre comme il avait vécu.

Le rez-de-chaussée, tout entier pris par les tableaux que le Juif brocantait toujours, par les
caisses venues de l'étranger, contenait un immense
atelier, où travaillait presque uniquement pour lui
Moret, le plus habile de nos restaurateurs de tableaux, un de ceux que le Musée devrait employer.
Là se trouvait aussi l'appartement de sa fille, le
fruit de sa vieillesse, une Juive, belle comme sont
toutes les Juives quand le type asiatique reparaît
pur et noble en elles. Noémi, gardée par deux
servantes fanatiques et juives, avait pour avant-
garde un Juif polonais nommé Abramko, compromis, par un hasard fabuleux, dans les événements de
Pologne, et qu'Elie Magus avait sauvé par spéculation. Abramko, concierge de cet hôtel muet,
morne et désert, occupait une loge armée de trois
chiens d'une férocité remarquable, l'un de Terre-

Neuve, l'autre des Pyrénées, le troisième anglais et bouledogue.

Voici sur quelles observations profondes était assise la sûreté du Juif qui voyageait sans crainte, qui dormait sur ses deux oreilles, et ne redoutait aucune entreprise ni sur sa fille, son premier trésor, ni sur ses tableaux, ni sur son or. Abramko recevait chaque année deux cents francs de plus que l'année précédente, et ne devait plus rien recevoir à la mort de Magus, qui le dressait à faire l'usure dans le quartier. Abramko n'ouvrait jamais à personne sans avoir regardé par un guichet grillagé, formidable. Ce concierge, d'une force herculéenne, adorait Magus comme Sancho Pança adore don Quichotte. Les chiens, renfermés pendant le jour, ne pouvaient avoir sous la dent aucune nourriture; mais, à la nuit, Abramko les lâchait, et ils étaient condamnés par le rusé calcul du vieux Juif à stationner, l'un dans le jardin, au pied d'un poteau en haut duquel était accroché un morceau de viande, l'autre dans la cour au pied d'un poteau semblable, et le troisième dans la grande salle du rez-de-chaussée. Vous comprenez que ces chiens qui, par instinct, gardaient déjà la maison, étaient gardés eux-mêmes par leur faim; ils n'eussent pas quitté, pour la plus belle chienne, leur place au pied de leur mât de cocagne; ils ne s'en écartaient pas pour aller flairer quoi que ce soit. Qu'un inconnu se présentât, les chiens s'imaginaient tous trois que le quidam en voulait à leur nourriture, laquelle ne leur était descendue que le matin, au réveil

d'Abramko. Cette infernale combinaison avait un
avantage immense. Les chiens n'aboyaient jamais,
le génie de Magus les avait promus Sauvages, ils
étaient devenus sournois comme des Mohicans. Or,
voici ce qui advint. Un jour, des malfaiteurs, en-
hardis par ce silence, crurent assez légèrement pouvoir *rincer* la caisse de ce Juif. L'un d'eux, désigné
pour monter le premier à l'assaut, passa par-dessus
le mur du jardin et voulut descendre; le bouledogue
l'avait laissé faire, il l'avait parfaitement entendu;
mais dès que le pied de ce monsieur fut à portée
de sa gueule, il le lui coupa net, et le mangea. Le
voleur eut le courage de repasser le mur, il marcha
sur l'os de sa jambe jusqu'à ce qu'il tombât évanoui
dans les bras de ses camarades qui l'emportèrent.
Ce fait-Paris, car *La Gazette des Tribunaux* ne
manqua pas de rapporter ce délicieux épisode des
nuits parisiennes, fut pris pour un puff.

Magus, alors âgé de soixante-quinze ans, pouvait
aller jusqu'à la centaine. Riche, il vivait comme vivaient les Rémonencq. Trois mille francs, y compris
ses profusions pour sa fille, défrayaient toutes ses
dépenses. Aucune existence n'était plus régulière
que celle du vieillard. Levé dès le jour, il mangeait
du pain frotté d'ail, déjeuner qui le menait jusqu'à
l'heure du dîner. Le dîner, d'une frugalité mona-
cale, se faisait en famille. Entre son lever et l'heure
de midi, le maniaque usait le temps à se promener
dans l'appartement où brillaient les chefs-d'œuvre.
Il y époussetait tout, meubles et tableaux, il admirait sans lassitude; puis il descendait chez sa fille,

il s'y grisait du bonheur des pères, et il partait pour ses courses à travers Paris, où il surveillait les ventes, allait aux expositions, etc. Quand un chef-d'œuvre se trouvait dans les conditions où il le voulait, la vie de cet homme s'animait; il avait un coup à monter, une affaire à mener, une bataille de Marengo à gagner. Il entassait ruse sur ruse pour avoir sa nouvelle sultane à bon marché. Magus possédait sa carte d'Europe, une carte où les chefs-d'œuvre étaient marqués, et il chargeait ses coreligionnaires dans chaque endroit d'espionner l'affaire pour son compte, moyennant une prime. Mais aussi quelles récompenses pour tant de soins!...

Les deux tableaux de Raphaël perdus et cherchés avec tant de persistance par les Raphaéliaques, Magus les possède! Il possède l'original de la maîtresse du Giorgione, cette femme pour laquelle ce peintre est mort, et les prétendus originaux sont des copies de cette toile illustre qui vaut cinq cent mille francs, à l'estimation de Magus. Ce Juif garde le chef-d'œuvre du Titien : *Le Christ mis au tombeau*, tableau peint pour Charles Quint, qui fut envoyé par le grand homme au grand Empereur, accompagné d'une lettre écrite tout entière de la main du Titien, et cette lettre est collée au bas de la toile. Il a, du même peintre, l'original, la maquette d'après laquelle tous les portraits de Philippe II ont été faits. Les quatre-vingt-dix-sept autres tableaux sont tous de cette force et de cette distinction. Aussi Magus se rit-il de notre musée, ravagé par le soleil qui ronge les plus belles toiles

en passant par des vitres dont l'action équivaut
à celle des lentilles. Les galeries de tableaux ne
sont possibles qu'éclairées par leurs plafonds. Magus
fermait et ouvrait les volets de son musée lui-même,
déployait autant de soins et de précautions pour
ses tableaux que pour sa fille, son autre idole. Ah!
le vieux tableaumane connaissait bien les lois de la
peinture! Selon lui, les chefs-d'œuvre avaient une
vie qui leur était propre, ils étaient journaliers,
leur beauté dépendait de la lumière qui venait
les colorer, il en parlait comme les Hollandais
parlaient jadis de leurs tulipes, et venait voir tel
tableau, à l'heure où le chef-d'œuvre resplendissait
dans toute sa gloire, quand le temps était clair et
pur.

C'était un tableau vivant au milieu de ces tableaux immobiles que ce petit vieillard, vêtu d'une
méchante petite redingote, d'un gilet de soie dé-
cennal, d'un pantalon crasseux, la tête chauve, le
visage creux, la barbe frétillante et dardant ses poils
blancs, le menton menaçant et pointu, la bouche
démeublée, l'œil brillant comme celui de ses chiens,
les mains osseuses et décharnées, le nez en obé-
lisque, la peau rugueuse et froide, souriant à ces
belles créations du génie! Un Juif, au milieu de
trois millions, sera toujours un des plus beaux
spectacles que puisse donner l'humanité. Robert
Médal, notre grand acteur, ne peut pas, quelque
sublime qu'il soit, atteindre à cette poésie. Paris
est la ville du monde qui recèle le plus d'originaux
en ce genre, ayant une religion au cœur. Les *excen-*

triques de Londres finissent toujours par se dé-
goûter de leurs adorations comme ils se dégoûtent
de vivre; tandis qu'à Paris les monomanes vivent
avec leur fantaisie dans un heureux concubinage
d'esprit. Vous y voyez souvent venir à vous des
Pons, des Elie Magus vêtus fort pauvrement, le nez
comme celui du secrétaire perpétuel de l'Académie
française, à l'ouest! ayant l'air de ne tenir à rien,
de ne rien sentir, ne faisant aucune attention aux
femmes, aux magasins, allant pour ainsi dire au
hasard, le vide dans leur poche, paraissant être
dénués de cervelle, et vous vous demandez à quelle
tribu parisienne ils peuvent appartenir. Eh bien,
ces hommes sont des millionnaires, des collectionneurs, les gens les plus passionnés de la terre, des
gens capables d'avancer dans les terrains boueux
de la police correctionnelle pour s'emparer d'une
tasse, d'un tableau, d'une pièce rare, comme fit
Elie Magus, un jour, en Allemagne.

Tel était l'expert chez qui Rémonencq conduisit
mystérieusement la Cibot. Rémonencq consultait
Elie Magus toutes les fois qu'il le rencontrait sur
les boulevards. Le Juif avait, à diverses reprises,
fait prêter par Abramko de l'argent à cet ancien
commissionnaire dont la probité lui était connue.
La chaussée des Minimes étant à deux pas de la
rue de Normandie, les deux complices du *coup à
monter* y furent en dix minutes.

« Vous allez voir, lui dit Rémonencq, le plus
riche des anciens marchands de la Curiosité, le plus
grand connaisseur qu'il y ait à Paris... »

Mme Cibot fut stupéfaite en se trouvant en présence d'un petit vieillard vêtu d'une houppelande indigne de passer par les mains de Cibot pour être raccommodée, qui surveillait son restaurateur, un peintre occupé à réparer des tableaux dans une pièce froide de ce vaste rez-de-chaussée; puis, en recevant un regard de ces yeux pleins d'une malice froide comme ceux des chats, elle trembla.

« Que voulez-vous, Rémonencq? dit-il.

— Il s'agit d'estimer des tableaux; et il n'y a que vous dans Paris qui puissiez dire à un pauvre chaudronnier comme moi ce qu'il en peut donner, quand il n'a pas, comme vous, des mille et des cents!

— Où est-ce? dit Elie Magus.

— Voici la portière de la maison qui fait le ménage du monsieur, et avec qui je me suis arrangé...

— Quel est le nom du propriétaire?

— M. Pons! dit la Cibot.

— Je ne le connais pas », répondit d'un air ingénu Magus en pressant tout doucement de son pied le pied de son restaurateur.

Moret, ce peintre, savait la valeur du Musée Pons, et il avait levé brusquement la tête. Cette finesse ne pouvait être hasardée qu'avec Rémonencq et la Cibot. Le Juif avait évalué moralement cette portière par un regard où les yeux firent l'office des balances d'un peseur d'or. L'un et l'autre devaient ignorer que le bonhomme Pons et Magus avaient mesuré souvent leurs griffes. En effet, ces deux amateurs féroces s'enviaient l'un l'autre. Aussi le vieux Juif

venait-il d'avoir comme un éblouissement intérieur.
Jamais il n'espérait pouvoir entrer dans un sérail si
bien gardé. Le Musée Pons était le seul à Paris qui
pût rivaliser avec le Musée Magus. Le Juif avait eu,
vingt ans plus tard que Pons, la même idée; mais,
en sa qualité de marchand-amateur, le Musée Pons
lui resta fermé, de même qu'à Dusommerard. Pons
et Magus avaient au cœur la même jalousie. Ni
l'un ni l'autre ils n'aimaient cette célébrité que
recherchent ordinairement ceux qui possèdent des
cabinets. Pouvoir examiner la magnifique collection du pauvre musicien, c'était, pour Elie Magus,
le même bonheur que celui d'un amateur de
femmes parvenant à se glisser dans le boudoir d'une
belle maîtresse que lui cache un ami. Le grand
respect que témoignait Rémonencq à ce bizarre
personnage et le prestige qu'exerce tout pouvoir
réel, même mystérieux, rendirent la portière obéis-
sante et souple. La Cibot perdit le ton autocratique
avec lequel elle se conduisait dans sa loge avec
les locataires et ses deux messieurs, elle accepta les
conditions de Magus et promit de l'introduire dans
le Musée Pons, le jour même. C'était amener l'ennemi dans le cœur de la place, plonger un poignard
au cœur de Pons qui, depuis dix ans, interdisait à
la Cibot de laisser pénétrer qui que ce fût chez lui,
qui prenait toujours sur lui ses clefs, et à qui la
Cibot avait obéi, tant qu'elle avait partagé les
opinions de Schmucke en fait de bric-à-brac. En effet le bon Schmucke en traitant ces magnificences
de *primporions* et déplorant la manie de Pons,

avait inculqué son mépris pour ces antiquailles à
la portière et garanti le Musée Pons de toute invasion pendant fort longtemps.

Depuis que Pons était alité, Schmucke le remplaçait au théâtre et dans les pensionnats. Le pauvre
Allemand, qui ne voyait son ami que le matin et
à dîner, tâchait de suffire à tout en conservant leur
commune clientèle; mais toutes ses forces étaient
absorbées par cette tâche, tant la douleur l'acca-
blait. En voyant ce pauvre homme si triste, les
écolières et les gens du théâtre, tous instruits par
lui de la maladie de Pons, lui en demandaient des
nouvelles, et le chagrin du pianiste était si grand,
qu'il obtenait des indifférents la même grimace de
sensibilité qu'on accorde à Paris aux plus grandes
catastrophes. Le principe même de la vie du bon
Allemand était attaqué tout aussi bien que chez
Pons. Schmucke souffrait à la fois de sa douleur
et de la maladie de son ami. Aussi parlait-il
de Pons pendant la moitié de la leçon qu'il
donnait; il interrompait si naïvement une démonstration pour se demander à lui-même comment
allait son ami, que la jeune écolière l'écoutait expliquant la maladie de Pons. Entre deux leçons, il
accourait rue de Normandie pour voir Pons pendant un quart d'heure. Effrayé du vide de la caisse
sociale, alarmé par Mme Cibot qui, depuis quinze
jours, grossissait de son mieux les dépenses de la
maladie, le professeur de piano sentait ses angoisses
dominées par un courage dont il ne se serait jamais
cru capable. Il voulait pour la première fois de sa

vie gagner de l'argent, pour que l'argent ne manquât pas au logis. Quand une écolière, vraiment
touchée de la situation des deux amis, demandait
à Schmucke comment il pouvait laisser Pons tout
seul, il répondait, avec le sublime sourire des
dupes : « *Matemoiselle, nus afons montam Zibod!*
eine tréssor! eine berle! Bons ed zoigné gomme ein
brince! » Or, dès que Schmucke trottait par les
rues, la Cibot était la maîtresse de l'appartement
et du malade. Comment Pons, qui n'avait rien
mangé depuis quinze jours, qui gisait sans force,
que la Cibot était obligée de lever elle-même et
d'asseoir dans une bergère pour faire le lit, aurait-il
pu surveiller ce soi-disant ange gardien? Naturellement la Cibot était allée chez Elie Magus pendant
le déjeuner de Schmucke.

Elle revint pour le moment où l'Allemand disait
adieu au malade; car, depuis la révélation de la
fortune possible de Pons, la Cibot ne quittait plus
son célibataire, elle le couvait! Elle s'enfonçait dans
une bonne bergère, au pied du lit, et faisait à Pons,
pour le distraire, ces commérages auxquels excellent ces sortes de femmes. Devenue pateline, douce,
attentive, inquiète, elle s'établissait dans l'esprit
du bonhomme Pons avec une adresse machiavélique, comme on va le voir. Effrayée par la prédiction du grand jeu de Mme Fontaine, la Cibot
s'était promis à elle-même de réussir par des moyens
doux, par une scélératesse purement morale, à se
faire coucher sur le testament de son monsieur.
Ignorant pendant dix ans la valeur du Musée Pons,

la Cibot se voyait dix ans d'attachement, de probité,
de désintéressement devant elle, et elle se proposait
d'escompter cette magnifique valeur. Depuis le jour
où, par un mot plein d'or, Rémonencq avait fait
éclore dans le cœur de cette femme un serpent
contenu dans sa coquille pendant vingt-cinq ans,
le désir d'être riche, cette créature avait nourri le
serpent de tous les mauvais levains qui tapissent le
fond des cœurs, et l'on va voir comment elle exé-
cutait les conseils que lui sifflait le serpent.

« Eh bien, a-t-il bien bu, notre chérubin? va-t-il
mieux? dit-elle à Schmucke.

— *Bas pien! mon tchère montam Zibod! bas
pien!* répondit l'Allemand en essuyant une larme.

— Bah! vous vous alarmez par trop aussi, mon
cher monsieur, il faut en prendre et en laisser...
Cibot serait à la mort, je ne serais pas si désolée
que vous l'êtes. Allez! notre chérubin est d'une
bonne constitution. Et puis, voyez-vous, il paraît
qu'il a été sage! vous ne savez pas combien les
gens sages vivent mieux! Il est bien malade, c'est
vrai, mais n'avec les soins que j'ai de lui, je l'en
tirerai. Soyez tranquille, allez à vos affaires, je vais
lui tenir compagnie, et lui faire boire ses pintes
d'eau d'orge.

— *Sans fus, che murerais d'einquiédute...* » dit
Schmucke en pressant dans ses mains par un geste
de confiance la main de sa bonne ménagère.

La Cibot entra dans la chambre de Pons en s'essuyant les yeux.

« Qu'avez-vous, madame Cibot? dit Pons.

— C'est M. Schmucke qui me met l'âme à l'envers, il vous pleure comme si vous étiez mort! dit-elle. Quoique vous ne soyez pas bien, vous n'êtes pas encore assez mal pour qu'on vous pleure; mais cela me fait tant d'effet! Mon Dieu, suis-je bête d'aimer comme cela les gens et de m'être attachée à vous plus qu'à Cibot! Car, après tout, vous ne m'êtes de rien, nous ne sommes parents que par la première femme; eh bien, j'ai les sangs tournés dès qu'il s'agit de vous, ma parole d'honneur. Je me ferais couper la main, la gauche s'entend, là, devant vous, pour vous voir allant et venant, mangeant et flibustant des marchands, comme n'à votre ordinaire... Si j'avais eu n'un enfant, je pense que je l'aurais aimé, comme je vous aime, quoi! Buvez donc, mon mignon, allons, un plein verre! Voulez-vous boire, monsieur! D'abord, M. Poulain a dit : « S'il ne veut pas aller au Père-Lachaise, M. Pons « doit boire dans sa journée autant de voies d'eau « qu'un Auvergnat en vend. » Ainsi, buvez! allons!...

— Mais, je bois, ma bonne Cibot... tant et tant que j'ai l'estomac noyé...

— Là, c'est bien! dit la portière en prenant le verre vide. Vous vous en sauverez comme ça! M. Poulain avait un malade comme vous, qui n'avait aucun soin, que ses enfants abandonnaient, et il est mort de cette maladie-là, faute d'avoir bu!... Ainsi faut boire, voyez-vous, mon bichon!... qu'on l'a enterré il y a deux mois... Savez-vous que si vous mouriez, mon cher monsieur, vous entraîneriez avec

vous le bonhomme Schmucke... Il est comme un
enfant, ma parole d'honneur. Ah! vous aime-t-il,
ce cher agneau d'homme! non, jamais une femme
n'aime un homme comme ça!... Il en perd le boire
et le manger, il est maigri depuis quinze jours,
autant que vous qui n'avez que la peau et les os...
Ça me rend jalouse, car je vous suis bien attachée;
mais je n'en suis pas là... je n'ai pas perdu l'appétit, au contraire! Forcée de monter et de descendre
sans cesse les étages, j'ai des lassitudes dans les
jambes, que le soir je tombe comme une masse de
plomb. Ne voilà-t-il pas que je néglige mon pauvre
Cibot pour vous, que Mlle Rémonencq lui fait
son vivre, qu'il me bougonne parce que tout est
mauvais! Pour lors, je lui dis comme ça qu'il faut
savoir souffrir pour les autres, et que vous êtes trop
malade pour qu'on vous quitte... D'abord vous
n'êtes pas assez bien pour ne pas avoir une garde!
Pus souvent que je souffrirais une garde ici, moi
qui fais vos affaires et votre ménage depuis dix ans...
Et alles sont sur leux bouche! qu'elles mangent
comme dix, qu'elles veulent du vin, du sucre, leurs
chaufferettes, leurs aises... Et puis qu'elles volent les
malades, quand les malades ne les mettent pas sur
leurs testaments... Mettez une garde ici pour aujourd'hui, mais demain nous trouverions un tableau, quelque objet de moins...

— Oh! madame Cibot! s'écria Pons hors de lui,
ne me quittez pas!... Qu'on ne touche à rien!...

— Je suis là! dit la Cibot, tant que j'en aurai
la force, je serai là... soyez tranquille! M. Poulain,

qui peut-être a des vues sur votre trésor, ne voulait-
il pas vous donner n'une garde!... Comme je vous
l'ai remouché! — « Il n'y a que moi, que je lui ai
« dit, de qui veuille monsieur, il a mes habitudes
« comme j'ai les siennes. » Et il s'est tu. Mais une
garde, c'est tout voleuses! J'haï-t-il ces femmes-là...
Vous allez voir comme elles sont intrigantes. Pour
lors, un vieux monsieur... — Notez que c'est
M. Poulain qui m'a raconté cela... — Donc une
Mme Sabatier, une femme de trente-six ans, ancienne marchande de mules au Palais, — vous
connaissez bien la galerie marchande qu'on a dé-
molie au Palais... »

Pons fit un signe affirmatif.

« Bien, c'te femme, pour lors, n'a pas réussi,
rapport à son homme qui buvait tout et qu'est
mort d'une imbustion spontanée, mais elle a été
belle femme, faut tout dire, mais ça ne lui a pas
profité, quoiqu'elle ait eu, dit-on, des avocats pour
bons amis... Donc, dans la débine, elle s'a fait garde
de femmes en couches, et n'alle demeure rue Barre-
du-Bec. Elle n'a donc gardé comme ça n'un vieux
monsieur, qui, sous votre respect, avait une maladie
des foies lurinaires, qu'on le sondait comme un puits
n'artésien, et qui voulait de si grands soins qu'elle
couchait sur un lit de sangle dans la chambre de
ce monsieur. C'est-y croyable, ces choses-là. Mais vous
me direz : les hommes, ça ne respecte rien! tant ils
sont égoïstes! Enfin voilà qu'en causant avec lui,
vous comprenez, elle était là toujours, elle l'égayait,
elle lui racontait des histoires, elle le faisait jaser,

comme nous sommes là, pas vrai, tous les deux à
jacasser... Elle apprend que ses neveux, le malade
avait des neveux, étaient des monstres, qu'ils lui
donnaient des chagrins, et, fin finale, que sa maladie
venait de ses neveux. Eh bien, mon cher monsieur,
elle a sauvé ce monsieur, et elle est devenue sa
femme, et ils ont un enfant qui est superbe, et que
mame Bordevin, la bouchère de la rue Charlot
qu'est parente à c'te dame, a été marraine... En voilà
ed' la chance! Moi, je suis mariée!... Mais je n'ai
pas d'enfant, et je puis le dire, c'est la faute à Cibot,
qui m'aime trop; car si je voulais... Suffit. Quéque
nous serions devenus avec de la famille, moi et
mon Cibot, qui n'avons pas n'un sou vaillant,
n'après trente ans de probité, mon cher monsieur!
Mais ce qui me console, c'est que je n'ai pas n'un
liard du bien d'autrui. Jamais je n'ai fait de tort
à personne... Tenez, n'une supposition, qu'on peut
dire, puisque dans six semaines vous serez sur vos
quilles, à flâner sur le boulevard; eh bien, vous
me mettriez sur votre testament; eh bien, je n'aurais
de cesse que je n'aie trouvé vos héritiers pour leur
rendre... tant j'ai peur du bien qui n'est pas acquis
à la sueur de mon front. Vous me direz : « Mais,
« mame Cibot, ne vous tourmentez donc pas comme
« ça, vous l'avez bien gagné, vous avez soigné ces
« messieurs comme vos enfants, vous leur avez épar-
« gné mille francs par an... » Car, à ma place,
savez-vous, monsieur, qu'il y a bien des cuisinières
qui auraient déjà dix mille francs ed' placés. —
« C'est donc justice si ce digne monsieur vous laisse

« un petit viager!... » qu'on me dirait par supposition. Eh bien, non! moi je suis désintéressée...
Je ne sais pas comment il y a des femmes qui font
le bien par intérêt... Ce n'est plus faire le bien,
n'est-ce pas, monsieur?... Je ne vais pas à l'église,
moi! Je n'en ai pas le temps; mais ma conscience
me dit ce qui est bien... Ne vous agitez pas comme
ça, mon chat!... ne vous grattez pas! Mon Dieu,
comme vous jaunissez! vous êtes si jaune, que vous
en devenez brun... Comme c'est drôle qu'on soit,
en vingt jours, comme un citron!... La probité,
c'est le trésor des pauvres gens, il faut bien posséder
quelque chose! D'abord, vous arriveriez à toute
extrémité, par supposition, je serais la première à
vous dire que vous devez donner tout ce qui vous
appartient à M. Schmucke. C'est là votre devoir,
car il est, à lui seul, toute votre famille! il
vous n'aime, celui-là, comme un chien aime son
maître.

— Ah! oui! dit Pons, je n'ai été aimé dans toute
ma vie que par lui...

— Ah! monsieur, dit Mme Cibot, vous n'êtes
pas gentil, et moi, donc! je ne vous aime donc
pas...

— Je ne dis pas cela, ma chère madame Cibot.

— Bon! allez-vous pas me prendre pour une
servante, une cuisinière ordinaire, comme si je
n'avais pas n'un cœur! Ah! mon Dieu! fendez-vous
donc pendant onze ans pour deux vieux garçons!
ne soyez donc occupée que de leur bien-être, que
je remuais tout chez dix fruitières, à m'y faire dire

des sottises, pour vous trouver du bon fromage **de** Brie, que j'allais jusqu'à la Halle pour vous avoir du beurre frais, et prenez donc garde à tout, qu'en dix ans je ne vous ai rien cassé, rien écorné... Soyez donc comme une mère pour ses enfants! Et vous n'entendre dire un *ma chère madame Cibot* qui prouve qu'il n'y a pas un sentiment pour vous dans le cœur du vieux monsieur que vous soignez comme un fils de roi, car le petit roi de Rome n'a pas été soigné comme vous!... Voulez-vous parier qu'on ne l'a pas soigné comme vous!... à preuve qu'il est mort à la fleur de son âge... Tenez, monsieur, vous n'êtes pas juste... Vous êtes un ingrat! C'est parce que je ne suis qu'une pauvre portière. Ah! mon Dieu, vous croyez donc aussi, vous, que nous sommes des chiens...

— Mais, ma chère madame Cibot...

— Enfin, vous qu'êtes un savant, expliquez-moi pourquoi nous sommes traités comme ça, nous autres concierges, qu'on ne nous croit pas des sentiments, qu'on se moque de nous, dans n'un temps où l'on parle d'égalité!... Moi, je ne vaux donc pas une autre femme! moi qui ai été une des plus jolies femmes de Paris, qu'on m'a nommée *la belle écaillère*, et que je recevais des déclarations d'amour sept ou huit fois par jour... Et que si je voulais encore! Tenez, monsieur, vous connaissez bien ce gringalet de ferrailleur qu'est à la porte, eh bien, si j'étais veuve, une supposition, il m'épouserait les yeux fermés, tant il les a ouverts à mon endroit, qu'il me dit toute la journée : « Oh! les beaux bras

« que vous avez!... mame Cibot! je rêvais, cette nuit,
« que c'était du pain et que j'étais du beurre, et
« que je m'étendais là-dessus!... » Tenez, monsieur,
en voilà des bras!... » Elle retroussa sa manche et
montra le plus magnifique bras du monde, aussi
blanc et aussi frais que sa main était rouge et flé-
trie; un bras potelé, rond, à fossettes, et qui, tiré de
son fourreau de mérinos commun, comme une lame
est tirée de sa gaine, devait éblouir Pons, qui n'osa
pas le regarder trop longtemps. « Et, reprit-elle, qui
ont ouvert autant de cœurs que mon couteau ouvrait d'huîtres! Eh bien, c'est à Cibot, et j'ai eu le
tort de négliger ce pauvre cher homme, qui se jet-
terait dedans un précipice au premier mot que je
dirais, pour vous, monsieur, qui m'appelez *ma chère
madame Cibot*, quand je ferais l'impossible pour
vous...

— Ecoutez-moi donc, dit le malade, je ne peux
pas vous appeler ma mère ni ma femme...

— Non, jamais de ma vie ni de mes jours, je ne
m'attache plus à personne!...

— Mais laissez-moi donc dire! reprit Pons.
Voyons, j'ai parlé de Schmucke, d'abord.

— M. Schmucke! en voilà un de cœur! dit-elle.
Allez, il m'aime, lui, parce qu'il est pauvre! C'est la
richesse qui rend insensible, et vous êtes riche! Eh
bien, n'ayez une garde, vous verrez quelle vie elle
vous fera! qu'elle vous tourmentera comme un han-
neton... Le médecin dira qu'il faut vous faire boire,
elle ne vous donnera rien qu'à manger! elle vous
enterrera pour vous voler! Vous ne méritez pas

d'avoir une Mme Cibot!... Allez! quand M. Poulain viendra, vous lui demanderez une garde!

— Mais, sacrebleu! écoutez-moi donc! s'écria le
malade en colère. Je ne parlais pas des femmes en
parlant de mon ami Schmucke!... Je sais bien que
je n'ai pas d'autres cœurs où je suis aimé sincèrement que le vôtre et celui de Schmucke!...

— Voulez-vous bien ne pas vous irriter comme
ça! s'écria la Cibot en se précipitant sur Pons et le
recouchant de force.

— Mais, comment ne vous aimerais-je pas?... dit
le pauvre Pons.

— Vous m'aimez, là, bien vrai?... Allons, allons,
pardon, monsieur! dit-elle en pleurant et essuyant
ses pleurs. Eh bien, oui, vous m'aimez, comme on
aime une domestique, voilà... une domestique à qui
l'on jette une viagère de six cents francs, comme un
morceau de pain dans la niche d'un chien!...

— Oh! madame Cibot! s'écria Pons, pour qui me
prenez-vous? Vous ne me connaissez pas!

— Ah! vous m'aimerez encore mieux! reprit-elle
en recevant un regard de Pons; vous aimerez votre
bonne grosse Cibot comme une mère? Eh bien,
c'est cela; je suis votre mère, vous êtes tous deux mes
enfants!... Ah! si je connaissais ceux qui vous ont
causé du chagrin, je me ferais mener en cour d'assises et même à la correctionnelle, car je leur arra-
cherais les yeux?... Ces gens-là méritent d'être fait
mourir à la barrière Saint-Jacques! et c'est encore
trop doux pour de pareils scélérats!... Vous si bon,
si tendre, car vous n'avez un cœur d'or, vous étiez

créé et mis au monde pour rendre une femme heureuse... Oui, vous l'aureriez rendue heureuse... ça se
voit, vous étiez taillé pour cela... Moi, d'abord, en
voyant comment vous êtes avec M. Schmucke, je me
disais : « Non, M. Pons a manqué sa vie! Il était
« fait pour être un bon mari... » Allez, vous aimez
les femmes!

— Ah! oui, dit Pons, et je n'en ai jamais eu!...

— Vraiment! s'écria la Cibot d'un air provoca-
teur en se rapprochant de Pons et lui prenant la
main. Vous ne savez pas ce que c'est que n'avoir une
maîtresse qui fait les cent coups pour son ami! C'est-
il possible! Moi, à votre place, je ne voudrais pas
m'en aller d'ici dans l'autre monde sans avoir connu
le plus grand bonheur qu'il y ait sur terre!... Pauvre
bichon! si j'étais ce que j'ai été, parole d'honneur,
je quitterais Cibot pour vous! Mais avec un nez
taillé comme ça, car vous avez un fier nez! comment avez-vous fait, mon pauvre chérubin!... Vous
me direz : Toutes les femmes ne se connaissent pas
en hommes... et c'est un malheur qu'elles se ma-
rient à tort et à travers, que ça fait pitié. Moi, je
vous croyais des maîtresses à la douzaine, des danseuses, des actrices, des duchesses, rapport à vos absences!... Qu'en vous voyant sortir, je disais toujours à Cibot : « Tiens, voilà M. Pons qui va *courir*
« *le guilledou!* » Parole d'honneur! je disais cela
tant je vous croyais aimé des femmes! Le Ciel vous
a créé pour l'amour... Tenez, mon cher petit monsieur, j'ai vu cela le jour où vous avez dîné ici pour
la première fois. Oh! étiez-vous touché du plaisir

que vous donniez à M. Schmucke! Et lui qui en
pleurait encore le lendemain, en me disant : « *Montam Zibod, il ha tinné izi!* » que j'en ai pleuré
comme une bête aussi. Et comme il était triste,
quand vous avez recommencé vos *villevoustes!* et à
aller dîner en ville! Pauvre homme! jamais désolation pareille ne s'est vue! Ah! vous avez bien raison de faire de lui votre héritier! Allez, c'est toute
une famille pour vous, ce digne, ce cher homme-
là!... Ne l'oubliez pas! autrement Dieu ne vous recevrait pas dans son paradis, où il ne doit laisser
entrer que ceux qui ont été reconnaissants envers
leurs amis en leur laissant des rentes. »

Pons faisait de vains efforts pour répondre, la
Cibot parlait comme le vent marche. Si l'on a
trouvé le moyen d'arrêter les machines à vapeur,
celui de *stoper* la langue d'une portière épuisera le
génie des inventeurs.

« Je sais ce que vous allez dire! reprit-elle. Ça ne
tue pas, mon cher monsieur, de faire son testament,
quand on est malade; et n'à votre place, moi,
crainte d'accident, je ne voudrais pas abandonner
ce pauvre mouton-là, car c'est la bonne bête du
Bon Dieu; il ne sait rien de rien; je ne voudrais pas
le mettre à la merci des rapiats d'hommes d'affaires,
et de parents que c'est tous canailles! Voyons, y
a-t-il quelqu'un qui, depuis vingt jours, soit venu
vous voir?... Et vous leur donneriez votre bien! Savez-vous qu'on dit que tout ce qui est ici en vaut
la peine?

— Mais oui, dit Pons.

— Rémonencq, qui vous connaît pour un amateur, et qui brocante, dit qu'il vous ferait bien trente mille francs de rente viagère, pour avoir vos tableaux après vous... En voilà une affaire! A votre place, je la ferais! Mais j'ai cru qu'il se moquait de moi, quand il m'a dit cela... Vous devriez avertir M. Schmucke de la valeur de toutes ces choses-là, car s'est un homme qu'on tromperait comme un enfant; il n'a pas la moindre idée de ce que valent les belles choses que vous avez! Il s'en doute si peu, qu'il les donnerait pour un morceau de pain, si, par amour pour vous, il ne les gardait pas pendant toute sa vie, s'il vit après vous, toutefois, car il mourra de votre mort! Mais je suis là, moi! je le défendrai envers et contre tous!... moi et Cibot.

— Chère madame Cibot, répondit Pons attendri par cet effroyable bavardage où le sentiment paraissait être naïf comme il l'est chez les gens du peuple; que serais-je devenu sans vous et Schmucke?

— Ah! nous sommes bien vos seuls amis sur cette terre! ça c'est bien vrai! Mais deux bons cœurs valent toutes les familles... Ne me parlez pas de la famille! C'est comme la langue, disait cet ancien acteur, c'est tout ce qu'il y a de meilleur et de pire... Où sont-ils donc, vos parents? En avez-vous, des parents?... je ne les ai jamais vus...

— C'est eux qui m'ont mis sur le grabat!... s'écria Pons avec une profonde amertume

— Ah! vous avez des parents!... dit la Cibot en se dressant comme si son fauteuil eût été de fer rougi subitement au feu. Ah! bien, ils sont gentils,

vos parents! Comment, voilà vingt jours, oui, ce
matin, il y a vingt jours que vous êtes à la mort,
et ils ne sont pas encore venus savoir de vos nouvelles! C'est un peu fort de café, cela!... Mais, à
votre place, je laisserais plutôt ma fortune à l'hos-
pice des Enfants-Trouvés que de leur donner un
liard!

— Eh bien, ma chère madame Cibot, je voulais
léguer tout ce que je possède à ma petite-cousine, la
fille de mon cousin germain, le président Camusot,
vous savez, le magistrat qui est venu un matin, il y
a bientôt deux mois.

— Ah! un petit gros, qui vous a envoyé ses domestiques vous demander pardon... de la sottise de
sa femme... que la femme de chambre m'a fait des
questions sur vous, une vieille mijaurée à qui j'avais
envie d'épousseter son crispin en velours avec le
manche de mon balai! A-t-on jamais vu n'une
femme de chambre porter n'un crispin en velours!
Non, ma parole d'honneur, le monde est renversé! pourquoi fait-on des révolutions? Dîner deux
fois, si vous en avez le moyen, gueux de riches!
Mais je dis que les lois sont inutiles, qu'il n'y a plus
rien de sacré, si Louis-Philippe ne maintient pas
les rangs; car enfin, si nous sommes tous égaux, pas
vrai, monsieur, n'une femme de chambre ne doit
pas avoir n'un crispin en velours, quand moi, mame
Cibot, avec trente ans de probité, je n'en ai pas...
Voilà-t-il pas quelque chose de beau! On doit voir
qui vous êtes. Une femme de chambre est une
femme de chambre, comme moi je suis n'une con-

cierge! Pourquoi donc a-t-on des épaulettes à grains d'épinards dans le militaire? A chacun son grade! Tenez, voulez-vous que je vous dise le fin mot de tout ça? Eh bien, la France est perdue!... Et sous l'Empereur, pas vrai, monsieur? tout ça marchait autrement. Aussi j'ai dit à Cibot : « Tiens, vois-tu, « mon homme, une maison où il y a des femmes « de chambre à crispins en velours, c'est des gens « sans entrailles...

— Sans entrailles! c'est cela! » répondit Pons.

Et Pons raconta ses déboires et ses chagrins à Mme Cibot, qui se répandit en invectives contre les parents, et témoigna la plus excessive tendresse à chaque phrase de ce triste récit. Enfin, elle pleura!

Pour concevoir cette intimité subite entre le vieux musicien et Mme Cibot, il suffit de se figurer la situation d'un célibataire, grièvement malade pour la première fois de sa vie, étendu sur un lit de douleur, seul au monde, ayant à passer sa journée face à face avec lui-même, et trouvant cette journée d'autant plus longue qu'il est aux prises avec les souffrances indéfinissables de l'hépatite qui noircit la plus belle vie, et que, privé de ses nombreuses occupations, il tombe dans le marasme parisien, il regrette tout ce qui se voit gratis à Paris. Cette solitude profonde et ténébreuse, cette douleur dont les atteintes embrassent le moral encore plus que le physique, l'inanité de la vie, tout pousse un célibataire, surtout quand il est déjà faible de caractère et que son cœur est sensible, crédule, à s'attacher à l'être qui le soigne, comme un noyé s'attache à une planche. Aussi Pons écoutait-il les commérages de la Cibot avec ravissement. Schmucke et Mme Cibot, le docteur Poulain, étaient l'humanité tout entière, comme sa chambre était l'univers. Si déjà tous les malades concentrent leur attention dans la sphère qu'embrassent leurs regards, et si leur égoïsme s'exerce autour d'eux en se subordonnant aux êtres et aux choses d'une chambre, qu'on juge ce dont est · capable un vieux garçon, sans affections, et qui n'a jamais connu l'amour. En vingt jours, Pons en était arrivé par moments à regretter de ne pas avoir épousé Madeleine Vivet! Aussi, depuis vingt jours, Mme Cibot faisait-elle d'immenses progrès dans l'esprit du malade, qui se voyait perdu sans elle; car pour Schmucke, Schmucke était un second Pons pour le pauvre malade. L'art prodigieux de la Cibot consistait, à son insu d'ailleurs, à exprimer les propres idées de Pons.

« Ah! voilà le docteur », dit-elle en entendant des coups de sonnette.

Et elle laissa Pons tout seul, sachant bien que le Juif et Rémonencq arrivaient.

« Ne faites pas de bruit, messieurs... dit-elle, qu'il ne s'aperçoive de rien! car il est comme un crin dès qu'il s'agit de son trésor.

— Une simple promenade suffira », répondit le Juif, armé de sa loupe et d'une lorgnette.

Le salon où se trouvait la majeure partie du Musée Pons était un de ces anciens salons comme les concevaient les architectes employés par la noblesse française, de vingt-cinq pieds de largeur sur

trente de longueur et de treize pieds de hauteur.
Les tableaux que possédait Pons, au nombre de
soixante-sept, tenaient tous sur les quatre parois de
ce salon boisé, blanc et or, mais le blanc jauni, l'or
rougi par le temps offraient des tons harmonieux
qui ne nuisaient point à l'effet des toiles. Quatorze
statues s'élevaient sur des colonnes, soit aux angles,
soit entre les tableaux, sur des gaines de Boule. Des
buffets en ébène, tous sculptés et d'une richesse
royale, garnissaient à hauteur d'appui le bas des
murs. Ces buffets contenaient les curiosités. Au milieu du salon, une ligne de crédences en bois sculpté
présentait au regard les plus grandes raretés du travail humain : les ivoires, les bronzes, les bois, les
émaux, l'orfèvrerie, les porcelaines, etc.

Dès que le Juif fut dans ce sanctuaire, il alla droit
à quatre chefs-d'œuvre qu'il reconnut pour les plus
beaux de cette collection, et de maîtres qui manquaient à la sienne. C'était pour lui ce que sont
pour les naturalistes ces *desiderata* qui font entreprendre des voyages du couchant à l'aurore, aux
tropiques, dans les déserts, les pampas, les savanes,
les forêts vierges. Le premier tableau était de Sébastien del Piombo, le second de Fra Bartholomeo
della Porta, le troisième un paysage d'Hobbéma, et
le dernier un portrait de femme par Albert Dürer,
quatre diamants! Sébastien del Piombo se trouve,
dans l'art de la peinture, comme un point brillant
où trois écoles se sont donné rendez-vous pour y
apporter chacune ses éminentes qualités. Peintre de
Venise, il est venu à Rome y prendre le style de Ra-

phaël, sous la direction de Michel-Ange, qui voulut
l'opposer à Raphaël en luttant, dans la personne
d'un de ses lieutenants, contre ce souverain pontife
de l'Art. Ainsi, ce paresseux génie a fondu la couleur vénitienne, la composition florentine, le style
raphaélesque dans les rares tableaux qu'il a daigné
peindre et dont les cartons étaient dessinés, dit-on,
par Michel-Ange. Aussi peut-on voir à quelle perfection est arrivé cet homme, armé de cette triple
force, quand on étudie au Musée de Paris le portrait de Baccio Bandinelli qui peut être mis en
comparaison avec *l'Homme au gant* de Titien, avec
le *Portrait de vieillard* où Raphaël a joint sa perfection à celle de Corrège, et avec le *Charles VIII*
de Leonardo da Vinci, sans que cette toile y perde.
Ces quatre perles offrent la même eau, le même
orient, la même rondeur, le même éclat, la même
valeur. L'art humain ne peut aller au-delà. C'est
supérieur à la nature qui n'a fait vivre l'original
que pendant un moment. De ce grand génie, de
cette palette immortelle, mais d'une incurable paresse, Pons possédait un *Chevalier de Malte en
prière*, peint sur ardoise, d'une fraîcheur, d'un fini,
d'une profondeur supérieurs encore aux qualités du
portrait de Baccio Bandinelli. Le Fra Bartholomeo,
qui représentait une *Sainte Famille,* eût été pris
pour un tableau de Raphaël par beaucoup de
connaisseurs. L'Hobbéma devait aller à soixante
mille francs en vente publique. Quant à l'Albert
Dürer, ce portrait de femme était pareil au fameux
Holzschuer de Nuremberg, duquel les rois de Ba-

vière, de Hollande et de Prusse ont offert deux cent
mille francs, et vainement, à plusieurs reprises. Est-
ce la femme ou la fille du chevalier Holzschuer,
l'ami d'Albert Dürer?... l'hypothèse paraît une certitude, car la femme du Musée Pons est dans une
attitude qui suppose un pendant, et les armes
peintes sont disposées de la même manière dans l'un
et l'autre portrait. Enfin, le *aetatis suae* XLI est en
parfaite harmonie avec l'âge indiqué dans le portrait si religieusement gardé par la maison Holzschuer de Nuremberg, et dont la gravure a été récemment achevée.

Elie Magus eut des larmes dans les yeux en regardant tour à tour ces quatre chefs-d'œuvre.

« Je vous donne deux mille francs de gratification par chacun de ces tableaux, si vous me les
faites avoir pour quarante mille francs!... » dit-il à
l'oreille de la Cibot stupéfaite de cette fortune
tombée du ciel.

L'admiration ou, pour être plus exact, le délire
du Juif, avait produit un tel désarroi dans son intelligence et dans ses habitudes de cupidité, que le
Juif s'y abîma, comme on voit.

« Et moi?... dit Rémonencq qui ne se connaissait
pas en tableaux.

— Tout est ici de la même force, répliqua finement le Juif à l'oreille de l'Auvergnat; prends dix
tableaux au hasard et aux mêmes conditions, ta fortune sera faite! »

Ces trois voleurs se regardaient encore, chacun
en proie à sa volupté, la plus vive de toutes, la

satisfaction du succès en fait de fortune, lorsque la voix du malade retentit et vibra comme des coups de cloche...

« Qui va là?... criait Pons.

— Monsieur! recouchez-vous donc! dit la Cibot en s'élançant sur Pons et le forçant à se remettre au lit. Ah çà! voulez-vous vous tuer!... Eh bien, ce n'est pas M. Poulain, c'est ce brave Rémonencq, qui est si inquiet de vous, qu'il vient savoir de vos nouvelles!... Vous êtes si aimé, que toute la maison est en l'air pour vous. De quoi donc avez-vous peur?

— Mais, il me semble que vous êtes là plusieurs, dit le malade.

— Plusieurs! c'est bon!... Ah! çà, rêvez-vous?... Vous finirez par devenir fou, ma parole d'honneur!... Tenez! voyez. »

La Cibot alla vivement ouvrir la porte, fit signe à Magus de se retirer et à Rémonencq d'avancer.

« Eh bien, mon cher monsieur, dit l'Auvergnat pour qui la Cibot avait parlé, je viens savoir de vos nouvelles, car toute la maison est dans les transes par rapport à vous... Personne n'aime que la mort se mette dans les maisons!... Et, enfin, le papa Monistrol, que vous connaissez bien, m'a chargé de vous dire que si vous aviez besoin d'argent, il se mettait à votre service...

— Il vous envoie pour donner un coup d'œil à mes *bibelots!*... » dit le vieux collectionneur avec une aigreur pleine de défiance.

Dans les maladies de foie, les sujets contractent

presque toujours une antipathie spéciale, momentanée; ils concentrent leur mauvaise humeur sur un
objet ou sur une personne quelconque. Or, Pons se
figurait qu'on en voulait à son trésor, il avait l'idée
fixe de le surveiller, et il envoyait, de moments en
moments, Schmucke voir si personne ne s'était
glissé dans le sanctuaire.

« Elle est assez belle, votre collection, répondit
astucieusement Rémonencq, pour exciter l'attention des chineurs; je ne me connais pas en haute
curiosité, mais monsieur passe pour être un si grand
connaisseur, que quoique je ne sois pas bien avancé
dans la chose, j'achèterais bien de monsieur, les
yeux fermés... Si monsieur avait quelquefois besoin
d'argent, car rien ne coûte comme ces sacrées maladies... que ma sœur, en dix jours, a dépensé trente
sous de remèdes, quand elle a eu les sangs boule-
versés, et qu'elle aurait bien guéri sans cela... Les
médecins sont des fripons qui profitent de notre
état pour...

— Adieu, merci, monsieur, répondit Pons au ferrailleur en lui jetant des regards inquiets.

— Je vais le reconduire, dit tout bas la Cibot à
son malade, crainte qu'il ne touche à quelque
chose.

— Oui, oui », répondit le malade en remerciant
la Cibot par un regard.

La Cibot ferma la porte de la chambre à coucher,
ce qui réveilla la défiance de Pons. Elle trouva
Magus immobile devant les quatre tableaux. Cette
immobilité, cette admiration ne peuvent être com-

prises que par ceux dont l'âme est ouverte au beau
idéal, au sentiment ineffable que cause la perfection dans l'art, et qui restent plantés sur leurs pieds
durant des heures entières au Musée devant la *Jo-
conde* de Leonardo da Vinci, devant l'*Antiope* du
Corrège, le chef-d'œuvre de ce peintre, devant la
maîtresse du Titien, la *Sainte Famille* d'Andrea del
Sarto, devant les enfants entourés de fleurs du Do-
miniquin, le petit camaïeu de Raphaël et son *Portrait de vieillard,* les plus immenses chefs-d'œuvre
de l'art.

« Sauvez-vous sans bruit! » dit-elle.

Le Juif s'en alla lentement et à reculons, regardant les tableaux comme un amant regarde une
maîtresse à laquelle il dit adieu. Quand le Juif fut
sur le palier, la Cibot, à qui cette contemplation
avait donné des idées, frappa sur le bras sec de
Magus.

« Vous me donnerez quatre mille francs par tableau! sinon rien de fait...

— Je suis si pauvre!... dit Magus. Si je désire ces
toiles c'est par amour, uniquement par amour de
l'art, ma belle dame!

— Tu es si sec, mon fiston! dit la portière, que
je conçois cet amour-là. Mais si tu ne me promets
pas aujourd'hui seize mille francs devant Rémonencq, demain ce sera vingt mille.

— Je promets les seize, répondit le Juif effrayé
de l'avidité de cette portière.

— Par quoi ça peut-il jurer, un Juif?... dit la
Cibot à Rémonencq.

— Vous pouvez vous fier à lui, répondit le ferrailleur, il est aussi honnête homme que moi.

— Eh bien, et vous? demanda la portière, si je
vous en fais vendre, que me donnerez-vous?...

— Moitié dans les bénéfices, dit promptement
Rémonencq.

— J'aime mieux une somme tout de suite, je ne
suis pas dans le commerce, répondit la Cibot.

— Vous entendez joliment les affaires! dit Elie
Magus en souriant, vous feriez une fameuse marchande.

— Je lui offre de s'associer avec moi corps et
biens, dit l'Auvergnat en prenant le bras potelé de
la Cibot et tapant dessus avec une force de marteau.
Je ne lui demande pas d'autre mise de fonds que
sa beauté! Vous avez tort de tenir à votre Turc de
Cibot et à son aiguille! Est-ce un petit portier qui
peut enrichir une belle femme comme vous? Ah!
quelle figure vous feriez dans une boutique sur le
boulevard au milieu des curiosités, jabotant avec
les amateurs et les entortillant! Laissez-moi là votre
loge quand vous aurez fait votre pelote ici, et vous
verrez ce que nous deviendrons à nous deux!

— Faire ma pelote! dit la Cibot. Je suis incapable
de prendre ici la valeur d'une épingle! entendez-
vous, Rémonencq? s'écria la portière. Je suis connue
dans le quartier pour une honnête femme, nà! »

Les yeux de la Cibot flamboyaient.

« Là, rassurez-vous! dit Elie Magus. Cet Auvergnat a l'air de vous trop aimer pour vouloir vous
offenser.

— Comme elle vous mènerait les pratiques!
s'écria l'Auvergnat.

— Soyez justes, mes fistons, reprit Mme Cibot ra-
doucie, et jugez vous-mêmes de ma situation ici!...
Voilà dix ans que je m'extermine le tempérament
pour ces deux vieux garçons-là, sans que jamais ils
ne m'aient donné autre chose que des paroles... Rémonencq vous dira que je nourris ces deux vieux à
forfait, où que je perds des vingt à trente sous par
jour, que toutes mes économies y ont passé, par
l'âme de ma mère!... la seule auteur de mes jours
que j'ai connue; mais aussi vrai que j'existe, et que
voilà le jour qui nous éclaire, et que mon café me
serve de poison si je mens d'une centime!... Eh bien,
en voilà un qui va mourir, pas vrai? et c'est le plus
riche de ces deux hommes de qui j'ai fait mes
propres enfants!... Croireriez-vous, mon cher monsieur, que depuis vingt jours que je lui répète qu'il
est à la mort (car M. Poulain l'a condamné!...), ce
grigou-là ne parle pas plus de me mettre sur son
testament que si je ne le connaissais pas! Ma parole
d'honneur, nous n'avons notre dû qu'en le prenant,
foi d'honnête femme; car allez donc vous fier à des
héritiers?... pus souvent! Tenez, voyez-vous, paroles
ne puent pas, tout le monde est de la canaille!

— C'est vrai! dit sournoisement Elie Magus, et
c'est encore nous autres, ajouta-t-il en regardant
Rémonencq, qui sommes les plus honnêtes gens...

— Laissez-moi donc, reprit la Cibot, je ne parle
pas pour vous... Les *personnes pressantes,* comme dit
cet ancien acteur, *sont toujours acceptées!*... Je vous

jure que ces deux messieurs me doivent déjà près
de trois mille francs, que le peu que je possède est
déjà passé dans les médicaments et dans leurs affaires, et s'ils n'allaient ne me rien reconnaître de
mes avances!... Je suis si bête avec ma probité que
je n'ose pas leur en parler. Pour lors, vous qu'êtes
dans les affaires, mon cher monsieur, me conseillez-
vous de m'adresser à un avocat?...

— Un avocat! s'écria Rémonencq, vous en savez
plus que tous les *avocastes*!... »

Le bruit de la chute d'un corps lourd, tombé sur
le carreau de la salle à manger, retentit dans le
vaste espace de l'escalier.

« Ah! mon Dieu! cria la Cibot, qué qu'il arrive?
Il me semble que c'est monsieur qui vient de
prendre un billet de parterre!... »

Elle poussa ses deux complices qui dégringolèrent
avec agilité, puis elle se retourna, se précipita dans
la salle à manger et y vit Pons étalé tout de son
long, en chemise, évanoui! Elle prit le vieux garçon dans ses bras, l'enleva comme une plume, et le
porta jusque sur son lit. Quand elle eut couché le
moribond, elle lui fit respirer des barbes de plume
brûlée, elle lui mouilla les tempes d'eau de Cologne,
elle le ranima. Puis, lorsqu'elle vit les yeux de Pons
ouverts, que la vie fut revenue, elle se posa les
poings sur les hanches.

« Sans pantoufles, en chemise! il y a de quoi
vous tuer! Et pourquoi vous défiez-vous de moi?...
Si c'est ainsi, adieu, monsieur. Après dix ans que je
vous sers, que je mets du mien dans votre ménage,

que mes économies y sont toutes passées, pour éviter des ennuis à ce pauvre M. Schmucke, qui pleure comme un enfant par les escaliers... Voilà ma récompense! vous venez m'espionner... Dieu vous a puni! c'est bien fait! Et moi qui me donne un effort pour vous porter dans mes bras, que je risque d'être blessée pour le reste de mes jours. Ah! mon Dieu! et la porte que j'ai laissée ouverte...

— Avec qui causiez-vous?

— En voilà des idées! s'écria la Cibot. Ah çà! suis-je votre esclave? ai-je des comptes à vous rendre? Savez-vous que si vous m'ennuyez ainsi, je plante tout là! Vous prendrez n'une garde! »

Pons, épouvanté de cette menace, donna sans le savoir à la Cibot la mesure de ce qu'elle pouvait tenter avec cette épée de Damoclès.

« C'est ma maladie! dit-il piteusement.

— A la bonne heure! » répliqua la Cibot rudement.

Elle laissa Pons confus, en proie à des remords, admirant le dévouement criard de sa garde-malade, se faisant des reproches, et ne sentant pas le mal horrible par lequel il venait d'aggraver sa maladie en tombant ainsi sur les dalles de la salle à manger. La Cibot aperçut Schmucke qui montait l'escalier.

« Venez, monsieur... Il y a de tristes nouvelles! allez! M. Pons devient fou!... Figurez-vous qu'il s'est levé tout nu, qu'il m'a suivie, non, il s'est étendu là, tout de son long... Demandez-lui pourquoi, il n'en sait rien... Il va mal. Je n'ai rien fait pour

le provoquer à des violences pareilles, à moins de
lui avoir réveillé les idées en lui parlant de ses
premières amours... Qui est-ce qui connaît les
hommes! C'est tous vieux libertins... J'ai eu tort de
lui montrer mes bras, que ses yeux en brillaient
comme des escarboucles... »

Schmucke écoutait Mme Cibot, comme s'il l'entendait parlant hébreu.

« Je me suis donné un effort que j'en serai blessée
pour jusqu'à la fin de mes jours!... ajouta la Cibot
en paraissant éprouver de vives douleurs et pensant
à mettre à profit l'idée qu'elle avait eue, par hasard,
en sentant une petite fatigue dans les muscles. Je
suis si bête! Quand je l'ai vu là, par terre, je l'ai
pris dans mes bras, et je l'ai porté jusqu'à son lit,
comme un enfant, quoi! Mais, maintenant je sens
un effort! Ah! je me trouve mal!... je descends chez
moi, gardez notre malade. Je vas envoyer Cibot
chercher M. Poulain pour moi! J'aimerais mieux
mourir que de me voir infirme... »

La Cibot accrocha la rampe et roula par les escaliers en faisant mille contorsions et des gémissements si plaintifs, que tous les locataires, effrayés,
sortirent sur les paliers de leurs appartements.
Schmucke soutenait la malade en versant des larmes,
et il expliquait le dévouement de la portière. Toute
la maison, tout le quartier surent bientôt le trait
sublime de Mme Cibot, qui s'était donné un effort
mortel, disait-on, en enlevant un des Casse-noisettes
dans ses bras. Schmucke, revenu près de Pons, lui
révéla l'état affreux de leur factotum, et tous deux

ils se regardèrent en disant : « Qu'allons-nous devenir sans elle?... » Schmucke, en voyant le changement produit chez Pons par son escapade, n'osa pas le gronder.

« *Vichis pric-à-prac! ch'aimerais mieux les priler que de bertre mon ami!...* s'écria-t-il en apprenant de Pons la cause de l'accident. *Se tevier de montam Zibod, qui nous brede ses égonomies! C'esdre bas pien; mais c'est la malatie...*

— Ah! quelle maladie! je suis changé, je le sens, dit Pons. Je ne voudrais pas te faire souffrir, mon bon Schmucke.

— *Cronte-moi!* dit Schmucke, *et laisse montam Zibod dranquille.* »

Le docteur Poulain fit disparaître en quelques jours l'infirmité dont se disait menacée Mme Cibot, et sa réputation reçut dans le quartier du Marais un lustre extraordinaire de cette guérison, qui tenait du miracle. Il attribua chez Pons ce succès à l'excellente constitution de la malade, qui reprit son service auprès de ses deux messieurs le septième jour à leur grande satisfaction. Cet événement augmenta de cent pour cent l'influence, la tyrannie de la portière sur le ménage des deux Casse-noisettes, qui, pendant cette semaine, s'étaient endettés, mais dont les dettes furent payées par elle. La Cibot profita de la circonstance pour obtenir (et avec quelle facilité!) de Schmucke une reconnaissance des deux mille francs qu'elle disait avoir prêtés aux deux amis.

« Ah! quel médecin que M. Poulain! dit la Ci-

bot à Pons. Il vous sauvera, mon cher monsieur,
car il m'a tirée du cercueil! Mon pauvre Cibot me
regardait comme morte!... Eh bien, M. Poulain a
dû vous le dire, pendant que j'étais sur mon lit,
je ne pensais qu'à vous. « Mon Dieu, que je
« disais, prenez-moi, et laissez vivre mon cher
« M. Pons... »

— Pauvre chère madame Cibot, vous avez manqué d'avoir une infirmité pour moi!...

— Ah! sans M. Poulain, je serais dans la chemise
de sapin qui nous attend tous. Eh bien, n'au bout
du fossé la culbute, comme disait cet ancien acteur!
Faut de la philosophie. Comment avez-vous fait sans
moi?...

— Schmucke m'a gardé, répondit le malade;
mais notre pauvre caisse et notre clientèle en ont
souffert... Je ne sais pas comment il a fait.

— *Ti galme! Bons!* s'écria Schmucke, *nus afons
i tans le bère Zibod, ein panquier...*

— Ne parlez pas de cela! mon cher mouton, vous
êtes tous deux nos enfants, reprit la Cibot. Nos
économies sont bien placées chez vous, allez! vous
êtes plus solides que la Banque. Tant que nous aurons un morceau de pain, vous en aurez la moitié...
ça ne vaut pas la peine d'en parler...

— *Baufre montam Zibod!* » dit Schmucke en s'en
allant.

Pons gardait le silence.

« Croireriez-vous, mon chérubin, dit la Cibot au
malade en le voyant inquiet, que, dans mon agonie,
car j'ai vu la camarde de bien près!... ce qui me

tourmentait le plus, c'était de vous laisser seuls,
livrés à vous-mêmes, et de laisser mon pauvre Cibot
sans un liard... C'est si peu de chose que mes économies, que je ne vous en parle que rapport à ma
mort et à Cibot, qu'est un ange! Non, cet être-là
m'a soignée comme une reine, en me pleurant
comme un veau!... Mais je comptais sur vous, foi
d'honnête femme. Je me disais : « Va, Cibot, mes
« messieurs ne te laisseront jamais sans pain... »

Pons ne répondit rien à cette attaque *ad testa-
mentum,* et la portière garda le silence en attendant un mot.

« Je vous recommanderai à Schmucke, dit enfin
le malade.

— Ah! s'écria la portière, tout ce que vous ferez
sera bien fait, je m'en rapporte à vous, à votre
cœur... Ne parlons jamais de cela, car vous m'humi-
liez, mon cher chérubin; pensez à vous guérir! vous
vivrez plus que nous... »

Une profonde inquiétude s'empara du cœur de
Mme Cibot; elle résolut de faire expliquer son monsieur sur le legs qu'il entendait lui laisser; et, de
prime abord, elle sortit pour aller trouver le docteur Poulain chez lui, le soir, après le dîner de
Schmucke, qui mangeait auprès du lit de Pons depuis que son ami était malade.

Le docteur Poulain demeurait rue d'Orléans. Il
occupait un petit rez-de-chaussée composé d'une
antichambre, d'un salon et de deux chambres à
coucher. Un office contigu à l'antichambre, et qui
communiquait à l'une des deux chambres, celle du

docteur, avait été converti en cabinet. Une cuisine, une chambre de domestique et une petite cave dépendaient de cette location située dans une aile de la maison, immense bâtisse construite sous l'Empire, à la place d'un vieil hôtel dont le jardin subsistait encore. Ce jardin était partagé entre les trois appartements du rez-de-chaussée.

L'appartement du docteur n'avait pas été changé depuis quarante ans. Les peintures, les papiers, la décoration, tout y sentait l'Empire. Une crasse quadragénaire, la fumée, y avaient flétri les glaces, les bordures, les dessins du papier, les plafonds et les peintures. Cette petite location, au fond du Marais, coûtait encore mille francs par an. Mme Poulain, mère du docteur, âgée de soixante-sept ans, achevait sa vie dans la seconde chambre à coucher. Elle travaillait pour les culottiers. Elle cousait les guêtres, les culottes de peau, les bretelles, les ceintures, enfin tout ce qui concerne cet article assez en décadence aujourd'hui. Occupée à surveiller le ménage et l'unique domestique de son fils, elle ne sortait jamais, et prenait l'air dans le jardinet, où l'on descendait par une porte-fenêtre du salon. Veuve depuis vingt ans, elle avait, à la mort de son mari, vendu son fonds de culottier à son premier ouvrier, qui lui réservait assez d'ouvrage pour qu'elle pût gagner environ trente sous par jour. Elle avait tout sacrifié à l'éducation de son fils unique, en voulant le placer à tout prix dans une situation supérieure à celle de son père. Fière de son Esculape, croyant à ses succès, elle continuait à tout lui sacrifier, heu-

reuse de le soigner, d'économiser pour lui, ne rê-
vant qu'à son bien-être, et l'aimant avec intelligence, ce que ne savent pas faire toutes les mères.
Ainsi, Mme Poulain, qui se souvenait d'avoir été
simple ouvrière, ne voulait pas nuire à son fils ou
prêter à rire, au mépris, car la bonne femme parlait en S comme Mme Cibot parlait en N; elle se
cachait dans sa chambre, d'elle-même, quand par
hasard quelques clients distingués venaient consulter le docteur, ou lorsque des camarades de collège
ou d'hôpital se présentaient. Aussi, jamais le docteur n'avait-il à rougir de sa mère, qu'il vénérait,
et dont le défaut d'éducation était bien compensé
par cette sublime tendresse. La vente du fonds de
culottier avait produit environ vingt mille francs,
la veuve les avait placés sur le Grand-Livre en 1820,
et les onze cents francs de rente qu'elle en avait
eus composaient toute sa fortune. Aussi, pendant
longtemps les voisins aperçurent-ils, dans le jardin,
le linge du docteur et celui de sa mère, étendus sur
des cordes. La domestique et Mme Poulain blan-
chissaient tout au logis avec économie. Ce détail
domestique nuisait beaucoup au docteur, on ne
voulait pas lui reconnaître de talent en le voyant
si pauvre. Les onze cents francs de rente passaient
au loyer. Le travail de Mme Poulain, bonne grosse
petite vieille, avait, pendant les premiers temps,
suffi à toutes les dépenses de ce pauvre ménage.
Après douze ans de persistance dans son chemin
pierreux, le docteur ayant fini par gagner un millier
d'écus par an, Mme Poulain pouvait alors disposer

d'environ cinq mille francs. C'était, pour qui connaît Paris, avoir le strict nécessaire.

Le salon où les consultants attendaient, était mesquinement meublé de ce canapé vulgaire, en acajou, garni de velours d'Utrecht jaune à fleurs, de quatre fauteuils, de six chaises, d'une console et d'une table à thé, provenant de la succession du feu culottier et le tout de son choix. La pendule, toujours sous son globe de verre, entre deux candélabres égyptiens, figurait une lyre. On se demandait par quels procédés les rideaux pendus aux fenêtres avaient pu subsister si longtemps, car ils étaient en calicot jaune imprimé de rosaces rouges de la fabrique de Jouy. Oberkampf avait reçu des compliments de l'Empereur pour ces atroces produits de l'industrie cotonnière en 1809. Le cabinet du docteur était meublé dans ce goût-là, le mobilier de la chambre paternelle en avait fait les frais. C'était sec, pauvre et froid. Quel malade pouvait croire à la science d'un médecin qui, sans renommée, se trouvait encore sans meubles, par un temps où l'Annonce est toute-puissante, où l'on dore les candélabres de la place de la Concorde pour consoler le pauvre en lui persuadant qu'il est un riche citoyen?

L'antichambre servait de salle à manger. La bonne y travaillait quand elle ne s'adonnait pas aux travaux de la cuisine ou qu'elle ne tenait pas compagnie à la mère du docteur. On devinait, dès l'entrée, la misère décente qui régnait dans ce triste appartement, désert pendant la moitié de la jour-

née, en apercevant les petits rideaux de mousseline
rousse à la croisée de cette pièce donnant sur la
cour. Les placards devaient receler des restes de
pâtés moisis, des assiettes écornées, des bouchons
éternels, des serviettes d'une semaine, enfin les igno-
minies justifiables des petits ménages parisiens, et
qui de là ne peuvent aller que dans la hotte des
chiffonniers. Aussi, par ce temps où la pièce de
cent sous est tapie dans toutes les consciences, où
elle roule dans toutes les phrases, le docteur, âgé de
trente ans, doué d'une mère sans relations, restait-il
garçon. En dix ans, il n'avait pas rencontré le plus
petit prétexte à roman dans les familles où sa profession lui donnait accès, car il guérissait les gens
dans une sphère où les existences ressemblaient à
la sienne; il ne voyait que des ménages pareils au
sien, ceux de petits employés ou de petits fabri-
cants. Ses clients les plus riches étaient les bouchers,
les boulangers, les gros détaillants du quartier, gens
qui, la plupart du temps, attribuaient leur guérison
à la nature, pour pouvoir payer les visites du docteur à quarante sous, en le voyant venir à pied.
En médecine, le cabriolet est plus nécessaire que
le savoir.

Une vie commune et sans hasards finit par agir
sur l'esprit le plus aventureux. Un homme se fa-
çonne à son sort, il accepte la vulgarité de sa vie.
Aussi, le docteur Poulain, après dix ans de pratique, continuait-il à faire son métier de Sisyphe,
sans les désespoirs qui rendirent ses premiers jours
amers. Néanmoins, il caressait un rêve, car tous

les gens de Paris ont leur rêve. Rémonencq jouissait
d'un rêve, la Cibot avait le sien. Le docteur Poulain
espérait être appelé près d'un malade riche et in-
fluent; puis obtenir, par le crédit de ce malade qu'il
guérissait infailliblement, une place de médecin en
chef à un hôpital, de médecin des prisons, ou des
théâtres du boulevard, ou d'un ministère. Il avait
d'ailleurs gagné sa place de médecin de la mairie
de cette manière. Amené par la Cibot, il avait
soigné, guéri, M. Pillerault, le propriétaire de la
maison où les Cibot étaient concierges. M. Pillerault, grand-oncle maternel de Mme la comtesse
Popinot, la femme du ministre, s'étant intéressé à
ce jeune homme dont la misère cachée avait été
sondée par lui dans une visite de remerciement,
exigea de son petit-neveu, le ministre, qui le vénérait, la place que le docteur exerçait depuis cinq
ans, et dont les maigres émoluments étaient venus
bien à propos pour l'empêcher de prendre un parti
violent, celui de l'émigration. Quitter la France est,
pour un Français, une situation funèbre. Le docteur
Poulain alla bien remercier le comte Popinot, mais,
le médecin de l'homme d'État étant l'illustre Bianchon, le solliciteur comprit qu'il ne pouvait guère
arriver dans cette maison-là. Le pauvre docteur,
après s'être flatté d'obtenir la protection d'un des
ministres influents, d'une des douze ou quinze cartes
qu'une main puissante mêle depuis seize ans sur
le tapis vert de la table du Conseil, se trouva re-
plongé dans le Marais où il pataugeait chez les
pauvres, chez les petits-bourgeois, et où il eut la

charge de vérifier les décès, à raison de douze cents
francs par an.

Le docteur Poulain, interne assez distingué, devenu praticien prudent, ne manquait pas d'expérience. D'ailleurs, ses morts ne faisaient pas scan-
dale, et il pouvait étudier toutes les maladies *in
anima vili*. Jugez de quel fiel il se nourrissait? Aussi,
l'expression de sa figure, déjà longue et mélancolique, était-elle parfois effrayante. Mettez dans un
parchemin jaune les yeux ardents de Tartuffe et
l'aigreur d'Alceste; puis, figurez-vous la démarche,
l'attitude, les regards de cet homme, qui, se trouvant
tout aussi bon médecin que l'illustre Bianchon, se
sentait maintenu dans une sphère obscure par une
main de fer? Le docteur Poulain ne pouvait s'empêcher de comparer ses recettes de dix francs dans
les jours heureux, à celles de Bianchon qui vont
à cinq ou six cents francs! N'est-ce pas à concevoir
toutes les haines de la démocratie? Cet ambitieux,
refoulé, n'avait d'ailleurs rien à se reprocher. Il
avait déjà tenté la fortune en inventant des pilules
purgatives, semblables à celles de Morisson. Il avait
confié cette exploitation à l'un de ses camarades
d'hôpital, un interne devenu pharmacien; mais le
pharmacien, amoureux d'une figurante de l'Ambigu-Comique, s'était mis en faillite, et le brevet
d'invention des pilules purgatives se trouvant pris
à son nom, cette immense découverte avait enrichi
le successeur. L'ancien interne était parti pour le
Mexique, la patrie de l'or, en emportant mille francs
d'économies au pauvre Poulain, qui, pour fiche de

consolation, fut traité d'usurier par la figurante à laquelle il vint redemander son argent. Depuis la bonne fortune de la guérison du vieux Pillerault, pas un seul client riche ne s'était présenté. Poulain courait tout le Marais, à pied, comme un chat maigre, et sur vingt visites en obtenant deux à quarante sous. Le client qui payait bien était, pour lui, cet oiseau fantastique, appelé le *Merle blanc* dans tous les mondes sublunaires.

Le jeune avocat sans causes, le jeune médecin sans clients sont les deux plus grandes expressions du Désespoir décent, particulier à la ville de Paris, ce Désespoir muet et froid, vêtu d'un habit et d'un pantalon noirs à coutures blanchies qui rappellent le zinc de la mansarde, d'un gilet de satin luisant, d'un chapeau ménagé saintement, de vieux gants et de chemises en calicot. C'est un poème de tristesse, sombre comme les Secrets de la Conciergerie. Les autres misères, celles du poète, de l'artiste, du comédien, du musicien, sont égayées par les jovialités naturelles aux arts, par l'insouciance de la Bohème où l'on entre d'abord et qui mène aux Thébaïdes du génie! Mais ces deux habits noirs qui vont à pied, portés par deux professions pour lesquelles tout est plaie, à qui l'humanité ne montre que ses côtés honteux; ces deux hommes ont, dans les aplatissements du début, des expressions sinistres, provocantes, où la haine et l'ambition concentrées jaillissent par des regards semblables aux premiers efforts d'un incendie couvé. Quand deux amis de collège se rencontrent, à vingt ans de distance, le riche évite alors son camarade pauvre, il ne le reconnaît pas, il s'épouvante des abîmes que la destinée a mis entre eux. L'un a parcouru la vie sur les chevaux fringants de la Fortune ou sur les nuages dorés du Succès; l'autre a cheminé souterrainement dans les égouts parisiens, et il en porte les stigmates. Combien d'anciens amis évitaient le docteur à l'aspect de sa redingote et de son gilet!

Maintenant il est facile de comprendre comment le docteur Poulain avait si bien joué son rôle dans la comédie du danger de la Cibot. Toutes les convoitises, toutes les ambitions se devinent. En ne trouvant aucune lésion dans aucun organe de la portière, en admirant la régularité de son pouls, la parfaite aisance de ses mouvements, et, en l'entendant jeter les hauts cris, il comprit qu'elle avait un intérêt à se dire à la mort. La rapide guérison d'une grave maladie feinte devant faire parler de lui dans l'arrondissement, il exagéra la prétendue descente de la Cibot, il parla de la résoudre en la prenant à temps. Enfin il soumit la portière à de prétendus remèdes, à une fantastique opération, qui furent couronnés d'un plein succès. Il chercha, dans l'arsenal des cures extraordinaires de Desplein, un cas bizarre; il en fit l'application à Mme Cibot, attribua modestement la réussite au grand chirurgien, et se donna pour son imitateur. Telles sont les audaces des débutants à Paris. Tout leur fait échelle pour monter sur le théâtre; mais comme tout s'use, même les bâtons d'échelles, les débutants en chaque profession ne savent plus de quel bois se faire des marchepieds. Par certains moments, le Parisien est réfractaire au succès. Lassé d'élever des piédestaux, il boude comme les enfants gâtés et ne veut plus d'idoles; ou pour être vrai, les gens de talent manquent parfois à ses engouements. La gangue d'où s'extrait le génie a ses lacunes; le Parisien se regimbe alors, il ne veut pas toujours dorer ou adorer les médiocrités.

En entrant avec sa brusquerie habituelle, Mme Cibot surprit le docteur à table avec sa vieille mère, mangeant une salade de mâches, la moins chère de toutes les salades, et n'ayant pour dessert qu'un angle aigu de fromage de Brie, entre une assiette peu garnie par les fruits dits les quatre mendiants, où se voyait beaucoup de râpes de raisin, et une assiette de mauvaises pommes de bateau.

« Ma mère, vous pouvez rester, dit le médecin en retenant Mme Poulain par le bras, c'est Mme Cibot de qui je vous ai parlé.

— Mes respects, madame, mes devoirs, monsieur, dit la Cibot en acceptant la chaise que lui présenta le docteur. Ah! c'est madame votre mère, elle est bien heureuse d'avoir un fils qui a tant de talent; car c'est mon sauveur, madame, il m'a tirée de l'abîme... »

La veuve Poulain trouva Mme Cibot charmante, en l'entendant faire ainsi l'éloge de son fils.

« C'est donc pour vous dire, mon cher monsieur Poulain, entre nous, que le pauvre M. Pons va bien mal, et que j'ai à vous parler, rapport à lui...

— Passons au salon », dit le docteur Poulain en montrant la domestique à Mme Cibot par un geste significatif.

Une fois au salon, la Cibot expliqua longuement sa position avec les deux Casse-noisettes, elle répéta l'histoire de son prêt en l'enjolivant, et raconta les immenses services qu'elle rendait depuis dix ans à MM. Pons et Schmucke. A l'entendre, ces deux vieillards n'existeraient plus, sans ses soins maternels. Elle se posa comme un ange et dit tant et tant de mensonges arrosés de larmes, qu'elle finit par attendrir la vieille Mme Poulain.

« Vous comprenez, mon cher monsieur, dit-elle en terminant, qu'il faudrait bien savoir à quoi s'en tenir sur ce que M. Pons compte faire pour moi, dans le cas où il viendrait à mourir; c'est ce que je ne souhaite guère, car ces deux innocents à soigner, voyez-vous, madame, c'est ma vie; mais si l'un d'eux me manque, je soignerai l'autre. Moi, la Nature m'a bâtie pour être la rivale de la Maternité. Sans quelqu'un à qui je m'intéresse, de qui je me fais un enfant, je ne saurais que devenir... Donc, si M. Poulain le voulait, il me rendrait un service que je saurais bien reconnaître, ce serait de parler de moi à M. Pons. Mon Dieu! mille francs de viager, est-ce trop? je vous le demande... C'est autant de gagné pour M. Schmucke... Pour lors, notre cher malade m'a donc dit qu'il me recommanderait à ce pauvre Allemand, qui serait donc, dans son idée, son héritier... Mais qu'est-ce qu'un homme qui ne sait pas coudre deux idées en français, et qui d'ailleurs est capable de s'en aller en Allemagne tant il sera désespéré de la mort de son ami?...

— Ma chère madame Cibot, répondit le docteur devenu grave, ces sortes d'affaires ne concernent point les médecins, et l'exercice de ma profession me serait interdit, si l'on savait que je me suis mêlé des dispositions testamentaires d'un de mes clients. La loi ne permet pas à un médecin d'accepter un legs de son malade...

— Quelle bête de loi! car qu'est-ce qui m'empêche de partager mon legs avec vous? répondit sur-le-champ la Cibot.

— J'irai plus loin, dit le docteur, ma conscience de médecin m'interdit de parler à M. Pons de sa mort. D'abord, il n'est pas assez en danger pour cela; puis, cette conversation de ma part lui causerait un saisissement qui pourrait lui faire un mal réel, et rendre alors sa maladie mortelle...

— Mais je ne prends pas de mitaines, s'écria Mme Cibot, pour lui dire de mettre ses affaires en ordre, et il ne s'en porte pas plus mal... Il est fait à cela!... ne craignez rien.

— Ne me dites rien de plus, ma chère madame Cibot!... Ces choses ne sont pas du domaine de la médecine, elles regardent les notaires...

— Mais, mon cher monsieur Poulain, si M. Pons vous demandait de lui-même où il en est, et s'il ferait bien de prendre ses précautions, là, refuseriez-vous de lui dire que c'est une excellente chose pour recouvrer la santé que d'avoir tout bâclé... Puis vous glisseriez un petit mot de moi...

— Ah! s'il me parle de faire son testament, je
ne l'en détournerai point, dit le docteur Poulain.

— Eh bien, voilà qui est dit, s'écria Mme Cibot.
Je venais vous remercier de vos soins, ajouta-t-elle
en glissant dans la main du docteur une papillote
qui contenait trois pièces d'or. C'est tout ce que
je puis faire pour le moment. Ah! si j'étais riche,
vous le seriez, mon cher monsieur Poulain, vous
qui êtes l'image du Bon Dieu sur la terre... Vous
avez là, madame, pour fils, un ange! »

La Cibot se leva, Mme Poulain la salua d'un
air aimable, et le docteur la reconduisit jusque sur
le palier. Là, cette affreuse Lady Macbeth de la rue
fut éclairée d'une lueur infernale; elle comprit que
le médecin devait être son complice, puisqu'il acceptait des honoraires pour une fausse maladie.

« Comment, mon bon monsieur Poulain, lui dit-
elle, après m'avoir tirée d'affaire pour mon accident, vous refuseriez de me sauver de la misère
en disant quelques paroles?... »

Le médecin sentit qu'il avait laissé le diable le
prendre par un de ses cheveux, et que ce cheveu
s'enroulait sur la corne impitoyable de la griffe
rouge. Effrayé de perdre son honnêteté pour si
peu de chose, il répondit à cette idée diabolique.

« Ecoutez, ma chère madame Cibot, dit-il en la
faisant rentrer et l'emmenant dans son cabinet, je
vais vous payer la dette de reconnaissance que j'ai
contractée envers vous, à qui je dois ma place de
la mairie...

— Nous partagerons, dit-elle vivement.

— Quoi? demanda le docteur.

— La succession, répondit la portière.

— Vous ne me connaissez pas, répliqua le docteur en se posant en Valérius Publicola. Ne parlons plus de cela. J'ai pour ami de collège un garçon fort intelligent, et nous sommes d'autant plus liés, que nous avons eu les mêmes chances dans la vie. Pendant que j'étudiais la médecine, il faisait son droit; pendant que j'étais interne, il grossoyait chez un avoué, maître Couture. Fils d'un cordonnier, comme je suis celui d'un culottier, il n'a pas trouvé de sympathies bien vives autour de lui, mais il n'a pas trouvé non plus de capitaux; car, après tout, les capitaux ne s'obtiennent que par sympathie. Il n'a pu traiter d'une étude qu'en province, à Mantes... Or, les gens de province comprennent si peu les intelligences parisiennes, que l'on a fait mille chicanes à mon ami.

— Des canailles! s'écria la Cibot.

— Oui, reprit le docteur, car on s'est coalisé contre lui si bien qu'il a été forcé de revendre son étude pour des faits où l'on a su lui donner l'apparence d'un tort; le procureur du roi s'en est mêlé; ce magistrat était du pays, il a pris fait et cause pour les gens du pays. Ce pauvre garçon, encore plus sec et plus râpé que je ne le suis, logé comme moi, nommé Fraisier, s'est réfugié dans notre arrondissement; il en est réduit à plaider, car il est avocat, devant la Justice de paix et le Tribunal de police ordinaire. Il demeure ici près, rue de la Perle. Allez au numéro 9, vous monterez trois étages, et, sur

le palier, vous verrez imprimé en lettres d'or :
CABINET DE MONSIEUR FRAISIER, sur un petit carré
de maroquin rouge. Fraisier se charge spécialement
des affaires contentieuses de messieurs les concierges,
des ouvriers et de tous les pauvres de notre arrondissement, à des prix modérés. C'est un honnête
homme, car je n'ai pas besoin de vous dire qu'avec
ses moyens, s'il était fripon, il roulerait carrosse.
Je verrai mon ami Fraisier ce soir. Allez chez lui
demain de bonne heure, il connaît M. Louchard,
le garde du commerce; M. Tabareau, l'huissier de
la Justice de paix; M. Vitel, le juge de paix; et
M. Trognon, notaire : il est lancé déjà parmi les
gens d'affaires les plus considérés du quartier. S'il
se charge de vos intérêts, si vous pouvez le donner
comme conseil à M. Pons, vous aurez en lui, voyez-
vous, un autre vous-même. Seulement, n'allez pas,
comme à moi, lui proposer des compromis qui
blessent l'honneur; mais il a de l'esprit, vous vous
entendrez. Puis, quant à reconnaître ses services,
je serai votre intermédiaire. »

Mme Cibot regarda le docteur malignement.

« N'est-ce pas l'homme de loi, dit-elle, qui a
tiré la mercière de la rue Vieille-du-Temple,
Mme Florimond, de la mauvaise passe où elle était,
rapport à cet héritage de son bon ami?...

— C'est lui-même, dit le docteur.

— N'est-ce pas une horreur, s'écria la Cibot,
qu'après lui avoir obtenu deux mille francs de
rente, elle lui a refusé sa main, qu'il lui demandait,
et qu'elle a cru, dit-on, être quitte en lui donnant

douze chemises de toile de Hollande, vingt-quatre mouchoirs, enfin tout un trousseau!

— Ma chère madame Cibot, dit le docteur, le trousseau valait mille francs, et Fraisier, qui débutait alors dans le quartier, en avait bien besoin. Elle a d'ailleurs payé le mémoire de frais sans observation... Cette affaire-là en a valu d'autres à Fraisier, qui maintenant est très occupé; mais, dans mon genre, nos clientèles se valent...

— Il n'y a que les justes qui pâtissent ici-bas, répondit la portière! Eh bien, adieu et merci, mon bon monsieur Poulain. »

Ici commence le drame, ou, si vous voulez, la comédie terrible de la mort d'un célibataire livré par la force des choses à la rapacité des natures cupides qui se groupent à son lit, et qui, dans ce cas, eurent pour auxiliaires la passion la plus vive, celle d'un tableaumane, l'avidité du sieur Fraisier, qui, vu dans sa caverne, va vous faire frémir, et la soif d'un Auvergnat capable de tout, même d'un crime, pour se faire un capital. Cette comédie, à laquelle cette partie du récit sert en quelque sorte d'avant-scène, a d'ailleurs pour acteurs tous les personnages qui jusqu'à présent ont occupé la scène.

L'avilissement des mots est une de ces bizarreries de mœurs qui, pour être expliquée, voudrait des volumes. Ecrivez à un avoué en le qualifiant d'*homme de loi,* vous l'aurez offensé tout autant que vous offenseriez un négociant de denrées coloniales à qui vous adresseriez ainsi votre lettre :

— Monsieur un tel, épicier. Un assez grand nombre
de gens du monde qui devraient savoir, puisque
c'est là toute leur science, ces délicatesses du savoir-
vivre, ignorent encore que la qualification d'*homme
de lettres* est la plus cruelle injure qu'on puisse
faire à un auteur. Le mot monsieur est le plus
grand exemple de la vie et de la mort des mots.
Monsieur veut dire monseigneur. Ce titre, si considérable autrefois, réservé maintenant aux rois par
la transformation de sieur en sire, se donne à tout
le monde; et néanmoins *messire,* qui n'est pas autre
chose que le double du mot monsieur et son équivalent, soulève des articles dans les feuilles répu-
blicaines, quand, par hasard, il se trouve mis dans
un billet d'enterrement. Magistrats, conseillers, ju-
risconsultes, juges, avocats, officiers ministériels,
avoués, huissiers, conseils, hommes d'affaires, agents
d'affaires et défenseurs, sont les Variétés sous lesquelles se classent les gens qui rendent la justice
ou qui la travaillent. Les deux derniers bâtons de
cette échelle sont le *praticien* et *l'homme de loi.*
Le praticien, vulgairement appelé recors, est
l'homme de justice par hasard, il est là pour assister
l'exécution des jugements, c'est, pour les affaires
civiles, un bourreau d'occasion. Quant à l'homme
de loi, c'est l'injure particulière à la profession.
Il est à la justice, ce que *l'homme de lettres* est à
la littérature. Dans toutes les professions, en France,
la rivalité qui les dévore, a trouvé des termes de
dénigrement. Chaque état a son insulte. Le mépris
qui frappe les mots *homme de lettres* et *homme de*

loi s'arrête au pluriel. On dit très bien sans blesser personne *les gens de lettres, les gens de loi.* Mais, à Paris, chaque profession a ses Oméga, des individus qui mettent le métier de plain-pied avec la pratique des rues, avec le peuple. Aussi l'*homme de loi*, le petit agent d'affaires existe-t-il encore dans certains quartiers, comme on trouve encore à la Halle le prêteur à la petite semaine qui est à la haute banque ce que le sieur Fraisier était à la compagnie des avoués. Chose étrange! Les gens du peuple ont peur des officiers ministériels comme ils ont peur des restaurants fashionables. Ils s'adressent à des gens d'affaires comme ils vont boire au cabaret. Le plain-pied est la loi générale des différentes sphères sociales. Il n'y a que les natures d'élite qui aiment à gravir les hauteurs, qui ne souffrent pas en se voyant en présence de leurs supérieurs, qui se font leur place, parmi leurs vrais pairs, comme Beaumarchais laissant tomber la montre d'un grand seigneur et lui donnant ainsi une leçon au lieu de la recevoir; mais aussi les parvenus, surtout ceux qui savent faire disparaître leurs langes sont-ils des exceptions grandioses.

Le lendemain, à six heures du matin, Mme Cibot examinait, rue de la Perle, la maison où demeurait son futur conseiller, le sieur Fraisier, homme de loi. C'était une de ces vieilles maisons habitées par la petite bourgeoisie d'autrefois. On y entrait par une allée. Le rez-de-chaussée, en partie occupé par la loge du portier et par la boutique d'un ébéniste, dont les ateliers et les magasins encombraient une

petite cour intérieure, se trouvait partagé par l'allée
et par la cage de l'escalier, que le salpêtre et l'hu-
midité dévoraient. Cette maison semblait attaquée
de la lèpre.

Mme Cibot alla droit à la loge, elle y trouva l'un
des confrères de Cibot, un cordonnier, sa femme et
deux enfants en bas âge logés dans un espace de
dix pieds carrés, éclairé sur la petite cour. La plus
cordiale entente régna bientôt entre les deux
femmes, une fois que la Cibot eut déclaré sa profession, se fut nommée et eut parlé de sa maison de
la rue de Normandie. Après un quart d'heure employé par les commérages et pendant lequel la portière de M. Fraisier faisait le déjeuner du cordonnier et des deux enfants, Mme Cibot amena la
conversation sur les locataires et parla de l'homme
de loi.

« Je viens le consulter, dit-elle, pour des affaires;
un de ses amis, M. le docteur Poulain, a dû me re-
commander à lui. Vous connaissez M. Poulain?

— Je le crois bien! dit la portière de la rue de la
Perle. Il a sauvé ma petite qu'avait le croup!

— Il m'a sauvée aussi, moi, madame. Quel
homme est-ce, ce M. Fraisier?

— C'est un homme, ma chère dame, dit la portière, de qui l'on arrache bien difficilement l'argent
de ses ports de lettres à la fin du mois. »

Cette réponse suffit à l'intelligente Cibot.

« On peut être pauvre et honnête, répondit-
elle.

— Je l'espère bien, reprit la portière de Fraisier;

nous ne roulons pas sur l'or ni sur l'argent, pas même sur les sous, mais nous n'avons pas un liard à qui que ce soit. »

La Cibot se reconnut dans ce langage.

« Enfin, ma petite, reprit-elle, on peut se fier à lui, n'est-ce pas?

— Ah! dame! quand M. Fraisier veut du bien à quelqu'un, j'ai entendu dire à Mme Florimond qu'il n'a pas son pareil...

— Et pourquoi ne l'a-t-elle pas épousé, demanda vivement la Cibot, puisqu'elle lui devait sa fortune? C'est quelque chose pour une petite mercière, et qui était entretenue par un vieux, que de devenir la femme d'un avocat...

— Pourquoi? dit la portière en entraînant Mme Cibot dans l'allée; vous montez chez lui, n'est-ce pas, madame?... eh bien, quand vous serez dans son cabinet, vous saurez pourquoi. »

L'escalier, éclairé sur une petite cour par des fenêtres à coulisse, annonçait qu'excepté le propriétaire et le sieur Fraisier, les autres locataires exerçaient des professions mécaniques. Les marches boueuses portaient l'enseigne de chaque métier en offrant aux regards des découpures de cuivre, des boutons cassés, des brimborions de gaze, de sparterie. Les apprentis des étages supérieurs y dessinaient des caricatures obscènes. Le dernier mot de la portière en excitant la curiosité de Mme Cibot, la décida naturellement à consulter l'ami du docteur Poulain; mais en se réservant de l'employer à ses affaires d'après ses impressions.

« Je me demande quelquefois comment Mme Sauvage peut tenir à son service, dit en forme de commentaire la portière qui suivait Mme Cibot. Je vous accompagne, madame, ajouta-t-elle, car je monte le lait et le journal à mon propriétaire. »

Arrivée au second étage au-dessus de l'entresol, la Cibot se trouva devant une porte du plus vilain caractère. La peinture d'un rouge faux était enduite sur vingt centimètres de largeur, de cette couche noirâtre qu'y déposent les mains après un certain temps, et que les architectes ont essayé de combattre dans les appartements élégants, par l'application de glaces au-dessus et au-dessous des serrures. Le guichet de cette porte, bouché par des scories semblables à celles que les restaurateurs inventent pour vieillir des bouteilles adultes, ne servait qu'à mériter à la porte le surnom de porte de prison, et concordait d'ailleurs à ses ferrures en trèfles, à ses gonds formidables, à ses grosses têtes de clous. Quelque avare ou quelque folliculaire en querelle avec le monde entier devait avoir inventé ces appareils. Le plomb où se déversaient les eaux ménagères ajoutait sa quote-part de puanteur dans l'escalier, dont le plafond offrait partout des arabesques dessinées avec de la fumée de chandelle, et quelles arabesques! Le cordon de tirage, au bout duquel pendait une olive crasseuse, fit résonner une petite sonnette dont l'organe faible dévoilait une cassure dans le métal. Chaque objet était un trait en harmonie avec l'ensemble de ce hideux tableau. La Cibot entendit le bruit d'un pas pesant, et la res-

piration asthmatique d'une femme puissante. Et
Mme Sauvage se manifesta! C'était une de ces
vieilles devinées par Adrien Brauwer dans ses *Sor-*
cières partant pour le Sabbat, une femme de cinq
pieds six pouces, à visage soldatesque et beaucoup
plus barbu que celui de la Cibot, d'un embonpoint
maladif, vêtue d'une affreuse robe de rouennerie à
bon marché, coiffée d'un madras, faisant encore
papillotes avec les imprimés que recevait gratuitement son maître, et portant à ses oreilles des espèces de roues de carrosse en or. Ce cerbère femelle
tenait à la main un poêlon en fer-blanc, bossué,
dont le lait répandu jetait dans l'escalier une odeur
de plus, qui s'y sentait peu, malgré son âcreté nau-
séabonde.

« Qué qu'il y a pour votre service, *médème?* »
demanda Mme Sauvage.

Et, d'un air menaçant, elle jeta sur la Cibot,
qu'elle trouva, sans doute, trop bien vêtue, un regard d'autant plus meurtrier, que ses yeux étaient
naturellement sanguinolents.

« Je viens voir M. Fraisier de la part de son ami
le docteur Poulain.

— Entrez, *médème* », répondit la Sauvage d'un
air devenu soudain très aimable et qui prouvait
qu'elle était avertie de cette visite matinale.

Et, après avoir fait une révérence de théâtre, la
domestique à moitié mâle du sieur Fraisier ouvrit
brusquement la porte du cabinet qui donnait sur
la rue, et où se trouvait l'ancien avoué de Mantes.
Ce cabinet ressemblait absolument à ces petites

études d'huissier du troisième ordre, où les carton-
niers sont en bois noirci, où les dossiers sont si vieux
qu'ils ont de la barbe, en style de cléricature, où
les ficelles rouges pendent d'une façon lamentable,
où les cartons sentent les ébats des souris, où le
plancher est gris de poussière et le plafond jaune
de fumée. La glace de la cheminée était trouble;
les chenets en fonte supportaient une bûche économique; la pendule en marqueterie moderne, valant soixante francs, avait été achetée à quelque
vente par autorité de justice et les flambeaux qui
l'accompagnaient étaient en zinc, mais ils affectaient
des formes rococo mal réussies, et la peinture, partie
en plusieurs endroits, laissait à nu cet affreux métal.
M. Fraisier, petit homme sec et maladif, à figure
rouge, dont les bourgeons annonçaient un sang très
vicié, mais qui d'ailleurs se grattait incessamment
le bras droit, et dont la perruque, mise très en
arrière, découvrait un peu trop un crâne couleur
de brique et d'une expression sinistre, se leva de
dessus un fauteuil de canne, où il siégeait sur un
rond en maroquin vert. Il prit un air agréable et
une voix flûtée pour dire en avançant une chaise :
« Madame Cibot, je pense?...

— Oui, monsieur », répondit la portière, qui
perdit son assurance habituelle.

Mme Cibot fut effrayée par cette voix, qui ressemblait assez à celle de la sonnette, et par un
regard encore plus vert que les yeux verdâtres de
son futur conseil. Le cabinet sentait si bien son
Fraisier, qu'on devait croire que l'air y était pesti-

lentiel. Mme Cibot comprit alors pourquoi
Mme Florimond n'était pas devenue Mme Fraisier.

« Poulain m'a parlé de vous, ma chère dame »,
dit l'homme de loi, de cette voix d'emprunt qu'on
appelle vulgairement *petite voix,* mais restait aigre
et clairette comme un vin de pays.

Là, cet agent d'affaires essaya de se draper, en
ramenant sur ses genoux pointus, couverts en mol-
leton excessivement râpé, les deux pans d'une
vieille robe de chambre en calicot imprimé, dont
la ouate prenait la liberté de sortir par plusieurs
déchirures, mais le poids de cette ouate entraînait
les pans, et découvrait un justaucorps en flanelle
devenu noirâtre. Après avoir resserré, d'un petit
air fat, la cordelière de cette robe de chambre réfractaire pour dessiner sa taille de roseau, Fraisier
réunit d'un coup de pincette deux tisons qui s'évitaient depuis fort longtemps, comme deux frères
ennemis. Puis, saisi d'une pensée subite, il se leva.
« Madame Sauvage! cria-t-il.

— Après?

— Je n'y suis pour personne.

— Hé! *parbleur!* on le sait, répondit la virago
d'une maîtresse voix.

— C'est ma vieille nourrice, dit l'homme de loi
d'un air confus à la Cibot.

— Elle a encore beaucoup de laid », répliqua
l'ancienne héroïne des Halles.

Fraisier rit du calembour et mit le verrou, pour
que sa ménagère ne vînt pas interrompre les confidences de la Cibot.

« Eh bien, madame, expliquez-moi votre affaire,
dit-il en s'asseyant et tâchant toujours de draper sa
robe de chambre. Une personne qui m'est recom-
mandée par le seul ami que j'aie au monde peut
compter sur moi... mais... absolument. »

Mme Cibot parla pendant une demi-heure sans
que l'agent d'affaires se permît la moindre inter-
ruption; il avait l'air curieux d'un jeune soldat
écoutant un *vieux de la vieille*. Ce silence et la
soumission de Fraisier, l'attention qu'il paraissait
prêter à ce bavardage à cascades, dont on a vu des
échantillons dans les scènes entre la Cibot et le
pauvre Pons, firent abandonner à la défiante portière quelques-unes des préventions que tant de
détails ignobles venaient de lui inspirer. Quand la
Cibot se fut arrêtée, et qu'elle attendit un conseil,
le petit homme de loi, dont les yeux verts à points
noirs avaient étudié sa future cliente, fut pris d'une
toux dite de cercueil, et eut recours à un bol en
faïence à demi plein de jus d'herbes, qu'il vida.

« Sans Poulain, je serais déjà mort, ma chère
madame Cibot, répondit Fraisier à des regards maternels que lui jeta la portière; mais il me rendra,
dit-il, la santé... »

Il paraissait avoir perdu la mémoire des confidences de sa cliente, qui pensait à quitter un pareil
moribond.

« Madame, en matière de succession, avant de
s'avancer, il faut savoir deux choses, reprit l'ancien
avoué de Mantes en devenant grave. Premièrement,
si la succession vaut la peine qu'on se donne, et,

deuxièmement, quels sont les héritiers; car, si la succession est le butin, les héritiers sont l'ennemi. »

La Cibot parla de Rémonencq et d'Elie Magus, et dit que les deux fins compères évaluaient la collection de tableaux à six cent mille francs...

« La prendraient-ils à ce prix-là?... demanda l'ancien avoué de Mantes, car, voyez-vous, madame, les gens d'affaires ne croient pas aux tableaux. Un tableau, c'est quarante sous de toile ou cent mille francs de peinture! Or, les peintures de cent mille francs sont bien connues, et quelles erreurs dans toutes ces valeurs-là, même les plus célèbres! Un financier bien connu, dont la galerie était vantée, visitée et gravée (gravée!) passait pour avoir dépensé des millions... Il meurt, car on meurt, eh bien, ses *vrais* tableaux n'ont pas produit plus de deux cent mille francs. Il faudrait m'amener ces messieurs... Passons aux héritiers. »

Et Fraisier se remit dans son attitude d'écouteur. En entendant le nom du président Camusot, il fit un hochement de tête, accompagné d'une grimace qui rendit la Cibot excessivement attentive; elle essaya de lire sur ce front, sur cette atroce physionomie, et trouva ce qu'en affaires on nomme *une tête de bois.*

« Oui, mon cher monsieur, répéta la Cibot, mon M. Pons est le propre cousin du président Camusot de Marville, il me rabâche sa parenté deux fois par jour. La première femme de M. Camusot, le marchand de soieries...

— Qui vient d'être nommé pair de France...

— Etait une demoiselle Pons, cousine germaine de M. Pons.

— Ils sont cousins issus de germains...

— Ils ne sont plus rien du tout, ils sont brouillés. »

M. Camusot de Marville avait été, pendant cinq ans, président du tribunal de Mantes, avant de venir à Paris. Non seulement il y avait laissé des souvenirs, mais encore il y avait conservé des relations; car son successeur, celui de ses juges avec lequel il s'était le plus lié pendant son séjour, présidait encore le tribunal et conséquemment connaissait Fraisier à fond. Fraisier avait eu quelques rapports avec ce président nommé Lebœuf et connaissait parfaitement les antécédents du président et de la présidente Camusot de Marville.

« Savez-vous, madame, dit-il, lorsque la Cibot eut arrêté les rouges écluses de sa bouche torrentielle, savez-vous que vous auriez pour ennemi capital un homme qui peut envoyer les gens à l'échafaud? »

La portière exécuta sur sa chaise un bond qui la fit ressembler à la poupée de ce joujou nommé *une surprise.*

« Calmez-vous, ma chère dame, reprit Fraisier. Que vous ignoriez ce qu'est le président de la chambre des mises en accusation de la cour royale de Paris, rien de plus naturel, mais vous deviez savoir que M. Pons avait un héritier légal naturel. M. le président de Marville est le seul et unique héritier de votre malade, mais il est collatéral au troisième degré; donc, M. Pons peut, aux termes de

la loi, faire ce qu'il veut de sa fortune. Vous ignorez
encore que la fille de M. le président a épousé,
depuis six semaines au moins, le fils aîné de M. le
comte Popinot, pair de France, ancien ministre de
l'Agriculture et du Commerce, un des hommes les
plus influents de la politique actuelle. Cette alliance
rend le président encore plus redoutable qu'il ne
l'est comme souverain de la cour d'assises. »

La Cibot tressaillit encore à ce mot.

« Oui, c'est lui qui vous envoie là, reprit Fraisier.
Ah! ma chère dame, vous ne savez pas ce qu'est une
robe rouge! C'est déjà bien assez d'avoir une simple
robe noire contre soi! Si vous me voyez ici ruiné,
chauve, moribond... eh bien, c'est pour avoir heurté,
sans le savoir, un simple petit procureur du roi de
province. On m'a forcé de vendre mon étude à
perte, et bien heureux de décamper en perdant
ma fortune. Si j'avais voulu résister, je n'aurais pas
pu garder ma profession d'avocat. Ce que vous
ignorez encore, c'est que s'il ne s'agissait que du
président Camusot, ce ne serait rien; mais il a,
voyez-vous, une femme!... Et si vous vous trouviez
face à face avec cette femme, vous trembleriez
comme si vous étiez sur la première marche de
l'échafaud, les cheveux vous dresseraient sur la
tête. La présidente est vindicative à passer dix ans
pour vous entortiller dans un piège où vous péri-
riez! Elle fait agir son mari comme un enfant fait
aller sa toupie. Elle a dans sa vie causé le suicide,
à la Conciergerie, d'un charmant garçon; elle a
rendu blanc comme neige un comte qui se trouvait

sous une accusation de faux. Elle a failli faire interdire l'un des plus grands seigneurs de la cour de
Charles X. Enfin, elle a renversé le procureur général, M. de Grandville...

— Qui demeurait Vieille-rue-du-Temple, au coin
de la rue Saint-François, dit la Cibot.

— C'est lui-même. On dit qu'elle veut faire son
mari ministre de la Justice, et je ne sais pas si elle
n'arrivera point à ses fins... Si elle se mettait dans
l'idée de nous envoyer tous deux en cour d'assises
et au bagne, moi qui suis innocent comme l'enfant
qui naît, je prendrais un passeport et j'irais aux
Etats-Unis... tant je connais bien la Justice. Or, ma
chère madame Cibot, pour pouvoir marier sa fille
unique au jeune vicomte Popinot, qui sera, dit-on,
héritier de votre propriétaire, M. Pillerault, la
présidente s'est dépouillée de toute sa fortune, si
bien qu'en ce moment, le président et sa femme
sont réduits à vivre avec le traitement de la présidence. Et vous croyez, ma chère dame, que, dans
ces circonstances-là, Mme la présidente négligera la
succession de votre M. Pons?... Mais j'aimerais
mieux affronter des canons chargés à mitraille que
de me savoir une pareille femme contre moi...

— Mais, dit la Cibot, ils sont brouillés...

— Qu'est-ce que cela fait? dit Fraisier. Raison
de plus! Tuer un parent de qui l'on se plaint, c'est
quelque chose, mais hériter de lui, c'est là un
plaisir!

— Mais le bonhomme a ses héritiers en horreur;
il me répète que ces gens-là, je me rappelle les

noms, M. Cardot, M. Berthier, etc., l'ont écrasé comme un œuf qui se trouverait sous un tombereau.

— Voulez-vous être broyée ainsi?...

— Mon Dieu, mon Dieu! s'écria la portière. Ah! Mme Fontaine avait raison en disant que je rencontrerais des obstacles; mais elle a dit que je réussirais...

— Ecoutez, ma chère madame Cibot... Que vous tiriez de cette affaire une trentaine de mille francs, c'est possible; mais la succession, il n'y faut pas songer... Nous avons causé de vous et de votre affaire, le docteur Poulain et moi, hier au soir... »

Là, Mme Cibot fit encore un bond sur sa chaise.

« Eh bien, qu'avez-vous?

— Mais, si vous connaissiez mon affaire, pourquoi m'avez-vous laissé jaser comme une pie?

— Madame Cibot, je connaissais votre affaire, mais je ne savais rien de Mme Cibot! Autant de clients, autant de caractères... »

Là, Mme Cibot jeta sur son futur conseil un singulier regard où toute sa défiance éclata et que Fraisier surprit.

« Je reprends, dit Fraisier. Donc, notre ami Poulain a été mis par vous en rapport avec le vieux M. Pillerault, le grand-oncle de Mme la comtesse Popinot, et c'est un de vos titres à mon dévouement. Poulain va voir votre propriétaire (notez ceci!) tous les quinze jours, et il a su tous ces détails par lui. Cet ancien négociant assistait au mariage de son arrière-petit-neveu (car c'est un oncle à succession,

il a bien quelque quinze mille francs de rente; et,
depuis vingt cinq ans, il vit comme un moine, il
dépense à peine mille écus par an...), et il a raconté
toute l'affaire du mariage à Poulain. Il paraît que
ce grabuge a été causé précisément par votre bonhomme de musicien qui a voulu déshonorer, par
vengeance, la famille du président. Qui n'entend
qu'une cloche n'a qu'un son... Votre malade se dit
innocent, mais le monde le regarde comme un
monstre...

— Ça ne m'étonnerait pas qu'il en fût un! s'écria
la Cibot. Figurez-vous que voilà dix ans passés que
j'y mets du mien, il le sait, il a mes économies, et
il ne veut pas me coucher sur son testament... Non,
monsieur, il ne le veut pas, il est têtu, que c'est un
vrai mulet... Voilà dix jours que je lui en parle, le
mâtin ne bouge pas plus que si c'était un terne. Il
ne desserre pas les dents, il me regarde d'un air...
Le plus qu'il m'a dit, c'est qu'il me recommanderait
à M. Schmucke.

— Il compte donc faire un testament en faveur
de ce Schmucke?...

— Il lui donnera tout...

— Ecoutez, ma chère madame Cibot, il faudrait,
pour que j'eusse des opinions arrêtées, pour concevoir un plan, que je connusse M. Schmucke, que je
visse les objets dont se compose la succession, que
j'eusse une conférence avec ce Juif de qui vous
me parlez; et, alors, laissez-moi vous diriger...

— Nous verrons, mon bon monsieur Fraisier.

— Comment! nous verrons, dit Fraisier en jetant

un regard de vipère à la Cibot et parlant avec sa voix naturelle. Ah çà! suis-je ou ne suis-je pas votre conseil? entendons-nous bien. »

La Cibot se sentit devinée, elle eut froid dans le dos.

« Vous avez toute ma confiance, répondit-elle en se voyant à la merci d'un tigre.

— Nous autres avoués, nous sommes habitués aux trahisons de nos clients. Examinez bien votre position : elle est superbe. Si vous suivez mes conseils de point en point, vous aurez, je vous le garantis, trente ou quarante mille francs de cette succession-là... Mais cette belle médaille a un revers. Supposez que la présidente apprenne que la succession de M. Pons vaut un million, et que vous voulez l'écorner, car il y a toujours des gens qui se chargent de dire ces choses-là!... » fit-il en parenthèse.

Cette parenthèse, ouverte et fermée par deux pauses, fit frémir la Cibot, qui pensa sur-le-champ que Fraisier se chargerait de la dénonciation.

« Ma chère cliente, en dix minutes, on obtiendra du bonhomme Pillerault votre renvoi de la loge, et l'on vous donnera deux heures pour déménager...

— Quéque ça me ferait!... dit la Cibot en se dressant sur ses pieds en Bellone, je resterais chez ces messieurs comme leur femme de confiance.

— En voyant cela, l'on vous tendrait un piège, et vous vous réveilleriez un beau matin dans un cachot, vous et votre mari, sous une accusation capitale...

— Moi!... s'écria la Cibot, moi qui n'ai pas n'une centime à autrui!... Moi!... moi!... »

Elle parla pendant cinq minutes, et Fraisier examina cette grande artiste exécutant son concerto de louanges sur elle-même. Il était froid, railleur, son œil perçait la Cibot comme d'un stylet, il riait en dedans, sa perruque sèche se remuait. C'était Robespierre au temps où ce Sylla français faisait des quatrains.

« Et comment! et pourquoi! et sous quel prétexte! demanda-t-elle en terminant.

— Voulez-vous savoir comment vous pourriez être guillotinée?... »

La Cibot tomba pâle comme une morte, car cette phrase lui tomba sur le cou comme le couteau de la loi. Elle regarda Fraisier d'un air égaré.

« Ecoutez-moi bien, ma chère enfant, reprit Fraisier en réprimant un mouvement de satisfaction que lui causa l'effroi de sa cliente.

— J'aimerais mieux tout laisser là... » dit en murmurant la Cibot.

Et elle voulut se lever.

« Restez, car vous devez connaître votre danger, je vous dois mes lumières, dit impérieusement Fraisier. Vous êtes renvoyée par M. Pillerault, ça ne fait pas de doute, n'est-ce pas? Vous devenez la domestique de ces deux messieurs, très bien! C'est une déclaration de guerre entre la présidente et vous. Vous voulez tout faire, vous, pour vous emparer de cette succession, en tirer pied ou aile... »

La Cibot fit un geste.

« Je ne vous blâme pas, ce n'est pas mon rôle, dit Fraisier en répondant au geste de sa cliente. C'est une bataille que cette entreprise, et vous irez plus loin que vous ne pensez! On se grise de son idée, on tape dur... »

Autre geste de dénégation de la part de Mme Cibot, qui se rengorgea.

« Allons, allons, ma petite mère, reprit Fraisier avec une horrible familiarité, vous iriez bien loin...

— Ah çà! me prenez-vous pour une voleuse?

— Allons, maman, vous avez un reçu de M. Schmucke qui vous a peu coûté... Ah! vous êtes ici à confesse, ma belle dame... Ne trompez pas votre confesseur, surtout quand ce confesseur a le pouvoir de lire dans votre cœur... »

La Cibot fut effrayée de la perspicacité de cet homme et comprit la raison de la profonde attention avec laquelle il l'avait écoutée.

« Eh bien, reprit Fraisier, vous pouvez bien admettre que la présidente ne se laissera pas dépasser par vous dans cette course à la succession... On vous observera, l'on vous espionnera... Vous obtenez d'être mise sur le testament de M. Pons... C'est parfait. Un beau jour, la justice arrive, on saisit une tisane, on y trouve de l'arsenic au fond, vous et votre mari vous êtes arrêtés, condamnés, comme ayant voulu tuer le sieur Pons, afin de toucher votre legs... J'ai défendu à Versailles une pauvre femme, aussi vraiment innocente que vous le seriez en pareil cas; les choses étaient comme je vous le dis, et tout ce que j'ai pu faire alors, ç'a été de lui sauver la vie. La malheureuse a eu vingt ans de travaux forcés et les fait à Saint Lazare. »

L'effroi de Mme Cibot fut au comble. Devenue pâle, elle regardait ce petit homme sec aux yeux verdâtres comme la pauvre Moresque, réputée fidèle à sa religion, devait regarder l'inquisiteur au moment où elle s'entendait condamner au feu.

« Vous dites donc, mon bon monsieur Fraisier, qu'en vous laissant faire, vous confiant le soin de mes intérêts, j'aurais quelque chose, sans rien craindre?

— Je vous garantis trente mille francs, dit Fraisier en homme sûr de son fait.

— Enfin, vous savez combien j'aime le cher docteur Poulain, reprit-elle de sa voix la plus pateline, c'est lui qui m'a dit de venir vous trouver, et le digne homme ne m'envoyait pas ici pour m'entendre dire que je serais guillotinée comme une empoisonneuse... »

Elle fondit en larmes, tant cette idée de guillotine l'avait fait frissonner, ses nerfs étaient en mouvement, la terreur lui serrait le cœur, elle perdit la tête. Fraisier jouissait de son triomphe. En apercevant l'hésitation de sa cliente, il se voyait privé de l'affaire, et il avait voulu dompter la Cibot, l'effrayer, la stupéfier, l'avoir à lui, pieds et poings liés. La portière, entrée dans ce cabinet comme une mouche se jette dans une toile d'araignée, devait y rester, liée, entortillée et servir de pâture à l'ambition de ce petit homme de loi. Fraisier voulait en effet trouver, dans cette affaire, la nourriture

de ses vieux jours, l'aisance, le bonheur, la considération. La veille, pendant la soirée, tout avait été
pesé mûrement, examiné soigneusement, à la loupe,
entre Poulain et lui. Le docteur avait dépeint
Schmucke à son ami Fraisier, et leurs esprits alertes
avaient sondé toutes les hypothèses, examiné les ressources et les dangers. Fraisier, dans un élan d'enthousiasme, s'était écrié : « Notre fortune à tous
deux est là-dedans! » Et il avait promis à Poulain
une place de médecin en chef d'hôpital, à Paris,
et il s'était promis à lui-même de devenir juge de
paix de l'arrondissement.

Etre juge de paix! c'était pour cet homme plein
de capacités, docteur en droit et sans chaussettes,
une chimère si rude à la monture, qu'il y pensait,
comme les avocats-députés pensent à la simarre et
les prêtres italiens à la tiare. C'était une folie! Le
juge de paix, M. Vitel, devant qui plaidait Fraisier,
était un vieillard de soixante-neuf ans, assez maladif, qui parlait de prendre sa retraite, et Fraisier
parlait d'être son successeur à Poulain, comme
Poulain lui parlait d'une riche héritière qu'il épou-
sait après lui avoir sauvé la vie. On ne sait pas
quelles convoitises inspirent toutes les places à la
résidence de Paris. Habiter Paris est un désir universel. Qu'un débit de tabac, de timbre, vienne à
vaquer, cent femmes se lèvent comme un seul
homme et font mouvoir tous leurs amis pour l'obtenir. La vacance probable d'une des vingt-quatre
perceptions de Paris cause une émeute d'ambitions
à la Chambre des députés! Ces places se donnent

en conseil, la nomination est une affaire d'Etat.
Or, les appointements de juge de paix, à Paris,
sont d'environ six mille francs. Le greffe de ce
tribunal est une charge qui vaut cent mille francs.
C'est une des places les plus enviées de l'ordre judiciaire. Fraisier, juge de paix, ami d'un médecin en
chef d'hôpital, se mariait richement, et mariait le
docteur Poulain; ils se prêtaient la main mutuelle-
ment. La nuit avait passé son rouleau de plomb sur
toutes les pensées de l'ancien avoué de Mantes, et
un plan formidable avait germé, plan touffu, fer-
tile en moissons et en intrigues. La Cibot était la
cheville ouvrière de ce drame. Aussi la révolte de
cet instrument devait-elle être comprimée; elle
n'avait pas été prévue, mais l'ancien avoué venait
d'abattre à ses pieds l'audacieuse portière en déployant toutes les forces de sa nature vénéneuse.

« Ma chère madame Cibot, voyons, rassurez-
vous », dit-il en lui prenant la main.

Cette main, froide comme la peau d'un serpent,
produisit une impression terrible sur la portière,
il en résulta comme une réaction physique qui fit
cesser son émotion; elle trouva le crapaud Astaroth
de Mme Fontaine moins dangereux à toucher que
ce bocal de poisons couvert d'une perruque rou-
geâtre et qui parlait comme les portes crient.

« Ne croyez pas que je vous effraie à tort, reprit
Fraisier après avoir noté ce nouveau mouvement de
répulsion de la Cibot. Les affaires qui font la terrible réputation de Mme la présidente sont tellement connues au Palais, que vous pouvez consulter

là-dessus qui vous voudrez. Le grand seigneur qu'on a failli interdire est le marquis d'Espard. Le marquis d'Esgrignon est celui qu'on a sauvé des galères. Le jeune homme, riche, beau, plein d'avenir, qui devait épouser une demoiselle appartenant à l'une des premières familles de France, et qui s'est pendu dans un cabanon de la Conciergerie, est le célèbre Lucien de Rubempré, dont l'affaire a soulevé tout Paris dans le temps. Il s'agissait là d'une succession, de celle d'une femme entretenue, la fameuse Esther, qui a laissé plusieurs millions, et on accusait ce jeune homme de l'avoir empoisonnée, car il était l'héritier institué par le testament. Ce jeune poète n'était pas à Paris quand cette fille est morte, il ne se savait pas héritier!... On ne peut pas être plus innocent que cela. Eh bien, après avoir été interrogé par M. Camusot, ce jeune homme s'est pendu dans son cachot... La Justice, c'est comme la Médecine, elle a ses victimes. Dans le premier cas, on meurt pour la société; dans le second, pour la Science, dit-il en laissant échapper un affreux sourire. Eh bien, vous voyez que je connais le danger... Je suis déjà ruiné par la Justice, moi, pauvre petit avoué obscur. Mon expérience me coûte cher, elle est toute à votre service...

— Ma foi, non, merci... dit la Cibot, je renonce à tout! j'aurai fait un ingrat... Je ne veux que mon dû! J'ai trente ans de probité, monsieur. Mon M. Pons dit qu'il me recommandera sur son testament à son ami Schmucke; eh bien, je finirai mes jours en paix chez ce brave Allemand... »

Fraisier dépassait le but, il avait découragé la Cibot, et il fut obligé d'effacer les tristes impressions
qu'elle avait reçues.

« Ne désespérons de rien, dit-il, allez-vous-en
chez vous, tout tranquillement. Allez, nous condui-
rons l'affaire à bon port.

— Mais que faut-il que je fasse alors, mon bon
monsieur Fraisier, pour avoir des rentes, et...?

— N'avoir aucun remords, dit-il vivement en cou-
pant la parole à la Cibot. Eh! mais, c'est précisément pour ce résultat que les gens d'affaires sont
inventés. On ne peut rien avoir dans ces cas-là sans
se tenir dans les termes de la loi... Vous ne connaissez pas les lois, moi je les connais... Avec moi, vous
serez du côté de la légalité, vous posséderez en paix
vis-à-vis des hommes, car la conscience, c'est votre
affaire.

— Eh bien, dites, reprit la Cibot, que ces paroles
rendirent curieuse et heureuse.

— Je ne sais pas, je n'ai pas étudié l'affaire dans
ses moyens, je ne me suis occupé que des obstacles.
D'abord, il faut, voyez-vous, pousser au testament,
et vous ne ferez pas fausse route; mais avant tout,
sachons en faveur de qui Pons disposera de sa fortune, car si vous étiez son héritière...

— Non, non, il ne m'aime pas! si j'avais connu
la valeur de ses *biblots*, et si j'avais su ce qu'il m'a
dit de ses amours, je serais sans inquiétude aujour-
d'hui...

— Enfin, reprit Fraisier, allez toujours! les mori-
bonds ont de singulières fantaisies, ma chère ma-

dame Cibot, ils trompent bien des espérances. Qu'il teste, et nous verrons après. Mais, avant tout, il s'agit d'évaluer les objets dont se compose la succession. Ainsi, mettez-moi en rapport avec le Juif, avec ce Rémonencq, ils nous seront très utiles. Ayez toute confiance en moi, je suis tout à vous. Je suis l'ami de mon client, à pendre et à dépendre, quand il est le mien. Ami ou ennemi, tel est mon caractère.

— Eh bien, je serai tout à vous, dit la Cibot, et, quant aux honoraires, M. Poulain...

— Ne parlons pas de cela, dit Fraisier. Songez à maintenir Poulain au chevet du malade; le docteur est un des cœurs les plus honnêtes, les plus purs que je connaisse, et il nous faut là, voyez-vous, un homme sûr... Poulain vaut mieux que moi, je suis devenu méchant.

— Vous en avez l'air, dit la Cibot, mais moi je me fierais à vous...

— Et vous auriez raison! dit-il... Venez me voir à chaque incident, et allez... Vous êtes une femme d'esprit, tout ira bien.

— Adieu, mon cher monsieur Fraisier, bonne santé... votre servante. »

Fraisier reconduisit la cliente jusqu'à la porte, et là, comme elle la veille avec le docteur, il lui dit son dernier mot.

« Si vous pouviez faire réclamer mes conseils par M. Pons, ce serait un grand pas de fait...

— Je tâcherai, répondit la Cibot.

— Ma grosse mère, reprit Fraisier en faisant ren-

trer la Cibot jusque dans son cabinet, je connais
beaucoup M. Trognon, notaire, c'est le notaire du
quartier. Si M. Pons n'a pas de notaire, parlez-lui
de celui-là... faites-lui prendre...

— Compris », répondit la Cibot.

En se retirant, la portière entendit le frôlement
d'une robe et le bruit d'un pas pesant qui voulait se
rendre léger. Une fois seule et dans la rue, la portière, après avoir marché pendant un certain temps,
recouvra sa liberté d'esprit. Quoiqu'elle restât sous
l'influence de cette conférence, et qu'elle eût toujours une grande frayeur de l'échafaud, de la justice, des juges, elle prit une résolution très naturelle
et qui l'allait mettre en lutte sourde avec son terrible conseiller.

« Eh! qu'ai-je besoin, se dit-elle, de me donner
des associés? faisons ma pelote, et après je prendrai
tout ce qu'ils m'offriront pour servir leurs intérêts... »

Cette pensée devait hâter, comme on va le voir,
la fin du malheureux musicien.

« Eh bien, mon cher monsieur Schmucke, dit la
Cibot en entrant dans l'appartement, comment va
notre cher adoré de malade?

— *Bas pien,* répondit l'Allemand. *Bons ha paddi*
(battu) *la gambagne bendant tidde la nouitte.*

— Qué qu'il disait donc?

— *Tes bêtisses! qu'il foulait que ch'usse dude sa
vordine* (fortune), *à la gondission de ne rien
vendre... Et il pleurait! Paufre homme! Ça m'a vait
pien ti mâle!*

— Ça passera, mon cher bichon! reprit la portière. Je vous ai fait attendre votre déjeuner, vu qu'il s'en va de neuf heures, mais ne me grondez pas... Voyez-vous, j'ai eu bien des affaires... rapport à vous. V'là que nous n'avons plus rien, et je me suis procuré de l'argent!...

— *Et gomment?* dit le pianiste.

— Et ma tante?

— *Guèle dande?*

— Le plan!

— *Le bland?*

— Oh! cher homme! est-il simple! Non, vous êtes un saint, n'un amour, un archevêque d'innocence, un homme à empailler, comme disait cet ancien acteur. Comment! vous êtes à Paris depuis vingt-neuf ans, vous avez vu, quoi... la Révolution de Juillet, et vous ne connaissez pas le *monde-piété*... les commissionnaires où l'on vous prête sur vos hardes!... J'y ai mis tous nos couverts d'argent, huit à filets. Bah! Cibot mangera dans du métal d'Alger. C'est très bien porté, comme on dit. Et c'est pas la peine de parler de ça à notre Chérubin, ça le tribouillerait, ça le ferait jaunir, et il est bien assez irrité comme il est. Sauvons-le avant tout, et nous verrons après. Eh bien, dans le temps comme dans le temps. A la guerre comme à la guerre, pas vrai!...

— *Ponne phâme! cueir ziblime!* » dit le pauvre musicien en prenant la main de la Cibot et la mettant sur son cœur, avec une expression d'attendrissement.

Cet ange leva les yeux au ciel, les montra pleins de larmes.

« Finissez donc, papa Schmucke, vous êtes drôle. V'là-t-il pas quelque chose de fort! Je suis n'une vieille fille du peuple, j'ai le cœur sur la main. J'ai de ça, voyez-vous, dit-elle en se frappant le sein, autant que vous deux, qui êtes des âmes d'or...

— *Baba Schmucke!* reprit le musicien. *Non, t'aller au fond di chagrin, t'y bleurer tes larmes de sang, et te monder tans le ciel, ça me prise! che ne sirfifrai pas à Bons...*

— Parbleu, je le crois bien, vous vous tuez... Ecoutez, mon bichon.

— *Pichon?*

— Eh bien, mon fiston.

— *Viston?*

— Mon chou, na! si vous aimez mieux.

— *Ça n'esde bas plis clair...*

— Eh bien, laissez-moi vous soigner et vous diriger, ou si vous continuez ainsi, voyez-vous, j'aurai deux malades sur les bras... Selon ma petite entendement, il faut nous partager la besogne ici. Vous ne pouvez plus aller donner des leçons dans Paris, que ça vous fatigue et que vous n'êtes plus propre à rien ici, où il va falloir passer les nuits, puisque M. Pons devient de plus en plus malade. Je vais courir aujourd'hui chez toutes vos pratiques et leur dire que vous êtes malade, pas vrai... Pour lors, vous passerez les nuits auprès de notre mouton, et vous dormirez le matin depuis cinq heures jusqu'à sup-

posé deux heures après midi. Moi, je ferai le service qu'est le plus fatigant, celui de la journée,
puisqu'il faut vous donner à déjeuner, à dîner, soigner le malade, le lever, le changer, le médiquer...
Car, au métier que je fais, je ne tiendrais pas dix
jours. Et voilà déjà trente jours que nous sommes
sur les dents. Et que deviendriez-vous, si je tombais
malade?... Et vous aussi, c'est à faire frémir, voyez
comme vous êtes, pour avoir veillé monsieur cette
nuit... »

Elle amena Schmucke devant la glace, et
Schmucke se trouva fort changé.

« Donc, si vous êtes de mon avis, je vas vous servir darre darre votre déjeuner. Puis vous garderez
encore notre amour jusqu'à deux heures. Mais vous
allez me donner la liste de vos pratiques, et j'aurai
bientôt fait, vous serez libre pour quinze jours.
Vous vous coucherez à mon arrivée, et vous vous
reposerez jusqu'à ce soir. »

Cette proposition était si sage, que Schmucke y
adhéra sur-le-champ.

« *Motus* avec M. Pons; car, vous savez, il se croirait perdu si nous lui disions comme ça qu'il va sus-
pendre ses fonctions au théâtre et ses leçons. Le
pauvre monsieur s'imaginerait qu'il ne retrouvera
plus ses écolières... des bêtises... M. Poulain dit que
nous ne sauverons notre Benjamin qu'en le laissant
dans le plus grand calme.

— *A pien! pien! vaides le técheuner, che fais
vaire la lisde et vis tonner les attresses!... fis avez ré-
son, che zugomprais!...* »

Une heure après, la Cibot s'endimancha, partit
en milord au grand étonnement de Rémonencq, et
se promit de représenter dignement la femme de
confiance des deux Casse-noisettes dans tous les pensionnats, chez toutes les personnes où se trouvaient
les écolières des deux musiciens.

Il est inutile de rapporter les différents commérages, exécutés comme les variations d'un thème,
auxquels la Cibot se livra chez les maîtresses de pension et au sein des familles, il suffira de la scène qui
se passa dans le cabinet directorial de L'ILLUSTRE
GAUDISSART, où la portière pénétra, non sans des
difficultés inouïes. Les directeurs de spectacle, à
Paris, sont mieux gardés que les rois et les ministres.
La raison des fortes barrières qu'ils élèvent entre
eux et le reste des mortels, est facile à comprendre :
les rois n'ont à se défendre que contre les ambitions;
les directeurs de spectacle ont à redouter les amours-
propres d'artiste et d'auteur.

La Cibot franchit toutes les distances par l'intimité subite qui s'établit entre elle et la concierge.
Les portiers se reconnaissent entre eux, comme
tous les gens de même profession. Chaque état
a ses *Shiboleth,* comme il a son injure et ses stigmates.

« Ah! madame, vous êtes la portière du théâtre,
avait dit la Cibot. Moi, je ne suis qu'une pauvre
concierge d'une maison de la rue de Normandie où
loge M. Pons, votre chef d'orchestre. Oh! comme je
serais heureuse d'être à votre place, de voir passer
les acteurs, les danseuses, les auteurs! C'est, comme

disait cet ancien acteur, le bâton de maréchal de notre métier.

— Et comment va-t-il, ce brave M. Pons? demanda la portière.

— Mais il ne va pas du tout; v'là deux mois qu'il ne sort pas de son lit, et il quittera la maison les pieds en avant, c'est sûr.

— Ce sera une perte...

— Oui. Je viens de sa part expliquer sa position à votre directeur; tâchez donc, ma petite, que je lui parle...

— Une dame de la part de M. Pons! »

Ce fut ainsi que le garçon de théâtre, attaché au service du cabinet, annonça Mme Cibot, que la concierge du théâtre lui recommanda. Gaudissart venait d'arriver pour une répétition. Le hasard voulut que personne n'eût à lui parler, que les auteurs de la pièce et les acteurs fussent en retard; il fut charmé d'avoir des nouvelles de son chef d'orchestre, il fit un geste napoléonien, et la Cibot entra.

Cet ancien commis voyageur, à la tête d'un théâtre en faveur, trompait sa commandite, il la considérait comme une femme légitime. Aussi avait-il pris un développement financier qui réagissait sur sa personne. Devenu fort et gros, coloré par la bonne chère et la prospérité, Gaudissart s'était métamorphosé franchement en Mondor. « Nous tournons au Beaujon! disait-il en essayant de rire le premier de lui-même. — Tu n'en es encore qu'à Turcaret », lui répondit Bixiou qui le remplaçait

souvent auprès de la première danseuse du théâtre,
la célèbre Héloïse Brisetout. En effet, l'ex-ILLUSTRE
GAUDISSART exploitait son théâtre uniquement et
brutalement dans son propre intérêt. Après s'être
fait admettre comme collaborateur dans plusieurs
ballets, dans des pièces, des vaudevilles, il en avait
acheté l'autre part, en profitant des nécessités qui
poignent les auteurs. Ces pièces, ces vaudevilles,
toujours ajoutés aux drames à succès, rapportaient
à Gaudissart quelques pièces d'or par jour. Il tra-
fiquait, par procuration, sur les billets, et il s'en
était attribué, comme *feux* de directeur, un certain
nombre qui lui permettait de dîmer les recettes.
Ces trois natures de contributions directoriales,
outre les loges vendues et les présents des actrices
mauvaises qui tenaient à remplir des bouts de rôle,
à se montrer en pages, en reines, grossissaient si bien
son tiers dans les bénéfices, que les commanditaires,
à qui les deux autres tiers étaient dévolus, tou-
chaient à peine le dixième des produits. Néanmoins, ce dixième produisait encore un intérêt de
quinze pour cent des fonds. Aussi, Gaudissart, appuyé sur ces quinze pour cent de dividende, parlait-il de son intelligence, de sa probité, de son zèle
et du bonheur de ses commanditaires. Quand le
comte Popinot demanda, par un semblant d'intérêt,
à M. Matifat, au général Gouraud, gendre de Matifat, à Crevel, s'ils étaient contents de Gaudissart,
Gouraud, devenu pair de France, répondit : « On
nous dit qu'il nous vole, mais il est si spirituel, si
bon enfant, que nous sommes contents. » C'est

alors comme dans le conte de La Fontaine, dit
l'ancien ministre en souriant. Gaudissart faisait valoir ses capitaux dans des affaires en dehors du
théâtre. Il avait bien jugé les Graff, les Schwab et
les Brunner, il s'associa dans les entreprises de chemins de fer que cette maison lançait. Cachant sa
finesse sous la rondeur et l'insouciance du libertin,
du voluptueux, il avait l'air de ne s'occuper que de
ses plaisirs et de sa toilette; mais il pensait à tout, et
mettait à profit l'immense expérience des affaires
qu'il avait acquise en voyageant. Ce parvenu, qui ne
se prenait pas encore au sérieux, habitait un appartement luxueux, arrangé par les soins de son déco-
rateur, et où il donnait des soupers et des fêtes aux
gens célèbres. Fastueux, aimant à bien faire les
choses, il se donnait pour un homme coulant, et il
semblait d'autant moins dangereux, qu'il avait
gardé la *platine* de son ancien métier, pour employer son expression, en la doublant de l'argot des
coulisses. Or, comme au théâtre les artistes disent
crûment les choses, il empruntait assez d'esprit aux
coulisses qui ont leur esprit, pour, en le mêlant à
la plaisanterie vive du commis voyageur, avoir l'air
d'un homme supérieur. En ce moment, il pensait à
vendre son privilège et à *passer*, selon son mot, *à
d'autres exercices*. Il voulait être à la tête d'un chemin de fer, devenir un homme sérieux, un admi-
nistrateur, et épouser la fille d'un des plus riches
maires de Paris, Mlle Minard. Il espérait être
nommé député sur *sa ligne* et arriver, par la protection de Popinot, au Conseil d'Etat.

« A qui ai-je l'honneur de parler? dit Gaudissart
en arrêtant sur la Cibot un regard directorial.

— Je suis, monsieur, la femme de confiance de
M. Pons.

— Eh bien, comment va-t-il, ce cher garçon?...

— Mal, très mal, monsieur.

— Diable! diable! j'en suis fâché, je l'irai voir;
car c'est un de ces hommes rares...

— Ah! oui, monsieur, un vrai chérubin... Je me
demande encore comment cet homme-là se trouvait
dans un théâtre...

— Mais, madame, le théâtre est un lieu de cor-
rection pour les mœurs... dit Gaudissart. Pauvre
Pons!... ma parole d'honneur, on devrait avoir de
la graine pour entretenir cette espèce-là... c'est un
homme modèle, et du talent... Quand croyez-vous
qu'il pourra reprendre son service? Car le théâtre,
malheureusement, ressemble aux diligences qui,
vides ou pleines, partent à l'heure : la toile se lève
ici tous les jours à six heures... et nous aurons beau
nous apitoyer, ça ne ferait pas de bonne musique...
Voyons, où en est-il?...

— Hélas! mon bon monsieur, dit la Cibot en tirant son mouchoir et en se le mettant sur les yeux,
c'est bien terrible à dire; mais je crois que nous
aurons le malheur de le perdre, quoique nous le
soignions comme la prunelle de nos yeux...
M. Schmucke et moi... même que je viens vous dire
que vous ne devez plus compter sur ce digne
M. Schmucke qui va passer toutes les nuits... On ne
peut pas s'empêcher de faire comme s'il y avait de

l'espoir, et d'essayer d'arracher ce digne et cher homme à la mort... Le médecin n'a plus d'espoir...

— Et de quoi meurt-il?

— De chagrin, de jaunisse, du foie, et tout cela compliqué de bien des choses de famille.

— Et d'un médecin, dit Gaudissart. Il aurait dû prendre le docteur Lebrun, notre médecin, ça n'aurait rien coûté...

— Monsieur en a un qu'est un Dieu... mais que peut faire un médecin, malgré son talent, contre tant de causes?...

— J'avais bien besoin de ces deux braves Casse-noisettes pour la musique de ma nouvelle féerie...

— Est-ce quelque chose que je puisse faire pour eux?... » dit la Cibot d'un air digne de Jocrisse.

Gaudissart éclata de rire.

« Monsieur, je suis leur femme de confiance, et il y a bien des choses que ces messieurs... »

Aux éclats de rire de Gaudissart, une femme s'écria :

« Si tu ris, on peut entrer, mon vieux. »

Et le premier sujet de la danse fit irruption dans le cabinet en se jetant sur le seul canapé qui s'y trouvât. C'était Héloïse Brisetout, enveloppée d'une magnifique écharpe dite *algérienne*...

« Qu'est-ce qui te fait rire?... Est-ce madame? Pour quel emploi vient-elle?... » dit la danseuse en jetant un de ces regards d'artiste à artiste qui devrait faire le sujet d'un tableau.

Héloïse, fille excessivement littéraire, en renom dans la Bohème, liée avec de grands artistes, élé-

gante, fine, gracieuse, avait plus d'esprit que n'en
ont ordinairement les premiers sujets de la danse;
en faisant sa question, elle respira dans une casso-
lette des parfums pénétrants.

« Madame, toutes les femmes se valent quand
elles sont belles, et si je ne renifle pas la peste en
flacon, et si je ne me mets pas de brique pilée sur
les joues...

— Avec ce que la nature vous en a mis déjà, ça
ferait un fier pléonasme, mon enfant! dit Héloïse
en jetant une œillade à son directeur.

— Je suis une honnête femme...

— Tant pis pour vous, dit Héloïse. N'est fichtre
pas entretenue qui veut! et je le suis, madame, et
crânement bien!

— Comment, tant pis! Vous avez beau avoir des
Algériens sur le corps et faire votre tête, dit la Cibot, vous n'aurez jamais tant de déclarations que
j'en ai reçu, *médème!* Et vous ne vaudrez jamais la
belle écaillère du Cadran-Bleu... »

La danseuse se leva subitement, se mit au port
d'armes, et porta le revers de sa main droite à son
front, comme un soldat qui salue son général.

« Quoi! dit Gaudissart, vous seriez cette belle
écaillère dont me parlait mon père?

— Madame ne connaît alors ni la cachucha, ni
la polka? Madame a cinquante ans passés! » dit
Héloïse.

La danseuse se posa dramatiquement et déclama
ce vers :

Soyons amis, Cinna!...

— Allons, Héloïse, madame n'est pas de force, laisse-la tranquille.

— Madame serait la nouvelle Héloïse?... dit la portière avec une fausse ingénuité pleine de raillerie.

— Pas mal, la vieille! s'écria Gaudissart.

— C'est archidit, reprit la danseuse, le calembour a des moustaches grises, trouvez-en un autre, la vieille... ou prenez une cigarette.

— Pardonnez-moi, madame, dit la Cibot, je suis trop triste pour continuer à vous répondre, j'ai mes deux messieurs bien malades... et j'ai engagé pour les nourrir et leur éviter des chagrins jusqu'aux habits de mon mari, ce matin, qu'en voilà la reconnaissance...

— Oh! ici la chose tourne au drame! s'écria la belle Héloïse. De quoi s'agit-il?

— Madame, reprit la Cibot, tombe ici comme...

— Comme un premier sujet, dit Héloïse. Je vous souffle, allez! *médème*.

— Allons, je suis pressé, dit Gaudissart. Assez de farce comme ça! Héloïse, madame est la femme de confiance de notre pauvre chef d'orchestre qui se meurt; elle vient me dire de ne plus compter sur lui; je suis dans l'embarras.

— Ah! le pauvre homme, mais il faut donner une représentation à son bénéfice.

— Ça le ruinerait! dit Gaudissart, il pourrait le lendemain devoir cinq cents francs aux hospices qui ne reconnaissent pas d'autres malheureux à Paris que les leurs. Non, tenez, ma bonne femme, puisque

vous courez pour le prix Monthyon... » Gaudissart
sonna, le garçon de théâtre se présenta soudain.
« Dites au caissier de m'envoyer un billet de mille
francs. Asseyez-vous, madame.

— Ah! pauvre femme, voilà qu'elle pleure!...
s'écria la danseuse. C'est bête... Allons, ma mère,
nous irons le voir, consolez-vous. — Dis donc, toi,
Chinois, dit-elle au directeur en l'attirant dans un
coin, tu veux me faire jouer le premier rôle du
ballet d'Ariane. Tu te maries, et tu sais comme je
puis te rendre malheureux!...

— Héloïse, j'ai le cœur doublé de cuivre, comme
une frégate.

— Je montrerai des enfants de toi! j'en emprun-
terai.

— J'ai déclaré notre attachement...

— Sois bon enfant, donne la place de Pons à
Garangeot, ce pauvre garçon a du talent, il n'a pas
le sou, je te promets la paix.

— Mais attends que Pons soit mort... le bonhomme peut d'ailleurs en revenir.

— Oh! pour ça, non, monsieur... dit la Cibot.
Depuis la dernière nuit, qu'il n'était plus dans son
bon sens, il a le délire. C'est malheureusement bientôt fini.

— D'ailleurs, fais faire l'intérim par Garangeot!
dit Héloïse, il a toute la Presse pour lui... »

En ce moment le caissier entra, tenant à la main
deux billets de cinq cents francs.

« Donnez-les à madame, dit Gaudissart. Adieu,
ma brave femme, soignez bien ce cher homme, et

dites-lui que j'irai le voir, demain ou après... dès que je le pourrai.

— Un homme à la mer, dit Héloïse.

— Ah! monsieur, des cœurs comme le vôtre ne se trouvent qu'au théâtre! s'écria la Cibot. Que Dieu vous bénisse!

— A quel compte porter cela? demanda le caissier.

— Je vais vous signer le bon, vous le porterez au compte des gratifications. »

Avant de sortir, la Cibot fit une belle révérence à la danseuse et put entendre une question que fit Gaudissart à son ancienne maîtresse.

« Garangeot est-il capable de me trousser la musique de notre ballet des *Mohicans* en douze jours? S'il me tire d'affaire, il aura la succession de Pons! »

La portière, mieux récompensée pour avoir causé tant de mal que si elle avait fait une bonne action, supprima toutes les recettes des deux amis, et les priva de leurs moyens d'existence, dans le cas où Pons recouvrerait la santé. Cette perfide manœuvre devait amener en quelques jours le résultat désiré par la Cibot, l'aliénation des tableaux convoités par Elie Magus. Pour réaliser cette première spoliation, la Cibot devait endormir le terrible collaborateur qu'elle s'était donné, l'avocat Fraisier, et obtenir une entière discrétion d'Elie Magus et de Rémonencq.

Quant à l'Auvergnat, il était arrivé par degrés à l'une de ces passions comme les conçoivent les gens sans instruction, qui viennent du fond d'une pro-

vince à Paris, avec les idées fixes qu'inspire l'isole-
ment dans les campagnes, avec les ignorances des
natures primitives et les brutalités de leurs désirs
qui se convertissent en idées fixes. La beauté virile
de Mme Cibot, sa vivacité, son esprit de la Halle
avaient été l'objet des remarques du brocanteur qui
voulait faire d'elle sa concubine en l'enlevant à
Cibot, espèce de bigamie beaucoup plus commune
qu'on ne le pense, à Paris, dans les classes inférieures. Mais l'avarice fut un nœud coulant qui
étreignit de jour en jour davantage le cœur et finit
par étouffer la raison. Aussi Rémonencq, en éva-
luant à quarante mille francs les remises d'Elie
Magus et les siennes, passa-t-il du délit au crime en
souhaitant avoir la Cibot pour femme légitime. Cet
amour, purement spéculatif, l'amena, dans les longues rêveries du fumeur, appuyé sur le pas de sa
porte, à souhaiter la mort du petit tailleur. Il voyait
ainsi ses capitaux presque triplés, il pensait quelle
excellente commerçante serait la Cibot et quelle
belle figure elle ferait dans un magnifique magasin
sur le boulevard. Cette double convoitise grisait
Rémonencq. Il louait une boutique au boulevard de
la Madeleine, il l'emplissait des plus belles curiosités de la collection de défunt Pons. Après s'être
couché dans des draps d'or et avoir vu des millions
dans les spirales bleues de sa pipe, il se réveillait
face à face avec le petit tailleur, qui balayait la
cour, la porte et la rue au moment où l'Auvergnat
ouvrait la devanture de sa boutique et disposait son
étalage; car, depuis la maladie de Pons, Cibot rem-

plaçait sa femme dans les fonctions qu'elle s'était attribuées. L'Auvergnat considérait donc ce petit tailleur olivâtre, cuivré, rabougri, comme le seul obstacle qui s'opposait à son bonheur, et il se demandait comment s'en débarrasser. Cette passion croissante rendait la Cibot très fière, car elle atteignait à l'âge où les femmes commencent à comprendre qu'elles peuvent vieillir.

Un matin donc, la Cibot, à son lever, examina Rémonencq d'un air rêveur au moment où il arrangeait les bagatelles de son étalage, et voulut savoir jusqu'où pouvait aller son amour.

« Eh bien, vint lui dire l'Auvergnat, les choses vont-elles comme vous le voulez?

— C'est vous qui m'inquiétez, lui répondit la Cibot. Vous me compromettez, ajouta-t-elle, les voisins finiront par apercevoir vos yeux en manches de veste. »

Elle quitta la porte et s'enfonça dans les profondeurs de la boutique de l'Auvergnat.

« En voilà une idée! dit Rémonencq.

— Venez que je vous parle, dit la Cibot. Les héritiers de M. Pons vont se remuer, et ils sont capables de nous faire bien de la peine. Dieu sait ce qui nous arriverait s'ils envoyaient des gens d'affaires qui fourreraient leur nez partout, comme des chiens de chasse. Je ne peux décider M. Schmucke à vendre quelques tableaux, que si vous m'aimez assez pour en garder le secret... oh! mais un secret! que la tête sur le billot vous ne diriez rien... ni d'où viennent les tableaux, ni qui les a vendus. Vous comprenez, M. Pons une fois mort et enterré, qu'on trouve cinquante-trois tableaux au lieu de soixante-sept, personne n'en saura le compte! D'ailleurs, si M. Pons en a vendu de son vivant, on n'a rien à dire.

— Oui, reprit Rémonencq, pour moi ça m'est égal, mais M. Elie Magus voudra des quittances bien en règle.

— Vous aurez aussi votre quittance, pardine! Croyez-vous que ce sera moi qui vous écrirai cela!... Ce sera M. Schmucke! mais vous direz à votre Juif, reprit la portière, qu'il soit aussi discret que vous.

— Nous serons muets comme des poissons. C'est dans notre état. Moi je sais lire, mais je ne sais pas écrire, voilà pourquoi j'ai besoin d'une femme instruite et capable comme vous!... Moi qui n'ai jamais pensé qu'à gagner du pain pour mes vieux jours, je voudrais des petits Rémonencq... Laissez-moi là votre Cibot.

— Mais voilà votre Juif, dit la portière, nous pouvons arranger les affaires.

— Eh bien, ma chère dame, dit Elie Magus qui venait tous les trois jours de très grand matin savoir quand il pourrait acheter ses tableaux. Où en sommes-nous?

— N'avez-vous personne qui vous ait parlé de M. Pons et de ses *biblots?* lui demanda la Cibot.

— J'ai reçu, répondit Elie Magus, une lettre d'un avocat; mais comme c'est un drôle qui me paraît être un petit coureur d'affaires, et que je me défie de ces gens-là, je n'ai rien répondu. Au bout de trois jours, il est venu me voir, et il a laissé une carte, j'ai dit à mon concierge que je serais toujours absent quand il viendrait...

— Vous êtes un amour de Juif, dit la Cibot à qui la prudence d'Elie Magus était peu connue. Eh bien, mes fistons, d'ici à quelques jours, j'amènerai M. Schmucke à vous vendre sept à huit tableaux, dix au plus; mais à deux conditions : la première, un secret absolu. Ce sera M. Schmucke qui vous aura fait venir, pas vrai, monsieur? ce sera M. Rémonencq qui vous aura proposé à M. Schmucke pour acquéreur. Enfin, quoi qu'il en soit, je n'y serai pour rien. Vous donnez quarante-six mille francs des quatre tableaux?

— Soit, répondit le Juif en soupirant.

— Très bien, reprit la portière. La deuxième condition est que vous m'en remettrez quarante-trois mille, et que vous ne les achèterez que trois mille à M. Schmucke; Rémonencq en achètera quatre pour deux mille francs, et me remettra le surplus... Mais aussi, voyez-vous, mon cher monsieur Magus, après cela, je vous fais faire, à vous et à Rémonencq, une fameuse affaire, à condition de partager les bénéfices entre nous trois. Je vous mènerai chez cet avocat, ou cet avocat viendra sans doute ici. Vous estimerez tout ce qu'il y a chez M. Pons au prix que vous pouvez en donner, afin que ce M. Fraisier ait une certitude de la valeur de la succession. Seulement il ne faut pas qu'il vienne avant notre vente, entendez-vous?...

— C'est compris, dit le Juif; mais il faut du

temps pour voir les choses et en dire le prix.

— Vous aurez une demi-journée. Allez, ça me re
garde... Causez de cela, mes enfants, entre vous;
pour lors, après-demain, l'affaire se fera. Je vais
chez ce Fraisier lui parler, car il sait tout ce qui se
passe ici par le docteur Poulain, et c'est une fameuse scie que de le faire tenir tranquille, ce coco-
là. »

A moitié chemin de la rue de Normandie à la rue
de la Perle, la Cibot trouva Fraisier qui venait chez
elle, tant il était impatient d'avoir, selon son expression, les éléments de l'affaire.

« Tiens! j'allais chez vous », dit-elle.

Fraisier se plaignit de n'avoir pas été reçu par
Elie Magus; mais la portière éteignit l'éclair de
défiance qui pointait dans les yeux de l'homme de
loi, en lui disant que Magus revenait de voyage, et
qu'au plus tard le surlendemain elle lui procure-
rait une entrevue avec lui dans l'appartement de
Pons, pour fixer la valeur de la collection.

« Agissez franchement avec moi, lui répondit
Fraisier. Il est plus que probable que je serai chargé
des intérêts des héritiers de M. Pons. Dans cette
position, je serai bien plus à même de vous servir. »

Ce fut dit si sèchement, que la Cibot trembla.
Cet homme d'affaires famélique devait manœuvrer
de son côté, comme elle manœuvrait du sien; elle
résolut donc de hâter la vente des tableaux. La
Cibot ne se trompait pas dans ses conjectures.
L'avocat et le médecin avaient fait la dépense d'un

habillement tout neuf pour Fraisier, afin qu'il pût se présenter, mis décemment, chez Mme la présidente Camusot de Marville. Le temps voulu pour la confection des habits était la seule cause du retard apporté à cette entrevue de laquelle dépendait le sort des deux amis. Après sa visite à Mme Cibot, Fraisier se proposait d'aller essayer son habit, son gilet et son pantalon. Il trouva ses habillements prêts et finis. Il revint chez lui, mit une perruque neuve, et partit en cabriolet de remise sur les dix heures du matin pour la rue de Hanovre, où il espérait pouvoir obtenir une audience de la présidente. Fraisier, en cravate blanche, en gants jaunes, en perruque neuve, parfumé d'eau de Portugal, ressemblait à ces poisons mis dans du cristal et bouchés d'une peau blanche dont l'étiquette, et tout jusqu'au fil, est coquet, mais qui n'en paraissent que plus dangereux. Son air tranchant, sa figure bourgeonnée, sa maladie cutanée, ses yeux verts, sa saveur de méchanceté, frappaient comme des nuages sur un ciel bleu. Dans son cabinet, tel qu'il s'était montré aux yeux de la Cibot, c'était le vulgaire couteau avec lequel un assassin a commis un crime; mais à la porte de la présidente, c'était le poignard élégant qu'une jeune femme met dans son petit-dunkerque.

Un grand changement avait eu lieu rue de Hanovre. Le vicomte et la vicomtesse Popinot, l'ancien ministre et sa femme n'avaient pas voulu que le président et la présidente allassent se mettre à loyer, et quittassent la maison qu'ils donnaient en

dot à leur fille. Le président et sa femme s'instal-
lèrent donc au second étage, devenu libre par la
retraite de la vieille dame qui voulait aller finir
ses jours à la campagne. Mme Camusot, qui garda
Madeleine Vivet, sa cuisinière et son domestique,
en était revenue à la gêne de son point de départ,
gêne adoucie par un appartement de quatre mille
francs sans loyer à payer, et par un traitement de
dix mille francs. Cette *aurea mediocritas* satisfaisait
déjà peu Mme de Marville, qui voulait une fortune
en harmonie avec son ambition; mais la cession de
tous les biens à leur fille entraînait la suppression
du cens d'éligibilité pour le président. Or, Amélie
voulait faire un député de son mari, car elle ne re-
nonçait pas à ses plans facilement, et elle ne désespérait point d'obtenir l'élection du président dans
l'arrondissement où Marville est situé. Depuis deux
mois elle tourmentait donc M. le baron Camusot,
car le nouveau pair de France avait obtenu la dignité de baron, pour arracher de lui cent mille
francs en avance d'hoirie, afin, disait-elle, d'acheter
un petit domaine enclavé dans celui de Marville, et
rapportant environ deux mille francs nets d'impôts.
Dans cette modeste habitation elle et son mari seraient chez eux, et auprès de leurs enfants; et à leur
mort, la terre de Marville en serait arrondie et aug-
mentée d'autant. La présidente faisait valoir aux
yeux de son beau-père le dépouillement auquel elle
avait été contrainte pour marier sa fille avec le vicomte Popinot, et demandait au vieillard s'il pouvait fermer à son fils aîné le chemin aux honneurs

suprêmes de la magistrature, qui ne seraient plus accordés qu'à une forte position parlementaire. Or, disait-elle, son mari saurait la prendre et se faire craindre des ministres. — Ces gens-là n'accordent rien qu'à ceux qui leur tordent la cravate au cou jusqu'à ce qu'ils tirent la langue, dit-elle. Ils sont ingrats!... Que ne doivent-ils pas à Camusot! Camusot, en poussant aux ordonnances de juillet, à causé l'élévation de la maison d'Orléans!...

Le vieillard se disait entraîné dans les chemins de fer au-delà de ses moyens, et il remettait cette libéralité, de laquelle il reconnaissait d'ailleurs la nécessité, lors d'une hausse prévue sur les actions.

Cette quasi-promesse, arrachée quelques jours auparavant, avait plongé la présidente dans la désolation. Il était douteux que l'ex-propriétaire de Marville pût être en mesure lors de la réélection de la Chambre, car il lui fallait la possession annale.

Fraisier parvint sans peine jusqu'à Madeleine Vivet. Ces deux natures de vipère se reconnurent pour être sorties du même œuf.

« Mademoiselle, dit doucereusement Fraisier, je désirerais obtenir un moment d'audience de Mme la présidente pour une affaire qui lui est personnelle et qui concerne sa fortune; il s'agit, dites-le-lui bien, d'une succession... Je n'ai pas l'honneur d'être connu de Mme la présidente, ainsi mon nom ne signifierait rien pour elle... Je n'ai pas l'habitude de quitter mon cabinet, mais je sais quels égards sont dus à la femme d'un président, et j'ai pris la peine

de venir moi-même, d'autant plus que l'affaire ne
souffre pas le plus léger retard. »

La question posée dans ces termes-là, répétée et
amplifiée par la femme de chambre, amena naturellement une réponse favorable. Ce moment était dé-
cisif pour les deux ambitions contenues en Fraisier.
Aussi, malgré son intrépidité de petit avoué de province, cassant, âpre et incisif, il éprouva ce
qu'éprouvent les capitaines au début d'une bataille
d'où dépend le succès de la campagne. En passant
dans le petit salon où l'attendait Amélie, il eut ce
qu'aucun sudorifique, quelque puissant qu'il fût,
n'avait pu produire encore sur cette peau réfractaire
et glacée par d'affreuses maladies, il se sentit une
légère sueur dans le dos et au front. « Si ma fortune ne se fait pas, se dit-il, je suis sauvé, car Poulain m'a promis la santé le jour où la transpiration
se rétablirait. — Madame... », dit-il en voyant la
présidente qui vint en négligé. Et Fraisier s'arrêta
pour saluer avec cette condescendance qui, chez les
officiers ministériels, est la reconnaissance de la qualité supérieure de ceux à qui ils s'adressent.

« Asseyez-vous, monsieur, fit la présidente en reconnaissant aussitôt un homme du monde judiciaire.

— Madame la présidente, si j'ai pris la liberté
de m'adresser à vous pour une affaire d'intérêt qui
concerne M. le président, c'est que j'ai la certitude
que M. de Marville, dans la haute position qu'il
occupe, laisserait peut-être les choses dans leur état
naturel, et qu'il perdrait sept à huit cent mille

francs que les dames, qui s'entendent, selon moi, beaucoup mieux aux affaires privées que les meilleurs magistrats, ne dédaignent point...

— Vous avez parlé d'une succession... » dit la présidente en interrompant.

Amélie, éblouie par la somme et voulant cacher son étonnement, son bonheur, imitait les lecteurs impatients qui courent au dénouement du roman.

« Oui, madame, d'une succession perdue pour vous, oh! bien entièrement perdue, mais que je puis, que je saurai vous faire avoir...

— Parlez, monsieur! dit froidement Mme de Marville qui toisa Fraisier et l'examina d'un œil sagace.

— Madame, je connais vos éminentes capacités, je suis de Mantes. M. Lebœuf, le président du tribunal, l'ami de M. de Marville, pourra lui donner des renseignements sur moi... »

La présidente fit un haut-le-corps si cruellement significatif que Fraisier fut forcé d'ouvrir et de fermer rapidement une parenthèse dans son discours.

« Une femme aussi distinguée que vous va comprendre sur-le-champ pourquoi je lui parle d'abord de moi. C'est le chemin le plus court pour arriver à la succession. »

Sans parler, la présidente répondit à cette fine observation, par un geste.

« Madame, reprit Fraisier autorisé par le geste à raconter son histoire, j'étais avoué à Mantes, ma charge devait être toute ma fortune, car j'ai traité

de l'étude de M. Levrault que vous avez sans doute
connu... »

La présidente inclina la tête.

« Avec des fonds qui m'étaient prêtés, et une di-
zaine de mille francs à moi, je sortais de chez Desroches, l'un des plus capables avoués de Paris, et
j'y étais premier clerc depuis six ans. J'ai eu le
malheur de déplaire au procureur du roi de Mantes,
monsieur...

— Olivier Vinet.

— Le fils du procureur général, oui, madame. Il
courtisait une petite dame...

— Lui!

— Mme Vatinelle...

— Ah! Mme Vatinelle... elle était bien jolie et
bien... mais de mon temps...

— Elle avait des bontés pour moi : *Inde irae,*
reprit Fraisier. J'étais actif, je voulais rembourser les
amis qui m'avaient prêté leurs fonds pour l'acquisition de ma charge, et me marier; il me fallait des
affaires, je les cherchais; j'en brassai bientôt à moi
seul plus que les autres officiers ministériels. Bah!
j'ai eu contre moi les avoués de Mantes, les notaires
et jusqu'aux huissiers. On m'a cherché chicane.
Vous savez, madame, que lorsqu'on veut perdre un
homme dans notre affreux métier, c'est bientôt fait.
On m'a pris occupant dans une affaire pour les
deux parties. C'est un peu léger; mais, dans certains
cas, la chose se fait à Paris, les avoués s'y passent la
casse et le séné. Cela ne se fait pas à Mantes.
M. Bouyonnet, à qui j'avais rendu ce petit service,

poussé par ses confrères, et stimulé par le procureur du roi, m'a trahi... Vous voyez que je ne vous cache rien. Ce fut un *tolle* général. J'étais un fripon, l'on m'a fait plus noir que Marat. On m'a forcé de vendre, j'ai tout perdu. Je suis à Paris où j'ai tâché de me créer un cabinet d'affaires; mais ma santé ruinée ne m'a pas laissé dans les premiers temps, deux bonnes heures sur les vingt-quatre de la journée. Aujourd'hui, je n'ai qu'une ambition, elle est mesquine. Vous serez un jour la femme d'un garde des Sceaux, peut-être, ou d'un premier président; mais moi, pauvre et chétif, je n'ai pas d'autre désir que d'avoir une place où finir tranquillement mes jours, un cul-de-sac, un poste où l'on végète. Je veux être juge de Paix à Paris. C'est une bagatelle pour vous et pour M. le président que d'obtenir ma nomination, car vous devez causer assez d'ombrage au garde des Sceaux actuel pour qu'il désire vous obliger... Ce n'est pas tout, madame, ajouta Fraisier en voyant la présidente prête à parler et-lui faisant un geste. J'ai pour ami le médecin du vieillard de qui M. le président devrait hériter. Vous voyez que nous arrivons... Ce médecin, dont la coopération est indispensable, est dans la même situation que celle où vous me voyez : du talent et pas de chance!... C'est par lui que j'ai su combien vos intérêts sont lésés, car, au moment où je vous parle, il est probable que tout est fini, que le testament qui déshérite M. le président est fait... Ce médecin désire être nommé médecin en chef d'un hôpital, ou des collèges royaux; enfin, vous comprenez, il lui faut une position à Paris, équivalente à la mienne... Pardon si j'ai traité de ces deux choses si délicates; mais il ne faut pas la moindre ambiguïté dans notre affaire. Le médecin est d'ailleurs un homme fort considéré, savant, et qui a sauvé M. Pillerault, le grand-oncle de votre gendre M. le vicomte Popinot. Maintenant, si vous avez la bonté de me promettre ces deux places, celle de juge de paix et la sinécure médicale pour mon ami, je me fais fort de vous apporter l'héritage presque intact... Je dis presque intact, car il sera grevé des obligations qu'il faudra prendre avec le légataire et avec quelques personnes dont le concours nous sera vraiment indispensable. Vous n'accomplirez vos promesses qu'après l'accomplissement des miennes. »

La présidente qui depuis un moment s'était croisé les bras, comme une personne forcée de subir un sermon, les décroisa, regarda Fraisier et lui dit : « Monsieur, vous avez le mérite de la clarté pour tout ce qui vous regarde, mais pour moi vous êtes d'une obscurité...

— Deux mots suffisent à tout éclaircir, madame, dit Fraisier. M. le président est le seul et unique héritier au troisième degré de M. Pons. M. Pons est très malade, il va tester, s'il ne l'a déjà fait, en faveur d'un Allemand, son ami, nommé Schmucke, et l'importance de sa succession sera de plus de sept cent mille francs. Dans trois jours, j'espère avoir des renseignements de la dernière exactitude sur le chiffre...

— Si cela est, se dit à elle-même la présidente
foudroyée par la possibilité de ce chiffre, j'ai fait
une grande faute en me brouillant avec lui, en
l'accablant.

— Non, madame, car sans cette rupture il serait
gai comme un pinson, et vivrait plus longtemps que
vous, que M. le président et que moi... La Providence a ses voies, ne les sondons pas! ajouta-t-il pour
déguiser tout l'odieux de cette pensée. Que voulez-
vous, nous autres gens d'affaires, nous voyons le positif des choses. Vous comprenez maintenant, madame, que dans la haute position qu'occupe M. le
président de Marville, il ne ferait rien, il ne pourrait rien faire dans la situation actuelle. Il est
brouillé mortellement avec son cousin, vous ne
voyez plus Pons, vous l'avez banni de la société,
vous aviez sans doute d'excellentes raisons pour agir
ainsi; mais le bonhomme est malade, il lègue ses
biens à son seul ami. L'un des présidents de la
Cour royale de Paris n'a rien à dire contre un testament en bonne forme fait en pareilles circonstances. Mais entre nous, madame, il est bien désagréable, quand on a droit à une succession de sept
à huit cent mille francs... que sais-je, un million
peut-être, et qu'on est le seul héritier désigné par la
loi, de ne pas rattraper son bien... Seulement, pour
arriver à ce but, on tombe dans de sales intrigues;
elles sont si difficiles, si vétilleuses, il faut s'abou-
cher avec des gens placés si bas, avec des domestiques, des sous-ordre, et les serrer de si près,
qu'aucun avoué, qu'aucun notaire de Paris ne peut

suivre une pareille affaire. Ça demande un avocat
sans causes comme moi, dont la capacité soit sé-
rieuse, réelle, dont le dévouement soit acquis, et
dont la position malheureusement précaire soit de
plain-pied avec celle de ces gens-là... Je m'occupe,
dans mon arrondissement, des affaires des petits
bourgeois, des ouvriers, des gens du peuple... Oui,
madame, voilà dans quelle condition m'a mis l'inimitié d'un procureur du roi devenu substitut à
Paris aujourd'hui, qui ne m'a pas pardonné ma supériorité... Je vous connais, madame, je sais quelle
est la solidité de votre protection, et, dans un tel
service à vous rendre, j'ai aperçu la fin de mes misères et le triomphe du docteur Poulain, mon
ami... »

La présidente restait pensive. Ce fut un moment
d'angoisse affreuse pour Fraisier. Vinet, l'un des
orateurs du centre, procureur général depuis seize
ans, dix fois désigné pour endosser la simarre de la
chancellerie, le père du procureur du roi de Mantes,
nommé substitut à Paris depuis un an, était un antagoniste pour la haineuse présidente. Le hautain
procureur général ne cachait pas son mépris pour
le président Camusot. Fraisier ignorait et devait
ignorer cette circonstance.

« N'avez-vous sur la conscience que le fait d'avoir
occupé pour les deux parties? demanda Mme de
Marville, en regardant fixement Fraisier.

— Madame la présidente peut voir M. Lebœuf;
M. Lebœuf m'était favorable.

— Etes-vous sûr que M. Lebœuf donnera sur

vous de bons renseignements à M. de Marville, à
M. le comte Popinot?

— J'en réponds, surtout M. Olivier Vinet n'étant
plus à Mantes; car, entre nous, ce petit magistrat
seco faisait peur au bon M. Lebœuf. D'ailleurs, madame la présidente, si vous me le permettez, j'irai
voir à Mantes M. Lebœuf. Ce ne sera pas un retard,
je ne saurai d'une manière certaine le chiffre de la
succession que dans deux ou trois jours. Je veux et
je dois cacher à madame la présidente tous les ressorts de cette affaire; mais le prix que j'attends de
mon entier dévouement n'est-il pas pour elle un
gage de réussite?

— Eh bien, disposez en votre faveur M. Lebœuf,
répliqua la présidente d'un ton qui signifiait qu'elle
serait au désespoir si M. Lebœuf n'était pas favorable à Fraisier, et si la succession a l'importance,
ce dont je doute, que vous accusez. je vous promets
les deux places, en cas de succès, bien entendu...

— J'en réponds, madame. Seulement vous aurez
la bonté de faire venir ici votre notaire, votre
avoué, lorsque j'aurai besoin d'eux, de me donner
une procuration pour agir au nom de M. le président, et de dire à ces messieurs de suivre mes
instructions, de ne rien entreprendre de leur
chef.

— Vous avez la responsabilité, dit solennellement
la présidente, vous devez avoir l'omnipotence. Mais
M. Pons est-il bien malade? demanda-t-elle en souriant.

— Ma foi, madame, il s'en tirerait, surtout soi-

gné par un homme aussi consciencieux que le docteur Poulain, car, mon ami, madame, n'est qu'un
innocent espion dirigé par moi dans vos intérêts,
il est capable de sauver ce vieux musicien, mais il y
a là, près du malade, une portière qui, pour avoir
trente mille francs, le pousserait dans la fosse... Elle
ne le tuerait pas, elle ne lui donnera pas d'arsenic,
elle ne sera pas si charitable, elle fera pis : elle
l'assassinera moralement, elle lui donnera mille im-
patiences par jour. Le pauvre vieillard, dans une
sphère de silence, de tranquillité, bien soigné,
caressé par des amis, à la campagne, se rétablirait;
mais, tracassé par une Mme Evrard de bas étage
qui dans sa jeunesse était une des trente belles écaillères que Paris a célébrées, avide, bavarde, brutale,
tourmenté par elle pour faire un testament où elle
soit richement dotée, le malade sera conduit fatale-
ment jusqu'à l'induration du foie, il s'y forme peut-
être en ce moment des calculs, et il faudra recourir
pour les extraire à une opération qu'il ne suppor-
tera pas... Le docteur, une belle âme!... est dans
une affreuse situation. Il devrait faire renvoyer cette
femme...

— Mais cette mégère est un monstre! » s'écria
la présidente en faisant sa petite voix flûtée.

Cette similitude entre la terrible présidente et lui,
fit sourire intérieurement Fraisier, qui savait à quoi
s'en tenir sur ces douces modulations factices d'une
voix naturellement aigre. Il se rappela ce président,
le héros d'un des contes de Louis XI, que ce mo-
narque a signé par le dernier mot. Ce magistrat,

doué d'une femme taillée sur le patron de celle de
Socrate, et n'ayant pas la philosophie de ce grand
homme, fit mêler du sel à l'avoine de ses chevaux en
ordonnant de les priver d'eau. Quand sa femme
alla le long de la Seine à sa campagne, les chevaux
se précipitèrent dans l'eau pour boire, en entraînant le carrosse, le cocher, la femme, et le magistrat
remercia la Providence qui l'avait *si naturellement*
délivré de sa mégère. En ce moment, Mme de Marville remerciait Dieu d'avoir placé près de Pons une
femme qui la débarrasserait *honnêtement* de l'ex-
pique-assiette.

« Je ne voudrais pas d'un million, dit-elle, au
prix d'une indélicatesse... Votre ami doit éclairer
M. Pons, et faire renvoyer cette portière.

— D'abord, madame, MM. Schmucke et Pons
croient que cette femme est un ange, et renver-
raient mon ami. Puis cette atroce écaillère est la
bienfaitrice du docteur, elle l'a introduit chez
M. Pillerault. Il recommande à cette femme la plus
grande douceur avec le malade, mais ses recommandations indiquent à cette créature les moyens
d'empirer la maladie.

— Que pense votre ami de l'état de *mon* cousin? » demanda la présidente.

Fraisier fit trembler Mme de Marville par la justesse de sa réponse, et par la lucidité avec laquelle
il pénétra dans ce cœur aussi avide que celui de la
Cibot.

« Dans six semaines, la succession sera ouverte. »
La présidente baissa les yeux.

« Pauvre homme! fit-elle en essayant, mais en vain, de prendre une physionomie attristée.

— Madame la présidente a-t-elle quelque chose à dire à M. Lebœuf? Je vais à Mantes par le chemin de fer.

— Oui, restez là, je lui écrirai de venir dîner demain avec nous, j'ai besoin de le voir pour nous concerter, afin de réparer l'injustice dont vous avez été la victime. »

Quand la présidente l'eut quitté, Fraisier, qui se vit juge de paix, ne se ressembla plus à lui-même; il paraissait gros, il respirait à pleins poumons l'air du bonheur et le bon vent du succès. Puisant au réservoir inconnu de la volonté de nouvelles et fortes doses de cette divine essence, il se sentit capable, à la façon de Rémonencq, d'un crime, pourvu qu'il n'en existât pas de preuves, pour réussir. Il s'était avancé crânement en face de la présidente, convertissant les conjectures en réalité, affirmant à tort et à travers, dans le but unique de se faire commettre par elle au sauvetage de cette succession et d'obtenir sa protection. Représentant de deux immenses misères et de désirs non moins immenses, il repoussait d'un pied dédaigneux son affreux ménage de la rue de la Perle. Il entrevoyait mille écus d'honoraires chez la Cibot, et cinq mille francs chez le président. C'était conquérir un appartement convenable. Enfin, il s'acquittait avec le docteur Poulain. Quelques-unes de ces natures haineuses, âpres et disposées à la méchanceté par la souffrance ou par la maladie, éprouvent les sentiments contraires, à un égal degré de violence : Richelieu était aussi bon ami qu'ennemi cruel. En reconnaissance des secours que lui avait donnés Poulain, Fraisier se serait fait hacher pour lui. La présidente, en revenant une lettre à la main, regarda sans être vue par lui, cet homme, qui croyait à une vie heureuse et bien rentée, et elle le trouva moins laid qu'au premier coup d'œil qu'elle avait jeté sur lui; d'ailleurs, il allait la servir, et on regarde un instrument qui nous appartient autrement qu'on ne regarde celui du voisin.

« Monsieur Fraisier, dit-elle, vous m'avez prouvé que vous étiez un homme d'esprit, je vous crois capable de franchise. »

Fraisier fit un geste éloquent.

« Eh bien, reprit la présidente, je vous somme de répondre avec candeur à cette question : — M. de Marville ou moi devons-nous être compromis par suite de vos démarches?...

— Je ne serais pas venu vous trouver, madame, si je pouvais un jour me reprocher d'avoir jeté de la boue sur vous, n'y en eût-il que gros comme la tête d'une épingle, car alors la tache paraît grande comme la lune. Vous oubliez, madame, que, pour devenir juge de paix à Paris, je dois vous avoir satisfait. J'ai reçu, dans ma vie, une première leçon, elle a été trop dure pour que je m'expose à recevoir encore de pareilles étrivières. Enfin, un dernier mot, madame. Toutes mes démarches, quand il s'agira de vous, vous seront préalablement soumises...

— Très bien; voici la lettre pour M. Lebœuf. J'attends maintenant les renseignements sur la valeur de la succession.

— Tout est là », dit finement Fraisier en saluant la présidente avec toute la grâce que sa physionomie lui permettait d'avoir.

« Quelle providence! se dit Mme Camusot de Marville. Ah! je serai donc riche! Camusot sera député, car en lâchant ce Fraisier dans l'arrondissement de Bolbec, il nous obtiendra la majorité. Quel instrument! »

« Quelle providence! se disait Fraisier en descendant l'escalier, et quelle commère que Mme Camusot! Il me faudrait une femme dans ces conditions-là! Maintenant, à l'œuvre. »

Et il partit pour Mantes où il fallait obtenir les bonnes grâces d'un homme qu'il connaissait fort peu; mais il comptait sur Mme Vatinelle à qui, malheureusement, il devait toutes ses infortunes, et les chagrins d'amour sont souvent comme la lettre de change protestée d'un bon débiteur, elle porte intérêt.

Trois jours après, pendant que Schmucke dormait, car Mme Cibot et le vieux musicien s'étaient déjà partagé le fardeau de garder et de veiller le malade, elle avait eu ce qu'elle appelait une *prise de bec* avec le pauvre Pons. Il n'est pas inutile de faire remarquer une triste particularité de l'hépatite. Les malades dont le foie est plus ou moins attaqué sont disposés à l'impatience, à la colère, et ces colères les soulagent momentanément; de

même que dans l'accès de fièvre, on sent se déployer
en soi des forces excessives. L'accès passé, l'affaisse-
ment, le *collapsus*, disent les médecins, arrive, et les
pertes qu'a faites l'organisme s'apprécient alors
dans toute leur gravité. Ainsi, dans les maladies
de foie, et surtout dans celles dont la cause vient
de grands chagrins éprouvés, le patient arrive après
ses emportements à des affaiblissements d'autant
plus dangereux qu'il est soumis à une diète absolue.
C'est une sorte de fièvre qui agite le mécanisme
humoristique de l'homme, car cette fièvre n'est ni
dans le sang, ni dans le cerveau. Cette agacerie de
tout l'être produit une mélancolie où le malade se
prend lui-même en haine. Dans une situation pareille, tout cause une irritation dangereuse. La Cibot, malgré les recommandations du docteur, ne
croyait pas, elle, femme du peuple sans expérience
ni instruction, à ces tiraillements du système nerveux par le système humoristique. Les explications
de M. Poulain étaient pour elle des *idées de médecin*. Elle voulait absolument, comme tous les gens
du peuple, nourrir Pons, et pour l'empêcher de
lui donner en cachette du jambon, une bonne omelette ou du chocolat à la vanille, il ne fallait rien
moins que cette parole absolue du docteur Poulain :

« Donnez une seule bouchée de n'importe quoi
à M. Pons, et vous le tueriez comme d'un coup
de pistolet. »

L'entêtement des classes populaires est si grand
à cet égard, que la répugnance des malades pour

aller à l'hôpital vient de ce que le peuple croit
qu'on y tue les gens en ne leur donnant pas à
manger. La mortalité qu'ont causée les vivres ap-
portés en secret par les femmes à leurs maris a été
si grande, qu'elle a déterminé les médecins à pres-
crire une visite de corps d'une excessive sévérité
les jours où les parents viennent voir les malades.
La Cibot, pour arriver à une brouille momentanée
nécessaire à la réalisation de ses bénéfices immédiats,
raconta sa visite au directeur de théâtre, sans
oublier sa *prise de bec* avec Mlle Héloïse, la danseuse.

« Mais qu'alliez-vous faire là? lui demanda pour
la troisième fois le malade qui ne pouvait arrêter
la Cibot une fois qu'elle était lancée en paroles.

— Pour lors, quand je lui ai eu dit son fait,
Mlle Héloïse, qu'a vu ce que j'étais, a mis les
pouces, et nous avons été les meilleures amies du
monde. — Vous me demandez maintenant ce que
j'allais faire là? » dit-elle en répétant la question
de Pons.

Certains bavards, et ceux-là sont des bavards de
génie, ramassent ainsi les interpellations, les objec-
tions et les observations en manière de provision,
pour alimenter leurs discours; comme si la source
en pouvait jamais tarir.

« Mais j'y suis allée pour tirer votre M. Gaudissart d'embarras, il a besoin d'une musique pour
un ballet, et vous n'êtes guère en état, mon chéri,
de gribouiller du papier et de remplir votre devoir...
J'ai donc entendu, comme ça, qu'on appellerait un

M. Garangeot pour arranger les *Mohicans* en musique...

— Garangeot! s'écria Pons en fureur. Garangeot, un homme sans aucun talent, je n'ai pas voulu de lui pour premier violon! C'est un homme de beaucoup d'esprit, qui fait très bien des feuilletons sur la musique; mais pour composer un air, je l'en défie!... Et où diable avez-vous pris l'idée d'aller au théâtre?

— Mais il est *ostiné,* ce démon-là!... Voyons, mon chat, ne nous emportons pas comme une soupe au lait... Pouvez-vous écrire de la musique dans l'état où vous êtes? Mais vous ne vous êtes pas regardé au miroir? Voulez-vous un miroir? Vous n'avez plus que la peau sur les os... vous êtes faible comme un moineau... et vous vous croyez capable de faire vos notes... mais vous ne feriez pas seulement les miennes... Ça me fait penser que je dois monter chez celle du troisième, qui nous doit dix-sept francs... et c'est bon à ramasser, dix-sept francs; car, l'apothicaire payé, il ne nous reste pas vingt francs... Fallait donc dire à cet homme, qui a l'air d'être un bon homme, à M. Gaudissart... J'aime ce nom-là... c'est un vrai Roger-Bontemps qui m'irait bien... il n'aura jamais mal au foie, celui-là!... Donc, fallait lui dire où vous en étiez... dame! vous n'êtes pas bien, et il vous a momentanément remplacé...

— Remplacé! » s'écria Pons d'une voix formidable en se dressant sur son séant.

En général les malades, surtout ceux qui sont

dans l'envergure de la faux de la Mort, s'accrochent
à leurs places avec la fureur que déploient les débutants pour les obtenir. Aussi son remplacement
parut-il être au pauvre moribond une première
mort.

« Mais le docteur me dit, reprit-il, que je vais
parfaitement bien! que je reprendrai bientôt ma
vie ordinaire. Vous m'avez tué, ruiné, assassiné!...

— Ta, ta, ta, ta! s'écria la Cibot, vous voilà
parti, allez, je suis votre bourreau, vous dites ces
douceurs-là, toujours, parbleu, à M. Schmucke,
quand j'ai le dos tourné. J'entends bien ce que vous
dites, allez!... vous êtes un monstre d'ingratitude.

— Mais vous ne savez pas que si je tarde seulement quinze jours à ma convalescence, on me dira,
quand je reviendrai, que je suis une perruque, un
vieux, que mon temps est fini, que je suis Empire,
rococo! s'écria ce malade qui voulait vivre. Garangeot se sera fait des amis, dans le théâtre, depuis
le contrôle jusqu'au cintre! Il aura baissé le diapa-
son pour une actrice qui n'a pas de voix, il aura
léché les bottes de M. Gaudissart; il aura, par ses
amis, publié des louanges de tout le monde dans les
feuilletons; et, alors, dans une boutique comme
celle-là, madame Cibot, on sait trouver des poux
à la tête d'un chauve! Quel démon vous a poussée
là?...

— Mais parbleu, M. Schmucke a discuté la chose
avec moi pendant huit jours. Que voulez-vous?
Vous ne voyez rien que vous! vous êtes un égoïste
à tuer les gens pour vous guérir!... Mais ce pauvre

M. Schmucke est depuis un mois sur les dents, il
marche sur ses boulets, il ne peut plus aller nulle
part, ni donner des leçons, ni faire de service au
théâtre, car vous ne voyez donc rien? il vous garde
la nuit, et je vous garde le jour. Aujor d'aujour-
d'hui, si je passais les nuits comme j'ai tâché de le
faire d'abord, en croyant que vous n'auriez rien,
il me faudrait dormir pendant la journée! Et qué
qui veillerait au ménage et au grain!... Et que
voulez-vous, la maladie est la maladie!... et voilà!...

— Il est impossible que ce soit Schmucke qui ait
eu cette pensée-là...

— Ne voulez-vous pas à cette heure que ce soit
moi qui l'aie prise sous mon bonnet! Et croyez-
vous que nous sommes de fer? Mais si M. Schmucke
avait continué son métier, d'aller donner sept ou huit
leçons et de passer la soirée de six heures et demie à
onze heures et demie au théâtre à diriger l'orchestre,
il serait mort dans dix jours d'ici... Voulez-vous la
mort de ce digne homme, qui donnerait son sang
pour vous? Par les auteurs de mes jours, on n'a
jamais vu de malade comme vous... Qu'avez-vous
fait de votre raison, l'avez-vous mise au mont-de-
piété? Tout s'extermine ici pour vous, l'on fait tout
pour le mieux, et vous n'êtes pas content... Vous
voulez donc nous rendre fous à lier... moi d'abord
je suis fourbue, en attendant le reste! »

La Cibot pouvait parler à son aise, la colère em-
pêchait Pons de dire un mot, il se roulait dans son
lit, articulait péniblement des interjections, il se
mourait. Comme toujours, arrivée à cette période,

la querelle tournait subitement au tendre. La garde
se précipita sur le malade, le prit par la tête, le
força de se coucher, ramena sur lui la couverture.

« Peut-on se mettre dans des états pareils! Après
ça, mon chat, c'est votre maladie! C'est ce que dit le
bon M. Poulain. Voyons, calmez-vous. Soyez gentil,
mon bon petit fiston. Vous êtes l'idole de tout ce
qui vous approche, que le docteur lui-même vient
vous voir jusqu'à deux fois par jour! Qué qu'il
dirait s'il vous trouvait agité comme cela? Vous me
mettez hors des gonds! ce n'est pas bien à vous...
Quand on a mam'Cibot pour garde, on lui doit des
égards... Vous criez, vous parlez!... ça vous est
défendu! vous le savez. Parler, ça vous irrite...
Et pourquoi vous emporter? C'est vous qui avez
tous les torts... vous m'asticotez toujours! Voyons,
raisonnons! Si M. Schmucke et moi, qui vous aime
comme mes petits boyaux, nous avons cru bien
faire! eh bien, mon chérubin, c'est bien, allez.

— Schmucke n'a pas pu vous dire d'aller au
théâtre sans me consulter...

— Faut-il l'éveiller, ce pauvre cher homme qui dort
comme un bienheureux, et l'appeler en témoignage!

— Non! non! s'écria Pons. Si mon bon et tendre
Schmucke a pris cette résolution, je suis peut-être
plus mal que je ne le crois, dit Pons en jetant un
regard plein d'une horrible mélancolie sur les objets d'art qui décoraient sa chambre. Il faudra dire
adieu à mes chers tableaux, à toutes ces choses dont
je m'étais fait des amis. Et mon divin Schmucke!...
Oh! serait-ce vrai? »

La Cibot, cette atroce comédienne, se mit son mouchoir sur les yeux. Cette muette réponse fit tomber le malade dans une sombre rêverie. Abattu par ces deux coups portés dans des endroits si sensibles, la vie sociale et la santé, la perte de son état et la perspective de la mort, il s'affaissa tant, qu'il n'eut plus la force de se mettre en colère. Et il resta morne comme un poitrinaire après son agonie.

« Voyez-vous, dans l'intérêt de M. Schmucke, dit la Cibot en voyant sa victime tout à fait matée, vous feriez bien d'envoyer chercher le notaire du quartier, M. Trognon, un bien brave homme.

— Vous me parlez toujours de ce Trognon... dit le malade.

— Ah! ça m'est bien égal, lui ou un autre, pour ce que vous me donnerez! »

Et elle hocha la tête en signe de mépris des richesses. Le silence se rétablit.

En ce moment, Schmucke, qui dormait depuis plus de six heures, réveillé par la faim, se leva, vint dans la chambre de Pons, et le contempla pendant quelques instants sans mot dire, car Mme Cibot s'était mis un doigt sur les lèvres en faisant : « Chut! »

Puis elle se leva, s'approcha de l'Allemand pour lui parler à l'oreille, et lui dit : « Dieu merci! le voilà qui va s'endormir, il est méchant comme un âne rouge!... Que voulez-vous! il se défend contre la maladie...

— Non, je suis, au contraire, très patient, répondit la victime d'un ton dolent qui accusait un effroyable abattement; mais, mon cher Schmucke, elle est allée au théâtre me faire renvoyer... »

Il fit une pause, il n'eut pas la force d'achever. La Cibot profita de cet intervalle pour peindre par un signe à Schmucke l'état d'une tête où la raison déménage, et dit :

« Ne le contrariez pas, il mourrait...

— Et, reprit Pons en regardant l'honnête Schmucke, elle prétend que c'est toi qui l'as envoyée...

— *Ui*, répondit Schmucke héroïquement, *il le vallait. Dais-doi!... laisse-nus de saufer!... C'esde tes bêdises que te d'ébuiser à drafailler quand du as ein dréssor... Rédablis-doi, nus fentrons quelque pric-à-prac ed nus vinirons nos churs dranquillement dans ein goin, afec cede ponne montam Zibod...*

— Elle t'a perverti! » répondit douloureusement Pons.

Le malade, ne voyant plus Mme Cibot, qui s'était mise en arrière du lit pour pouvoir dérober à Pons les signes qu'elle faisait à Schmucke, la crut partie.

« Elle m'assassine, ajouta-t-il.

— Comment, je vous assassine?... dit-elle en se montrant l'œil enflammé, ses poings sur les hanches. Voilà donc la récompense d'un dévouement de chien caniche... Dieu de Dieu! » Elle fondit en larmes, se laissa tomber sur un fauteuil, et ce mouvement tragique causa la plus funeste révolution à Pons. « Eh bien, dit-elle en se relevant et montrant aux deux amis ces regards de femme haineuse qui lancent à la fois des coups de pistolet et du venin, je suis lasse de ne rien faire de bien ici en m'exterminant le tempérament. Vous prendrez une garde! » Les deux amis se regardèrent effrayés. « Oh! quand vous vous regarderez comme des acteurs! C'est dit! Je vas prier le docteur Poulain de vous chercher une garde! Et nous allons faire nos comptes. Vous me rendrez l'argent que j'ai mis ici... et que je ne vous aurais jamais redemandé... Moi qui suis allée chez M. Pillerault lui emprunter encore cinq cents francs...

— *C'est sa malatie!* dit Schmucke en se précipitant sur Mme Cibot et l'embrassant par la taille, *ayez de la badience!*

— Vous, vous êtes un ange, que je baiserais la marque de vos pas, dit-elle. Mais M. Pons ne m'a jamais aimée, il m'a toujours z'haïe!... D'ailleurs, il peut croire que je veux être mise sur son testament...

— *Chit! fus alez le duer!* s'écria Schmucke.

— Adieu, monsieur! vint-elle dire à Pons en le foudroyant par un regard. Pour le mal que je vous veux, portez-vous bien. Quand vous serez aimable pour moi, quand vous croirez que ce que je fais est bien fait, je reviendrai! Jusque-là je reste chez moi... Vous étiez mon enfant, depuis quand a-t-on vu les enfants se révolter contre leurs mères?... Non, non, monsieur Schmucke, je ne veux rien entendre... Je vous apporterai votre dîner, je vous servirai; mais prenez une garde, demandez-en une à M. Poulain. »

Et elle sortit en fermant les portes avec tant de

violence, que les objets frêles et précieux tremblèrent. Le malade entendit un cliquetis de porcelaine
qui fut, dans sa torture, ce qu'était le coup de
grâce dans le supplice de la roue.

Une heure après, la Cibot, au lieu d'entrer chez
Pons, vint appeler Schmucke à travers la porte de
la chambre à coucher, en lui disant que son dîner
l'attendait dans la salle à manger. Le pauvre Allemand y vint, le visage blême et couvert de larmes.

« *Mon baufre Bons extrafaque,* dit-il, *gar il
bredend que fus êdes ine scélérade. C'êdre sa malatie,* dit-il pour attendrir la Cibot sans accuser Pons.

— Oh! j'en ai assez, de sa maladie! Ecoutez, ce
n'est ni mon père, ni mon mari, ni mon frère, ni
mon enfant. Il m'a prise en grippe, eh bien, en voilà
assez! Vous, voyez-vous, je vous suivrais au bout du
monde; mais quand on donne sa vie, son cœur, toutes
ses économies, qu'on néglige son mari, que v'là Cibot
malade, et qu'on s'entend traiter de scélérate...
c'est un peu trop fort de café comme ça...

— *Gavé?*

— Oui, café! Laissons les paroles oiseuses. Venons
au positif! Pour lors, vous me devez trois mois à
cent quatre-vingt-dix francs, ça fait cinq cent
soixante-dix; plus le loyer que j'ai payé deux fois, que
voilà les quittances, six cents francs avec le sou
pour livre et vos impositions; donc, douze cents
moins quelque chose, et enfin les deux mille francs,
sans intérêt, bien entendu; au total, trois mille cent
quatre-vingt-douze francs... Et pensez qu'il va vous
falloir au moins deux mille francs devant vous

pour la garde, le médecin, les médicaments et la nourriture de la garde. Voilà pourquoi j'empruntais mille francs à M. Pillerault », dit-elle en montrant le billet de mille francs donné par Gaudissart.

Schmucke écoutait ce compte dans une stupéfaction très concevable, car il était financier, comme les chats sont musiciens.

« *Montam Zibod, Bons n'a bas sa déde! Bartonnez-lui, gondinuez à le carter, resdez nodre Profidence... che fus le temante à chenux.* »

Et l'Allemand se prosterna devant la Cibot en baisant les mains de ce bourreau.

« Ecoutez, mon bon chat, dit-elle en relevant Schmucke et l'embrassant sur le front, voilà Cibot malade, il est au lit, je viens d'envoyer chercher le docteur Poulain. Dans ces circonstances-là je dois mettre mes affaires en ordre. D'ailleurs, Cibot qui m'a vue revenir en larmes, est tombé dans une fureur telle, qu'il ne veut plus que je remette les pieds ici. C'est lui qui exige son argent, et c'est le sien, voyez-vous. Nous autres femmes, nous ne pouvons rien à cela. Mais en lui rendant son argent, à cet homme, trois mille deux cents francs, ça le calmera peut-être. C'est toute sa fortune, à ce pauvre homme, ses économies de vingt-six ans de ménage, le fruit de ses sueurs. Il lui faut son argent demain, il n'y a pas à tortiller... Vous ne connaissez pas Cibot : quand il est en colère, il tuerait un homme. Eh bien, je pourrais peut-être obtenir de lui de continuer à vous soigner tous deux. Soyez tranquille, je me laisserai dire tout ce qui lui passera par la tête. Je souffrirai ce martyre-là pour l'amour de vous, qui êtes un ange.

— *Non, che suis ein paufre home, qui ème son ami, qui tonnerait sa fie pour le saufer...*

— Mais de l'argent?... Mon bon monsieur Schmucke, une supposition, vous ne me donneriez rien, qu'il faut trouver trois mille francs pour vos besoins! Ma foi, savez-vous ce que je ferais à votre place. Je n'en ferais ni un ni deux, je vendrais sept ou huit méchants tableaux, et je les remplacerais par quelques-uns de ceux qui sont dans votre chambre, retournés contre le mur, faute de place! car un tableau ou un autre, qu'est-ce que ça fait?

— *Et bourquoi?*

— Il est si malicieux! c'est sa maladie, car en santé c'est un mouton! Il est capable de se lever, de fureter; et, si par hasard il venait dans le salon, quoiqu'il soit si faible qu'il ne pourra plus passer le seuil de sa porte, il trouverait toujours son nombre!...

— *C'esde chiste!*

— Mais nous lui dirons la vente quand il sera tout à fait bien. Si vous voulez lui avouer cette vente, vous rejetterez tout sur moi, sur la nécessité de me payer. Allez, j'ai bon dos...

— *Che ne buis bas disboser de choses qui ne m'abbardiennent bas...* répondit simplement le bon Allemand.

— Eh bien, je vais vous assigner en justice, vous et M. Pons.

— *Ce zeraid le duer...*

— Choisissez!... Mon Dieu; vendez les tableaux, et dites-le-lui après... vous lui montrerez l'assignation...

— *Eh pien, azicnez nus... ça sera mon egscusse... che lui mondrerai le chuchmend...* »

Le jour même, à sept heures, Mme Cibot, qui était allée consulter un huissier, appela Schmucke. L'Allemand se vit en présence de M. Tabareau, qui le somma de payer; et, sur la réponse que fit Schmucke en tremblant de la tête aux pieds, il fut assigné, lui et Pons, devant le tribunal pour se voir condamner au paiement. L'aspect de cet homme, le papier timbré griffonné produisirent un tel effet sur Schmucke, qu'il ne résista plus.

« *Fentez les dableaux* », dit-il, les larmes aux yeux.

Le lendemain, à six heures du matin, Elie Magus et Rémonencq décrochèrent chacun leurs tableaux. Deux quittances de deux mille cinq cents francs furent ainsi faites parfaitement en règle.

« Je soussigné, me portant fort pour M. Pons, reconnais avoir reçu de M. Elie Magus la somme de deux mille cinq cents francs pour quatre tableaux que je lui ai vendus, ladite somme devant être employée aux besoins de M. Pons. L'un de ces tableaux, attribué à Dürer, est un portrait de femme; le second, de l'Ecole italienne, est également un portrait; le troisième est un paysage hollandais de Breughel; le quatrième, un tableau florentin représentant une *Sainte Famille,* et dont le maître est inconnu. »

La quittance donnée par Rémonencq était dans les mêmes termes et comprenait un Greuze, un Claude Lorrain, un Rubens et un Van Dyck, déguisés sous les noms de tableaux de l'Ecole française et de l'Ecole flamande.

« *Ced archant me verait groire que ces primporions falent quelque chose...*, dit Schmucke en recevant les cinq mille francs.

— Ça vaut quelque chose, dit Rémonencq. Je donnerais bien cent mille francs de tout cela. »

L'Auvergnat, prié de rendre ce petit service, remplaça les huit tableaux par des tableaux de même dimension, dans les mêmes cadres, en choisissant parmi des tableaux inférieurs que Pons avait mis dans la chambre de Schmucke. Elie Magus, une fois en possession des quatre chefs-d'œuvre, emmena la Cibot chez lui, sous prétexte de faire leurs comptes. Mais il chanta misère, il trouva des défauts aux toiles, il fallait rentoiler les tableaux, bref il offrit à la Cibot trente mille francs pour sa commission; il les lui fit accepter en lui montrant les papiers étincelants où la Banque a gravé le mot MILLE FRANCS! Magus condamna Rémonencq à donner vingt mille francs à la Cibot, en les lui prêtant sur les quatre tableaux qu'il se fit déposer. Les quatre tableaux de Rémonencq parurent si magnifiques à Magus, qu'il ne put se décider à les rendre, et le lendemain il apporta six mille francs de bénéfice au brocanteur, qui lui céda les quatre toiles par facture. Mme Cibot, riche de cinquante-huit mille francs, réclama de nouveau le plus profond secret de ses deux complices; elle pria le Juif de lui dire comment placer cette somme de manière que personne ne pût la savoir en sa possession.

« Achetez des actions du chemin de fer d'Orléans, elles sont à trente francs au-dessous du pair, vous doublerez vos fonds en trois ans, et vous aurez des chiffons de papier qui tiendront dans un portefeuille.

— Restez ici, monsieur Magus, je vais chez l'homme d'affaires de la famille de M. Pons, il veut savoir à quel prix vous prendriez tout le bataclan de là-haut... Je vais vous l'aller chercher...

— Si elle était veuve! dit Rémonencq à Magus, ce serait bien mon affaire, car la voilà riche...

— Surtout si elle place son argent sur le chemin de fer d'Orléans; dans deux ans ce sera doublé. J'y ai placé mes pauvres petites économies, dit le Juif, c'est la dot de ma fille... Allons faire un petit tour sur le boulevard en attendant l'avocat...

— Si Dieu voulait appeler à lui ce Cibot, qui est bien malade déjà, reprit Rémonencq, j'aurais une fière femme pour tenir un magasin, et je pourrais entreprendre le commerce en grand...

— Bonjour, mon bon monsieur Fraisier, dit la Cibot d'un ton patelin, en entrant dans le cabinet de son conseil. Eh bien, que me dit donc votre portier, que vous vous en allez d'ici!...

— Oui, ma chère madame Cibot, je prends, dans la maison du docteur Poulain, l'appartement du premier étage, au-dessus du sien. Je cherche à em-

prunter deux à trois mille francs pour meubler
convenablement cet appartement, qui, ma foi, est
très joli, le propriétaire l'a remis à neuf. Je suis
chargé, comme je vous l'ai dit, des intérêts du président de Marville et des vôtres... Je quitte le métier
d'agent d'affaires, je vais me faire inscrire au tableau des avocats, et il faut être très bien logé. Les
avocats de Paris ne laissent inscrire au tableau que
des gens qui possèdent un mobilier respectable, une
bibliothèque, etc. Je suis docteur en droit, j'ai fait
mon stage, et j'ai déjà des protecteurs puissants...
Eh bien, où en sommes-nous?

— Si vous vouliez accepter mes économies qui
sont à la caisse d'épargne, lui dit la Cibot; je n'ai
pas grand-chose, trois mille francs, le fruit de vingt-
cinq ans d'épargnes et de privations... vous me feriez
une lettre de change, comme dit Rémonencq, car
je suis bien ignorante. Je ne sais que ce qu'on
m'apprend...

— Non, les statuts de l'ordre interdisent à un
avocat de souscrire des lettres de change, je vous
en ferai un reçu portant intérêt à cinq pour cent,
et vous me le rendrez si je vous trouve douze cents
francs de rente viagère dans la succession du bonhomme Pons. »

La Cibot, prise au piège, garda le silence.

« Qui ne dit mot, consent, reprit Fraisier. Apportez-moi ça, demain.

— Ah! je vous paierai bien volontiers vos honoraires d'avance, dit la Cibot, c'est être sûre que
j'aurai mes rentes.

— Où en sommes-nous? reprit Fraisier en faisant
un signe de tête affirmatif. J'ai vu Poulain hier au
soir, il paraît que vous menez votre malade grand
train... Encore un assaut comme celui d'hier, et il
se formera des calculs dans la vésicule du fiel...
Soyez douce avec lui, voyez-vous, ma chère madame Cibot, il ne faut pas se créer des remords.
On ne vit pas vieux.

— Laissez-moi donc tranquille, avec vos remords!... N'allez-vous pas encore me parler de la
guillotine? M. Pons, c'est un vieil *ostiné!* vous ne
le connaissez pas! c'est lui qui me fait *endêver!* Il
n'y a pas un plus méchant homme que lui, ses parents
avaient raison, il est sournois, vindicatif et *ostiné*...
M. Magus est à la maison, comme je vous l'ai dit,
et il vous attend.

— Bien!... j'y serai en même temps que vous.
C'est de la valeur de cette collection que dépend
le chiffre de votre rente, s'il y a huit cent mille
francs, vous aurez quinze cents francs viagers... c'est
une fortune!

— Eh bien, je vas leur dire d'évaluer les choses
en conscience. »

Une heure après, pendant que Pons dormait profondément, après avoir pris des mains de Schmucke
une potion calmante, ordonnée par le docteur, mais
dont la dose avait été doublée à l'insu de l'Allemand par la Cibot, Fraisier, Rémonencq et Magus,
ces trois personnages patibulaires, examinaient pièce
à pièce les dix-sept cents objets dont se composait
la collection du vieux musicien. Schmucke s'étant

couché, ces corbeaux flairant leur cadavre se virent les maîtres du terrain.

« Ne faites pas de bruit », disait la Cibot toutes les fois que Magus s'extasiait et discutait avec Rémonencq en l'instruisant de la valeur d'une belle œuvre.

C'était un spectacle à navrer le cœur, que celui de ces quatre cupidités différentes soupesant la succession pendant le sommeil de celui dont la mort était le sujet de leurs convoitises. L'estimation des valeurs contenues dans le salon dura trois heures.

« En moyenne, dit le vieux Juif crasseux, chaque chose ici vaut mille francs...

— Ce serait dix-sept cent mille francs! s'écria Fraisier stupéfait.

— Non pas pour moi, reprit Magus dont l'œil reprit des teintes froides. Je ne donnerais pas plus de huit cent mille francs; car on ne sait pas combien de temps on gardera ça dans un magasin... Il y a des chefs-d'œuvre qui ne se vendent pas avant dix ans, et le prix d'acquisition est doublé par les intérêts composés; mais je paierais la somme comptant.

— Il y a dans la chambre des vitraux, des émaux, des miniatures, des tabatières en or et en argent, fit observer Rémonencq.

— Peut-on les examiner? demanda Fraisier.

— Je vas voir s'il dort bien », répliqua la Cibot, qui plusieurs fois avait entendu le malade se remuer dans son sommeil.

En effet, souvent en doublant la dose d'un cal-

mant, on produit une irritation chez un malade.
Mais, en ce moment Pons était tranquille, et sur
un signe de la portière, les trois oiseaux de proie
entrèrent.

« Là sont les chefs-d'œuvre! dit en montrant le
salon Magus dont la barbe blanche frétillait par
tous ses poils, mais ici sont les diamants! Et quelles
richesses! les souverains n'ont rien de plus beau
dans leurs Trésors. »

Les yeux de Rémonencq, allumés par les tabatières, reluisaient comme des escarboucles. Fraisier,
calme, froid comme un serpent qui se serait dressé
sur sa queue, allongeait sa tête plate et se tenait
dans la pose que les peintres prêtent à Méphistophélès. Ces trois différents avares, altérés d'or
comme les diables le sont des rosées du paradis,
dirigèrent, sans s'être concertés, un regard sur le
possesseur de tant de richesses, car il avait fait un
de ces mouvements inspirés par le cauchemar. Tout
à coup, sous le jet de ces trois rayons diaboliques,
le malade ouvrit les yeux et jeta des cris per-
çants.

« Des voleurs! Les voilà! A la garde! on m'assassine. » Evidemment il continuait son rêve tout
éveillé, car il s'était dressé sur son séant, les yeux
agrandis, blancs, fixes, sans pouvoir bouger. Elie
Magus et Rémonencq gagnèrent la porte; mais ils
y furent cloués par ce mot :

« Magus, ici... Je suis trahi... » Le malade était
réveillé par l'instinct de la conservation de son
trésor, sentiment au moins égal à celui de la conser-

vation personnelle. « Madame Cibot, qui est monsieur? cria-t-il en frissonnant à l'aspect de Fraisier qui restait immobile.

— Pardieu! est-ce que je pouvais le mettre à la porte, dit-elle en clignant de l'œil et faisant signe à Fraisier... Monsieur s'est présenté tout à l'heure au nom de votre famille... »

Fraisier laissa échapper un mouvement d'admiration pour la Cibot.

« Oui, monsieur, je venais de la part de Mme la présidente de Marville, de son mari, de sa fille, vous témoigner leurs regrets; ils ont appris fortuitement votre maladie, et ils voudraient vous soigner euxmêmes... ils vous offrent d'aller à la terre de Marville y recouvrer la santé; Mme la vicomtesse Popinot, la petite Cécile que vous aimez tant, sera votre garde-malade... elle a pris votre défense auprès de sa mère, elle l'a fait revenir de l'erreur où elle était.

— Et ils vous ont envoyé, mes héritiers! s'écria Pons indigné, en vous donnant pour guide le plus habile connaisseur, le plus fin expert de Paris?... Ah! la charge est bonne, reprit-il en riant d'un rire de fou. Vous venez évaluer mes tableaux, mes curiosités, mes tabatières, mes miniatures!... Evaluez! vous avez un homme qui, non seulement a les connaissances en toute chose, mais qui peut acheter, car il est dix fois millionnaire... Mes chers parents n'attendront pas longtemps ma succession, dit-il avec une ironie profonde, ils m'ont donné le coup de pouce... Ah! madame Cibot, vous vous dites ma mère, et vous introduisez les marchands, mon concurrent et les Camusot ici pendant que je dors!... Sortez tous!... »

Et le malheureux, surexcité par la double action de la colère et de la peur, se leva décharné.

« Prenez mon bras, monsieur, dit la Cibot en se précipitant sur Pons pour l'empêcher de tomber. Calmez-vous donc, ces messieurs sont sortis.

— Je veux voir le salon!... » dit le moribond.

La Cibot fit signe aux trois corbeaux de s'envoler; puis, elle saisit Pons, l'enleva comme une plume, et le recoucha, malgré ses cris. En voyant le malheureux collectionneur tout à fait épuisé, elle alla fermer la porte de l'appartement. Les trois bourreaux de Pons étaient encore sur le palier, et lorsque la Cibot les vit, elle leur dit de l'attendre, en entendant cette parole de Fraisier à Magus : « Ecrivez-moi une lettre signée de vous deux, par laquelle vous vous engageriez à payer neuf cent mille francs comptant la collection de M. Pons, et nous verrons à vous faire un beau bénéfice. »

Puis il souffla dans l'oreille de la Cibot un mot, un seul, que personne ne put entendre, et il descendit avec les deux marchands à la loge.

« Madame Cibot, dit le malheureux Pons, quand la portière revint, sont-ils partis?...

— Qui... partis?... demanda-t-elle.

— Ces hommes?...

— Quels hommes?.. Allons, vous avez vu des hommes! dit-elle. Vous venez d'avoir un coup de fièvre chaude, que sans moi vous alliez passer par

la fenêtre, et vous me parlez encore d'hommes...
Allez-vous rester toujours comme ça?...

— Comment, là, tout à l'heure, il n'y avait pas
un monsieur qui s'est dit envoyé par ma famille...

— Allez-vous *m'ostiner* encore, reprit-elle. Ma foi,
savez-vous où l'on devrait vous mettre? à *Chalen-
ton!*... Vous voyez des hommes...

— Elie Magus, Rémonencq...

— Ah! pour Rémonencq, vous pouvez l'avoir vu,
car il est venu me dire que mon pauvre Cibot va
si mal, que je vais vous planter là pour vous laisser
reverdir. Mon Cibot avant tout, voyez-vous! Quand
mon homme est malade, moi, je ne connais plus personne. Tâchez de rester tranquille et de dormir une
couple d'heures, car j'ai dit d'envoyer chercher
M. Poulain, et je reviendrai avec lui... Buvez et
soyez sage.

— Il n'y avait personne dans ma chambre, là,
tout à l'heure quand je me suis éveillé?...

— Personne! dit-elle. Vous aurez vu M. Rémonencq dans vos glaces.

— Vous avez raison, madame Cibot, dit le malade en devenant doux comme un mouton.

— Eh bien, vous voilà raisonnable, adieu, mon
Chérubin, restez tranquille, je serai dans un instant
à vous. »

Quand Pons entendit fermer la porte de l'appartement, il rassembla ses dernières forces pour se
lever, car il se dit :

« On me trompe! on me dévalise! Schmucke est
un enfant qui se laisserait lier dans un sac!... »

Et le malade, animé par le désir d'éclaircir la
scène affreuse qui lui semblait trop réelle pour être
une vision, put gagner la porte de sa chambre, il
l'ouvrit péniblement, et se trouva dans son salon,
où la vue de ses chères toiles, de ses statues, de ses
bronzes florentins, de ses porcelaines, le ranima.
Le collectionneur, en robe de chambre, les jambes
nues, la tête en feu, put faire le tour des deux
rues qui se trouvaient tracées par les crédences et
les armoires dont la rangée partageait le salon en
deux parties. Par la puissance du premier coup
d'œil du maître, il compta tout, et aperçut son
musée au complet. Il allait rentrer, lorsque son regard fut attiré par un portrait de Greuze mis à la
place du *Chevalier de Malte*, de Sébastien del
Piombo. Le soupçon sillonna son intelligence
comme un éclair zèbre un ciel orageux. Il regarda
la place occupée par ses huit tableaux capitaux,
et les trouva remplacés tous. Les yeux du pauvre
homme furent tout à coup couverts d'un voile noir,
il fut pris par une faiblesse, et tomba sur le parquet.
Cet évanouissement fut si complet, que Pons resta
là pendant deux heures, il fut trouvé par Schmucke,
quand l'Allemand, réveillé, sortit de sa chambre
pour venir voir son ami. Schmucke eut mille peines
à relever le moribond et à le recoucher; mais quand
il adressa la parole à ce quasi-cadavre, et qu'il reçut
un regard glacé, des paroles vagues et bégayées, le
pauvre Allemand, au lieu de perdre la tête, devint
un héros d'amitié. Sous la pression du désespoir, cet
homme-enfant eut de ces inspirations comme en ont

les femmes aimantes ou les mères. Il fit chauffer des
serviettes (il trouva des serviettes!), il sut en entortiller les mains de Pons, il lui en mit au creux
de l'estomac; puis il prit ce front moite et froid
entre ses mains, il y appela la vie avec une puissance
de volonté digne d'Apollonius de Thyane. Il baisa
son ami sur les yeux comme ces Marie que les
grands sculpteurs italiens ont sculptées dans leurs
bas-reliefs appelés *Pieta*, baisant le Christ. Ces efforts
divins, cette effusion d'une vie dans une autre, cette
œuvre de mère et d'amante fut couronnée d'un
plein succès. Au bout d'une demi-heure, Pons ré-
chauffé reprit forme humaine : la couleur vitale
revint aux yeux, la chaleur extérieure rappela le
mouvement dans les organes, Schmucke fit boire
à Pons de l'eau de mélisse mêlée à du vin, l'esprit
de la vie s'infusa dans ce corps, l'intelligence
rayonna de nouveau sur ce front naguère insensible
comme une pierre. Pons comprit alors à quel saint
dévouement, à quelle puissance d'amitié cette résur-
rection était due.

« Sans toi, je mourais! » dit-il en se sentant le
visage doucement baigné par les larmes du bon
Allemand, qui riait et qui pleurait tout à la fois.

En entendant cette parole, attendue dans le délire
de l'espoir, qui vaut celui du désespoir, le pauvre
Schmucke, dont toutes les forces étaient épuisées,
s'affaissa comme un ballon crevé. Ce fut à son tour
de tomber, il se laissa aller sur un fauteuil, joignit
les mains et remercia Dieu par une fervente prière.
Un miracle venait pour lui de s'accomplir! Il ne

croyait pas au pouvoir de sa prière en action, mais à celui de Dieu qu'il avait invoqué. Cependant le miracle était un effet naturel et que les médecins ont constaté souvent. Un malade entouré d'affection, soigné par des gens intéressés à sa vie, à chances égales est sauvé, là où succombe un sujet gardé par des mercenaires. Les médecins ne veulent pas voir en ceci les effets d'un magnétisme involontaire, ils attribuent ce résultat à des soins intelligents, à l'exacte observation de leurs ordonnances; mais beaucoup de mères connaissent la vertu de ces ardentes projections d'un constant désir.

« Mon bon Schmucke!...

— *Ne barle bas, che d'endendrai bar le cueir... rebose! rebose!* dit le musicien en souriant.

— Pauvre ami! noble créature! Enfant de Dieu vivant en Dieu! seul être qui m'ait aimé!... » dit Pons par interjections, en trouvant dans sa voix des modulations inconnues.

L'âme, près de s'envoler, était toute dans ces paroles qui donnèrent à Schmucke des jouissances presque égales à celles de l'amour.

« *Fis! fis! ed che teviendrai ein lion! che drafaillerai bir teux.*

— Ecoute, mon bon, et fidèle, et adorable ami! laisse-moi parler, le temps me presse, car je suis mort, je ne reviendrai pas de ces crises répétées. »

Schmucke pleura comme un enfant.

« Ecoute donc, tu pleureras après... dit Pons. Chrétien, il faut te soumettre. On m'a volé, et c'est la Cibot... Avant de te quitter, je dois t'éclairer sur les choses de la vie, tu ne les sais pas... On a pris huit tableaux qui valaient des sommes considérables.

— *Bartonne-moi, che les ai fentus...*

— Toi!

— *Moi...* dit le pauvre Allemand, *nis édions assignés au dripinal...*

— Assignés?... par qui?...

— *Addans!...* »

Schmucke alla chercher le papier timbré laissé par l'huissier et l'apporta.

Pons lut attentivement ce grimoire. Après lecture, il laissa tomber le papier et garda le silence. Cet observateur du travail humain, qui jusqu'alors avait négligé le moral, finit par compter tous les fils de la trame ourdie par la Cibot. Sa verve d'artiste, son intelligence d'élève de l'Académie de Rome, toute sa jeunesse lui revint pour quelques instants.

« Mon bon Schmucke, obéis-moi militairement. Ecoute! descends à la loge et dis à cette affreuse femme que je voudrais revoir la personne qui m'est envoyée par mon cousin le président, et que, si elle ne vient pas, j'ai l'intention de léguer ma collection au Musée; qu'il s'agit de faire mon testament. »

Schmucke s'acquitta de la commission; mais, au premier mot, la Cibot répondit par un sourire.

« Notre cher malade a eu, mon bon monsieur Schmucke, une attaque de fièvre chaude, et il a cru voir du monde dans sa chambre. Je vous donne ma

parole d'honnête femme que personne n'est venu
de la part de la famille de notre cher malade... »

Schmucke revint avec cette réponse, qu'il répéta
textuellement à Pons.

« Elle est plus forte, plus madrée, plus astu-
cieuse, plus machiavélique que je ne le croyais, dit
Pons en souriant, elle ment jusque dans sa loge!
Figure-toi qu'elle a, ce matin, amené ici un Juif,
nommé Elie Magus, Rémonencq et un troisième qui
m'est inconnu, mais qui est plus affreux à lui seul
que les deux autres. Elle a compté sur mon sommeil
pour évaluer ma succession, le hasard a fait que je
me suis éveillé, je les ai vus tous trois soupesant
mes tabatières. Enfin, l'inconnu s'est dit envoyé par
les Camusot, j'ai parlé avec lui... Cette infâme Cibot
m'a soutenu que je rêvais... Mon bon Schmucke,
je ne rêvais pas!... J'ai bien entendu cet homme, il
m'a parlé... Les deux marchands se sont effrayés et
ont pris la porte... J'ai cru que la Cibot se démen-
tirait!... Cette tentative est inutile. Je vais tendre
un autre piège où la scélérate se prendra... Mon
pauvre ami, tu prends la Cibot pour un ange, c'est
une femme qui m'a, depuis un mois, assassiné dans
un but cupide. Je n'ai pas voulu croire à tant de
méchanceté chez une femme qui nous avait servis
fidèlement pendant quelques années. Ce doute m'a
perdu... Combien t'a-t-on donné des huit tableaux?...

— Cinq mille francs.

— Bon Dieu, ils en valaient vingt fois autant!
s'écria Pons, c'est la fleur de ma collection. Je n'ai
pas le temps d'intenter un procès, d'ailleurs ce se-

rait te mettre en cause comme la dupe de ces co-
quins... Un procès te tuerait! Tu ne sais pas ce que
c'est que la justice! C'est l'égout de toutes les infamies
morales... A voir tant d'horreurs, des âmes comme
la tienne y succombent. Et puis tu seras assez riche.
Ces tableaux m'ont coûté quatre mille francs, je
les ai depuis trente-six ans... Mais nous avons été
volés avec une habileté surprenante. Je suis sur le
bord de ma fosse, je ne me soucie plus que de toi...
de toi, le meilleur des êtres. Or, je ne veux pas
que tu sois dépouillé, car tout ce que je possède est
à toi. Donc, il faut te défier de tout le monde, et
tu n'as jamais eu de défiance. Dieu te protège, je
le sais; mais il peut t'oublier pendant un moment,
et tu serais flibusté comme un vaisseau marchand.
La Cibot est un monstre, elle me tue! et tu vois
en elle un ange, je veux te la faire connaître, va
la prier de t'indiquer un notaire, qui reçoive mon
testament... et je te la montrerai les mains dans
le sac. »

Schmucke écoutait Pons comme s'il lui avait raconté l'Apocalypse. Qu'il existât une nature aussi
perverse que devait être celle de la Cibot, si Pons
avait raison, c'était pour lui la négation de la Providence.

« *Mon baufre ami Bons se droufe si mâle,* dit
l'Allemand en descendant à la loge et s'adressant à
Mme Cibot, *qu'il feud vaire son desdamand, allez
chercher ein notaire...* »

Ceci fut dit en présence de plusieurs personnes,
car l'état de Cibot était presque désespéré. Rémo-

nencq, sa sœur, deux portières accourues des maisons voisines, trois domestiques des locataires de la maison et le locataire du premier étage sur le devant de la rue stationnaient sous la porte cochère.

« Ah! vous pouvez bien aller chercher un notaire vous-même, s'écria la Cibot, les larmes aux yeux, et faire faire votre testament par qui vous voudrez... Ce n'est pas quand mon pauvre Cibot est à la mort que je quitterai son lit... Je donnerais tous les Pons du monde pour conserver Cibot... un homme qui ne m'a jamais causé pour deux onces de chagrin pendant trente ans de ménage!... »

Et elle rentra, laissant Schmucke tout interdit.

« Monsieur, dit à Schmucke le locataire du premier étage, M. Pons est-il donc bien mal?... »

Ce locataire, nommé Jolivard, était un employé de l'Enregistrement, au bureau du Palais.

« *Il a vailli murir dud à l'heire!* répondit Schmucke avec une profonde douleur.

— Il y a près d'ici, rue Saint-Louis, M. Trognon, notaire, fit observer M. Jolivard. C'est le notaire du quartier.

— Voulez-vous que je l'aille chercher? demanda Rémonencq à Schmucke.

— *Pien folondiers...* répondit Schmucke, *gar si montame Zibod ne beut bas carter mon ami, che ne fitrais bas le guidder tant l'édat ù il esd...*

— Mme Cibot nous disait qu'il devenait fou!... reprit Jolivard.

— *Bons vou?* s'écria Schmucke frappé de terreur.

*Chamais il n'a i dand t'esbrit... et c'esd ce qui m'ein-
guiède bir sa santé... »*

Toutes les personnes qui composaient l'attroupe-
ment écoutaient cette conversation avec une curiosité bien naturelle, et qui la grava dans leur mémoire. Schmucke, qui ne connaissait pas Fraisier,
ne put faire attention à cette tête satanique et à ces
yeux brillants. Fraisier, en jetant deux mots dans
l'oreille de la Cibot, avait été l'auteur de la scène
hardie, peut-être au-dessus des moyens de la Cibot,
mais qu'elle avait jouée avec une supériorité magis-
trale. Faire passer le moribond pour fou, c'était
une des pierres angulaires de l'édifice bâti par
l'homme de loi. L'incident de la matinée avait bien
servi Fraisier; et, sans lui, peut-être la Cibot, dans
son trouble, se serait-elle démentie, au moment où
l'innocent Schmucke était venu lui tendre un piège
en la priant de rappeler l'envoyé de la famille.
Rémonencq, qui vit venir le docteur Poulain, ne
demandait pas mieux que de disparaître. Et voici
pourquoi : Rémonencq, depuis dix jours, remplis-
sait le rôle de la Providence, ce qui déplaît singu-
lièrement à la Justice dont la prétention est de la
représenter à elle seule. Rémonencq voulait se débarrasser à tout prix du seul obstacle qui s'opposait
à son bonheur. Pour lui, le bonheur, c'était d'épouser l'appétissante portière, et de tripler ses capitaux.
Or, Rémonencq, en voyant le petit tailleur buvant
de la tisane, avait eu l'idée de convertir son indis-
position en une maladie mortelle, et son état de ferrailleur lui en avait donné le moyen.

Un matin, pendant qu'il fumait sa pipe, le dos appuyé au chambranle de la porte de sa boutique, et qu'il rêvait à ce beau magasin sur le boulevard de la Madeleine où trônerait Mme Cibot, superbement vêtue, ses yeux tombèrent sur une rondelle en cuivre fortement oxydée. L'idée de nettoyer économiquement sa rondelle dans la tisane de Cibot lui vint subitement. Il attacha ce cuivre, rond comme une pièce de cent sous, par une petite ficelle; et, pendant que la Cibot était occupée chez ses messieurs, il allait tous les jours savoir des nouvelles de son ami le tailleur. Durant cette visite de quelques minutes, il laissait tremper la rondelle en cuivre; et, en s'en allant, il la reprenait par la ficelle. Cette légère addition de cuivre chargé de son oxyde, communément appelé vert-de-gris, introduisit secrètement un principe délétère dans la tisane bienfaisante, mais en proportions homéopathiques, ce qui fit des ravages incalculables. Voici quels furent les résultats de cette homéopathie criminelle. Le troisième jour, les cheveux du pauvre Cibot tombèrent, les dents tremblèrent dans leurs alvéoles, et l'économie de cette organisation fut troublée par cette imperceptible dose de poison. Le docteur Poulain se creusa la tête en apercevant l'effet de cette décoction, car il était assez savant pour reconnaître l'action d'un agent destructeur. Il emporta la tisane, à l'insu de tout le monde, et il en opéra l'analyse lui-même; mais il n'y trouva rien. Le hasard voulut que, ce jour-là, Rémonencq, effrayé de ses œuvres, n'eût pas nettoyé sa rondelle.

Le docteur Poulain s'en tira vis-à-vis de lui-même et de la science, en supposant que, par suite d'une vie sédentaire, dans une loge humide, le sang de ce tailleur accroupi sur une table, devant cette fenêtre grillagée, avait pu se décomposer, faute d'exercice, et surtout à la perpétuelle aspiration des émanations d'un ruisseau fétide. La rue de Normandie est une de ces vieilles rues à chaussée fendue, où la ville de Paris n'a pas encore mis de bornes-fontaines, et dont le ruisseau noir roule péniblement les eaux ménagères de toutes les maisons, qui s'infiltrent sous les pavés et y produisent cette boue particulière à la ville de Paris.

La Cibot, elle, allait et venait, tandis que son mari, travailleur intrépide, était toujours devant cette croisée, assis comme un fakir. Les genoux du tailleur étaient ankylosés, le sang se fixait dans le buste, les jambes amaigries, tortues, devenaient des membres presque inutiles. Aussi le teint fortement cuivré de Cibot paraissait-il naturellement maladif depuis fort longtemps. La bonne santé de la femme et la maladie de l'homme semblèrent au docteur un fait naturel, expliqué par la différence des fonctions que remplissaient les époux Cibot.

« Quelle est donc la maladie de mon pauvre Cibot? avait demandé la portière au docteur Poulain.

— Ma chère madame Cibot, répondit le docteur, il meurt de la maladie des portiers... son étiolement général annonce une incurable viciation du sang. »

Un crime sans objet, sans aucun gain, sans aucun intérêt, finit par effacer dans l'esprit du docteur Poulain ses premiers soupçons. Qui pouvait vouloir tuer Cibot? sa femme? le docteur lui vit goûter à la tisane de Cibot en la sucrant. Une assez grande quantité de crimes échappent à la vengeance de la société, c'est en général ceux qui se commettent, comme celui-ci, sans les preuves effrayantes d'une violence quelconque : le sang répandu, la strangulation, les coups, enfin les procédés maladroits; mais surtout quand le meurtre est sans intérêt apparent, et commis dans les classes inférieures. Le crime est toujours dénoncé par son avant-garde, par des haines, par des cupidités visibles dont sont instruits les gens aux yeux de qui l'on vit. Mais, dans les circonstances où se trouvaient le petit tailleur, Rémonencq et la Cibot, personne n'avait intérêt à chercher la cause de la mort, excepté le médecin. Ce portier maladif, cuivré, sans fortune, adoré de sa femme, était sans ennemis. Les motifs et la passion du brocanteur se cachaient dans l'ombre tout aussi bien que les capitaux illégalement acquis par la Cibot. Le médecin connaissait à fond la portière et ses sentiments, il la croyait capable de tourmenter Pons; mais il la savait sans intérêt ni force pour un crime; d'ailleurs, elle buvait une cuillerée de tisane toutes les fois que le docteur venait et qu'elle donnait à boire à son mari. Poulain, le seul de qui pouvait venir la lumière, crut à quelque hasard de maladie, à l'une de ces étonnantes exceptions qui rendent la méde-

cine un si périlleux métier. Et en effet, le petit
tailleur se trouva malheureusement, par suite de son
existence rabougrie, dans des conditions de mauvaise santé telles que cette imperceptible addition
d'oxyde de cuivre devait lui donner la mort. Les
commères, les voisins se comportaient aussi de manière à innocenter Rémonencq en justifiant cette
mort subite.

« Ah! s'écriait l'un, il y a bien longtemps que je
disais que M. Cibot n'allait pas bien.

— Il travaillait trop, c't homme-là! répondait un
autre, il s'est brûlé le sang.

— Il ne voulait pas m'écouter, s'écriait un voisin, je lui conseillais de se promener le dimanche,
de faire le lundi, car ce n'est pas trop de deux
jours par semaine pour se divertir. »

Enfin, la rumeur du quartier, si délatrice, et que
la justice écoute par les oreilles du commissaire de
Police, ce roi de la basse classe, expliquait parfaitement la mort du petit tailleur. Néanmoins, l'air
pensif, les yeux inquiets de M. Poulain, embar-
rassaient beaucoup Rémonencq; aussi, voyant venir
le docteur, se proposa-t-il avec empressement à
Schmucke pour aller chercher ce M. Trognon que
connaissait Fraisier.

« Je serai revenu pour le moment où le testament se fera, dit Fraisier à l'oreille de la Cibot, et,
malgré votre douleur, il faut veiller au grain. »

Le petit avoué, qui disparut avec la légèreté
d'une ombre, rencontra son ami le médecin.

« Eh! Poulain, s'écria-t-il, tout va bien. Nous

sommes sauvés!... Je te dirai ce soir comment!
Cherche quelle est la place qui te convient! tu
l'auras! Et moi! je suis juge de paix. Tabareau ne
me refusera plus sa fille... Quant à toi, je me charge
de te faire épouser Mlle Vitel, la petite-fille de notre
juge de paix. »

Fraisier laissa Poulain sur la stupéfaction que ces
folles paroles lui causèrent, et sauta sur le boulevard comme une balle; il fit signe à l'omnibus et
fut, en dix minutes, déposé par ce coche moderne
à la hauteur de la rue Choiseul. Il était environ
quatre heures, Fraisier était sûr de trouver la présidente seule, car les magistrats ne quittent guère
le Palais avant cinq heures.

Mme de Marville reçut Fraisier avec une distinction qui prouvait que, selon sa promesse, faite à
Mme Vatinelle, M. Lebœuf avait parlé favorable-
ment de l'ancien avoué de Mantes. Amélie fut
presque chatte avec Fraisier, comme la duchesse de
Montpensier dut l'être avec Jacques Clément; car
ce petit avoué, c'était son couteau. Mais quand
Fraisier présenta la lettre collective, par laquelle
Elie Magus et Rémonencq s'engageaient à prendre
en bloc la collection de Pons pour une somme de
neuf cent mille francs payée comptant, la présidente
lança sur l'homme d'affaires un regard d'où jaillis-
sait la somme. Ce fut une nappe de convoitise qui
roula jusqu'à l'avoué.

« M. le président, lui dit-elle, m'a chargée de
vous inviter à dîner demain, nous serons en famille, vous aurez pour convives M. Godeschal, le

successeur de maître Desroches, mon avoué; puis
Berthier, notre notaire; mon gendre et ma fille...
Après le dîner, nous aurons, vous et moi, le notaire
et l'avoué, la petite conférence que vous avez de-
mandée, et où je vous remettrai nos pouvoirs. Ces
deux messieurs obéiront, comme vous l'exigez, à vos
inspirations, et veilleront à ce que *tout cela* se passe
bien. Vous aurez la procuration de M. de Marville
dès qu'elle vous sera nécessaire...

— Il me la faudra pour le jour du décès...

— On la tiendra prête...

— Madame la présidente, si je demande une procuration, si je veux que votre avoué ne paraisse
pas, c'est bien moins dans mon intérêt que dans le
vôtre... Quand je me donne, moi! je me donne tout
entier. Aussi, madame, demandé-je en retour la
même fidélité, la même confiance à mes protecteurs,
je n'ose dire de vous, mes clients. Vous pouvez
croire qu'en agissant ainsi, je veux m'accrocher à
l'affaire; non, non, madame : s'il se commettait des
choses répréhensibles... car, en matière de succession, on est entraîné... surtout par un poids de neuf
cent mille francs... eh bien, vous ne pouvez pas dé-
savouer un homme comme maître Godeschal, la
probité même; mais on peut rejeter tout sur le dos
d'un méchant petit homme d'affaires... »

La présidente regarda Fraisier avec admiration.

« Vous devez aller bien haut ou bien bas, lui dit-
elle. A votre place, au lieu d'ambitionner cette retraite de juge de paix, je voudrais être procureur
du roi... à Mantes! et faire un grand chemin.

— Laissez-moi faire, madame! La justice de paix est un cheval de curé pour M. Vitel, je m'en ferai un cheval de bataille. »

La présidente fut amenée ainsi à sa dernière confidence avec Fraisier.

« Vous me paraissez dévoué si complètement à nos intérêts, dit-elle, que je vais vous initier aux difficultés de notre position et à nos espérances. Le président, lors du mariage projeté pour sa fille et un intrigant qui, depuis, s'est fait banquier, désirait vivement augmenter la terre de Marville de plusieurs herbages, alors à vendre. Nous nous sommes dessaisis de cette magnifique habitation pour marier ma fille comme vous savez; mais je souhaite bien vivement, ma fille étant fille unique, acquérir le reste de ces herbages. Ces belles prairies ont été déjà vendues en partie, elles appartiennent à un Anglais qui retourne en Angleterre, après avoir demeuré là pendant vingt ans; il a bâti le plus charmant cottage dans une délicieuse situation, entre le parc de Marville et les prés qui dépendaient autrefois de la terre, et il a racheté, pour se faire un parc, des remises, des petits bois, des jardins à des prix fous. Cette habitation avec ses dépendances forme fabrique dans le paysage, et elle est contiguë aux murs du parc de ma fille. On pourrait avoir les herbages et l'habitation pour sept cent mille francs, car le produit net des prés est de vingt mille francs... Mais si M. Wadmann apprend que c'est nous qui achetons, il voudra sans doute deux ou trois cent mille francs de plus, car il les perd, si, comme cela se fait en matière rurale, on ne compte l'habitation pour rien...

— Mais, madame, vous pouvez, selon moi, si bien regarder la succession comme à vous que je m'offre à jouer le rôle d'acquéreur à votre profit, et je me charge de vous avoir la terre au meilleur marché possible par un sous seing privé, comme cela se fait pour les marchands de bien... Je me présenterai à l'Anglais en cette qualité. Je connais ces affaires-là, c'était à Mantes ma spécialité. Vatinelle avait doublé la valeur de son Etude, car je travaillais sous son nom...

— De là votre liaison avec la petite Mme Vatinelle... Ce notaire doit être bien riche aujourd'hui...

— Mais Mme Vatinelle dépense beaucoup... Ainsi, soyez tranquille, madame, je vous servirai l'Anglais cuit à point...

— Si vous arriviez à ce résultat, vous auriez des droits éternels à ma reconnaissance... Adieu, mon cher monsieur Fraisier. A demain... »

Fraisier sortit en saluant la présidente avec moins de servilité que la dernière fois.

« Je dîne demain chez le président Marville!... se disait Fraisier. Allons, je tiens ces gens-là. Seulement, pour être maître absolu de l'affaire, il faudrait que je fusse le conseil de cet Allemand, dans la personne de Tabareau, l'huissier de la justice de paix! Ce Tabareau, qui me refuse sa fille, une fille unique, me la donnera si je suis juge de paix. Mlle Tabareau, cette grande fille rousse et poitrinaire, est propriétaire du chef de sa mère d'une maison à la place Royale; je serai donc éligible. A la mort de son père, elle aura bien encore six mille livres de rente. Elle n'est pas belle, mais, mon Dieu! pour passer de zéro à dix-huit mille francs de rente, il ne faut pas regarder à la planche sur laquelle on marche!... »

Et, en revenant par les boulevards à la rue de Normandie, il se laissait aller au cours de ce rêve d'or. Il se laissait aller au bonheur d'être à jamais hors du besoin; il pensait à marier Mlle Vitel, la fille du juge de paix, à son ami Poulain. Il se voyait, de concert avec le docteur, un des rois du quartier, il dominerait les élections municipales, militaires et politiques. Les boulevards paraissent courts, lorsqu'en s'y promenant on promène ainsi son ambition à cheval sur la fantaisie.

Lorsque Schmucke remonta près de son ami Pons, il lui dit que Cibot était mourant, et que Rémonencq était allé chercher M. Trognon, notaire. Pons fut frappé de ce nom, que la Cibot lui jetait si souvent dans ses interminables discours, en lui recommandant ce notaire comme la probité même. Et alors le malade, dont la défiance était devenue absolue depuis le matin, eut une idée lumineuse qui compléta le plan formé par lui pour se jouer de la Cibot et la dévoiler tout entière au crédule Schmucke.

« Schmucke, dit-il en prenant la main au pauvre Allemand hébété par tant de nouvelles et d'événements, il doit régner une grande confusion dans la maison, si le portier est à la mort, et nous sommes

à peu près libres pour quelques moments, c'est-
à-dire sans espions, car on nous espionne, sois-en sûr!
Sors, prends un cabriolet, va au théâtre, dis à
Mlle Héloïse, notre première danseuse, que je veux
la voir avant de mourir, et qu'elle vienne à dix
heures et demie, après son dernier pas. De là, tu
iras chez tes deux amis Schwab et Brunner, et tu les
prieras d'être ici demain à neuf heures du matin,
de venir demander de mes nouvelles, en ayant l'air
de passer par ici et de monter me voir... »

Voici quel était le plan forgé par le vieil artiste
en se sentant mourir. Il voulait enrichir Schmucke
en l'instituant son légataire universel; et, pour le
soustraire à toutes les chicanes possibles, il se proposait de dicter son testament à un notaire, en présence de témoins, afin qu'on ne supposât pas qu'il
n'avait plus sa raison, et pour ôter aux Camusot
tout prétexte d'attaquer ses dernières dispositions.
Ce nom de Trognon lui fit entrevoir quelque ma-
chination, il crut à quelque vice de forme projeté
par avance, à quelque infidélité préméditée par la
Cibot, et il résolut de se servir de ce Trognon pour
se faire dicter un testament olographe qu'il cachè-
terait et serrerait dans le tiroir de sa commode. Il
comptait montrer à Schmucke, en le faisant cacher
dans un des cabinets de son alcôve, la Cibot s'emparant de ce testament, le décachetant, le lisant et
le recachetant. Puis, le lendemain à neuf heures, il
voulait anéantir ce testament olographe par un testament par-devant notaire, bien en règle et indis-
cutable. Quand la Cibot l'avait traité de fou, de

visionnaire, il avait reconnu la haine et la vengeance, l'avidité de la présidente; car, au lit depuis deux mois, le pauvre homme, pendant ses insomnies, pendant ses longues heures de solitude, avait repassé les événements de sa vie au crible.

Les sculpteurs antiques et modernes ont souvent posé, de chaque côté de la tombe, des génies qui tiennent des torches allumées. Ces lueurs éclairent aux mourants le tableau de leurs fautes, de leurs erreurs, en leur éclairant les chemins de la Mort. La sculpture représente là de grandes idées, elle formule un fait humain. L'agonie a sa sagesse. Souvent on voit de simples jeunes filles, à l'âge le plus tendre, avoir une raison centenaire, devenir prophètes, juger leur famille, n'être les dupes d'aucune comédie. C'est là la poésie de la Mort. Mais, chose étrange et digne de remarque! on meurt de deux façons différentes. Cette poésie de la prophétie, ce don de bien voir, soit en avant, soit en arrière, n'appartient qu'aux mourants dont la chair seulement est atteinte, qui périssent par la destruction des organes de la vie charnelle. Ainsi les êtres attaqués, comme Louis XIV, par la gangrène; les poitrinaires, les malades qui périssent comme Pons par le foie, comme Mme de Mortsauf par l'estomac, ou comme les soldats par des blessures qui les saisissent en pleine vie, ceux-là jouissent de cette lucidité sublime, et font des morts surprenantes, admirables; tandis que les gens qui meurent par des maladies pour ainsi dire intelligentielles, dont le mal est dans le cerveau, dans l'appareil nerveux qui sert d'inter-

médiaire au corps pour fournir le combustible de
la pensée, ceux-là meurent tout entiers. Chez eux,
l'esprit et le corps sombrent à la fois. Les uns, âmes
sans corps, réalisent les spectres bibliques; les autres
sont des cadavres. Cet homme vierge, ce Caton
friand, ce juste presque sans péchés, pénétra tar-
divement dans les poches de fiel qui composaient le
cœur de la présidente. Il devina le monde sur le
point de le quitter. Aussi, depuis quelques heures,
avait-il pris gaiement son parti, comme un joyeux
artiste, pour qui tout est prétexte à *charge,* à raillerie. Les derniers liens qui l'unissaient à la vie, les
chaînes de l'admiration, les nœuds puissants qui
rattachaient le connaisseur aux chefs-d'œuvre de
l'art, venaient d'être brisés le matin. En se voyant
volé par la Cibot, Pons avait dit adieu chrétienne-
ment aux pompes et aux vanités de l'art, à sa collection, à ses amitiés pour les créateurs de tant de
belles choses, et il voulait uniquement penser à la
mort, à la façon de nos ancêtres qui la comptaient
comme une des fêtes du chrétien. Dans sa tendresse
pour Schmucke, Pons voulut tâcher de le protéger
du fond de son cercueil. Cette pensée paternelle fut
la raison du choix qu'il fit du premier sujet de la
danse, pour avoir du secours contre les perfidies qui
l'entouraient, et qui ne pardonneraient sans doute
pas à son légataire universel.

Héloïse Brisetout était une de ces natures qui
restent vraies dans une position fausse, capable de
toutes les plaisanteries possibles contre des adorateurs paysans, une fille de l'école des Florine, des

Malaga, des Carabine, des Mariette, des Jenny
Cadine et des Josépha; mais bonne camarade et ne
redoutant aucun pouvoir humain, à force de les
voir tous faibles, et habituée qu'elle était à lutter
avec les sergents de ville au bal peu champêtre de
Mabille et au carnaval. « Si elle a fait donner ma
place à son protégé Garangeot, elle se croira d'autant plus obligée de me servir », se dit Pons.
Schmucke put sortir sans qu'on fît attention à lui,
dans la confusion qui régnait dans la loge, et il
revint avec la plus excessive rapidité, pour ne pas
laisser trop longtemps Pons tout seul.

M. Trognon arriva pour le testament, en même
temps que Schmucke. Quoique Cibot fût à la mort,
sa femme accompagna le notaire, l'introduisit dans
la chambre à coucher, et se retira d'elle-même, en
laissant ensemble Schmucke, M. Trognon et Pons,
mais elle s'arma d'une petite glace à main d'un
travail curieux, et prit position à la porte, qu'elle
laissa entrebâillée. Elle pouvait ainsi non seulement
entendre, mais voir tout ce qui se dirait et ce qui se
passerait dans ce moment suprême pour elle.

« Monsieur, dit Pons, j'ai malheureusement
toutes mes facultés, car je sens que je vais mourir;
et, par la volonté de Dieu, sans doute, aucune des
souffrances de la mort ne m'est épargnée!... Voici
M. Schmucke... »

Le notaire salua Schmucke.

« C'est le seul ami que j'aie sur la terre, dit
Pons, et je veux l'instituer mon légataire universel; dites-moi quelle forme doit avoir mon testa-

ment, pour que mon ami, qui est Allemand, qui ne
sait rien de nos lois, puisse recueillir ma succession
sans aucune contestation.

— On peut toujours tout contester, monsieur, dit
le notaire, c'est l'inconvénient de la justice humaine. Mais en matière de testament, il en est
d'inattaquables...

— Lequel? demanda Pons.

— Un testament fait par-devant notaire, en présence de témoins qui certifient que le testateur
jouit de toutes ses facultés, et si le testateur n'a ni
femme, ni enfants, ni père, ni frère...

— Je n'ai rien de tout cela, toutes mes affections
sont réunies sur la tête de mon cher ami Schmucke,
que voici... »

Schmucke pleurait.

« Si donc vous n'avez que des collatéraux éloi-
gnés, la loi vous laissant la libre disposition de vos
meubles et immeubles, si vous ne les léguez pas à
des conditions que la morale réprouve, car vous
avez dû voir des testaments attaqués à cause de la
bizarrerie des testateurs, un testament par-devant
notaire est inattaquable. En effet, l'identité de la
personne ne peut être niée, le notaire a constaté
l'état de sa raison, et la signature ne peut donner
lieu à aucune discussion... Néanmoins, un testament olographe, en bonne forme et clair, est aussi
peu discutable.

— Je me décide, pour des raisons à moi connues,
à écrire sous votre dictée un testament olographe,
et à le confier à mon ami que voici... Cela se peut-il?...

— Très bien! dit le notaire... Voulez-vous écrire?
je vais dicter...

— Schmucke, donne-moi ma petite écritoire de
Boule. Monsieur, dictez-moi tout bas; car, ajouta-
t-il, on peut nous écouter.

— Dites-moi donc avant tout quelles sont vos intentions », demanda le notaire.

Au bout de dix minutes, la Cibot, que Pons
entrevoyait dans une glace, vit cacheter le testament,
après que le notaire l'eut examiné pendant que
Schmucke allumait une bougie; puis Pons le remit
à Schmucke en lui disant de le serrer dans une cachette pratiquée dans son secrétaire. Le testateur
demanda la clef du secrétaire, l'attacha dans le
coin de son mouchoir, et mit le mouchoir sous son
oreiller. Le notaire, nommé par politesse exécuteur testamentaire, et à qui Pons laissait un tableau
de prix, une de ces choses que la loi permet de
donner à un notaire, sortit et trouva Mme Cibot
dans le salon.

« Eh bien, monsieur? M. Pons a-t-il pensé à moi?

— Vous ne vous attendez pas, ma chère, à ce
qu'un notaire trahisse les secrets qui lui sont confiés,
répondit M. Trognon. Tout ce que je puis vous
dire, c'est qu'il y aura bien des cupidités déjouées
et bien des espérances trompées. M. Pons a fait un
beau testament plein de sens, un testament patrio-
tique et que j'approuve fort. »

On ne se figure pas à quel degré de curiosité la
Cibot arriva, stimulée par de telles paroles. Elle
descendit et passa la nuit près de Cibot, en se pro-

mettant de se faire remplacer par Mlle Rémonencq,
et d'aller lire le testament entre deux et trois heures
du matin.

La visite de Mlle Héloïse Brisetout, à dix heures
et demie du soir, parut assez naturelle à la Cibot;
mais elle eut si peur que la danseuse ne parlât des
mille francs donnés par Gaudissart, qu'elle accompagna le premier sujet en lui prodiguant des politesses et des flatteries comme à une souveraine.

« Ah! ma chère, vous êtes bien mieux sur votre
terrain qu'au théâtre, dit Héloïse en montant l'escalier. Je vous engage à rester dans votre emploi! »

Héloïse, amenée en voiture par Bixiou, son ami
de cœur, était magnifiquement habillée, car elle
allait à une soirée de Mariette, l'un des plus illustres
premiers sujets de l'Opéra. M. Chapoulot, ancien
passementier de la rue Saint-Denis, le locataire du
premier étage, qui revenait de l'Ambigu-Comique
avec sa fille, fut ébloui, lui comme sa femme, en ren-
contrant pareille toilette et une si jolie créature
dans leur escalier.

« Qui est-ce, madame Cibot? demanda Mme Chapoulot.

— C'est une rien du tout!... une sauteuse qu'on
peut voir quasi nue tous les soirs pour quarante
sous... répondit la portière à l'oreille de l'ancienne
passementière.

— Victorine! dit Mme Chapoulot à sa fille, ma
petite, laisse passer madame! »

Ce cri de mère épouvantée fut compris d'Héloïse, qui se retourna.

« Votre fille est donc pire que l'amadou, madame, que vous craignez qu'elle ne s'incendie en me touchant?... »

Héloïse regarda M. Chapoulot d'un air agréable en souriant.

« Elle est, ma foi, très jolie à la ville! » dit M. Chapoulot en restant sur le palier.

Mme Chapoulot pinça son mari à le faire crier, et le poussa dans l'appartement.

« En voilà, dit Héloïse, un second qui s'est donné le genre d'être un quatrième.

— Mademoiselle est cependant habituée à monter, dit la Cibot en ouvrant la porte de l'appartement.

— Eh bien, mon vieux, dit Héloïse en entrant dans la chambre où elle vit le pauvre musicien étendu, pâle et la face appauvrie, ça ne va donc pas bien? Tout le monde au théâtre s'inquiète de vous; mais vous savez! quoiqu'on ait bon cœur, chacun a ses affaires, et on ne trouve pas une heure pour aller voir ses amis. Gaudissart parle de venir ici tous les jours, et tous les matins il est pris par les ennuis de l'administration. Néanmoins nous vous aimons tous...

— Madame Cibot, dit le malade, faites-moi le plaisir de nous laisser avec mademoiselle, nous avons à causer théâtre et de ma place de chef d'orchestre... Schmucke reconduira bien madame. »

Schmucke, sur un signe de Pons, mit la Cibot à la porte, et tira les verrous.

« Ah! le gredin d'Allemand! voilà qu'il se gâte

aussi, lui!... se dit la Cibot en entendant ce bruit
significatif, c'est M. Pons qui lui apprend ces hor-
reurs-là... Mais vous me paierez cela, mes petits
amis... se dit la Cibot en descendant. Bah! si cette
saltimbanque de sauteuse lui parle des mille francs,
je leur dirai que c'est une farce de théâtre... »

Et elle s'assit au chevet de Cibot, qui se plaignait d'avoir le feu dans l'estomac, car Rémonencq
venait de lui donner à boire en l'absence de sa
femme.

« Ma chère enfant, dit Pons à la danseuse pendant que Schmucke renvoyait la Cibot, je ne me fie
qu'à vous pour me choisir un notaire honnête
homme, qui vienne recevoir demain matin, à neuf
heures et demie précises, mon testament. Je veux
laisser toute ma fortune à mon ami Schmucke. Si ce
pauvre Allemand était l'objet de persécutions, je
compte sur ce notaire pour le conseiller, pour le
défendre. Voilà pourquoi je désire un notaire considéré, très riche, au-dessus des considérations qui
font fléchir les gens de loi; car mon pauvre légataire doit trouver un appui en lui. Je me défie de
Berthier, successeur de Cardot, et vous qui connaissez tant de monde...

— Eh! j'ai ton affaire! dit la danseuse, le notaire
de Florine, de la comtesse du Bruel, Léopold Hannequin, un homme vertueux qui ne sait pas ce
qu'est une lorette! C'est comme un père de hasard,
un brave homme qui vous empêche de faire des
bêtises avec l'argent qu'on gagne; je l'appelle la
mort aux rats, car il a inculqué des principes d'éco-

nomie à toutes mes amies. D'abord, il a, mon cher,
soixante mille francs de rente, outre son étude. Puis
il est notaire comme on était notaire autrefois! Il est
notaire quand il marche, quand il dort; il a dû ne
faire que de petits notaires et de petites notairesses...
Enfin c'est un homme lourd et pédant; mais c'est
un homme à ne fléchir devant aucune puissance
quand il est dans ses fonctions... Il n'a jamais eu de
voleuse, c'est père de famille fossile! et c'est adoré
de sa femme, qui ne le trompe pas quoique femme
de notaire... Que veux-tu? il n'y a pas mieux dans
Paris en fait de notaire. C'est patriarche; ça n'est
pas drôle et amusant comme était Cardot avec Malaga, mais ça ne lèvera jamais le pied, comme le
petit Chose qui vivait avec Antonia! J'enverrai mon
homme demain matin à huit heures... Tu peux
dormir tranquillement. D'abord, j'espère que tu
guériras, et que tu nous feras encore de jolie musique; mais, après tout, vois-tu, la vie est bien triste,
les entrepreneurs chipotent, les rois carottent, les
ministres tripotent, les gens riches économisotent...
Les artistes n'ont plus de ça! dit-elle en se frappant
le cœur, c'est un temps à mourir... Adieu, vieux!

— Je te demande avant tout, Héloïse, la plus
grande discrétion.

— Ce n'est pas une affaire de théâtre, dit-elle,
c'est sacré, ça, pour une artiste.

— Quel est ton monsieur, ma petite?

— Le maire de ton arrondissement, M. Beau-
doyer, un homme aussi bête que feu Crevel; car tu
sais, Crevel, un des anciens commanditaires de Gau-

dissart, il est mort il y a quelques jours, et il ne m'a
rien laissé, pas même un pot de pommade! C'est ce
qui me fait te dire que notre siècle est dégoûtant.

— Et de quoi est-il mort?

— De sa femme!... S'il était resté avec moi, il vivrait encore! Adieu, mon bon vieux! je te parle de
crevaison, parce que je te vois dans quinze jours
d'ici te promenant sur le boulevard et flairant de
jolies petites curiosités, car tu n'es pas malade, tu
as les yeux plus vifs que je ne te les ai jamais
vus... »

Et la danseuse s'en alla, sûre que son protégé
Garangeot tenait pour toujours le bâton de chef
d'orchestre. Garangeot était son cousin germain.
Toutes les portes étaient entrebâillées, et tous les
ménages sur pied regardèrent passer le premier sujet. Ce fut un événement dans la maison.

Fraisier, semblable à ces bouledogues qui ne lâ-
chent pas le morceau où ils ont mis la dent, stationnait dans la loge auprès de la Cibot, quand la danseuse passa sous la porte cochère, et demanda le
cordon. Il savait que le testament était fait, il venait sonder les dispositions de la portière : car
maître Trognon, notaire, avait refusé de dire un
mot sur le testament tout aussi bien à Fraisier qu'à
Mme Cibot. Naturellement l'homme de loi regarda
la danseuse et se promit de tirer parti de cette visite *in extremis*.

« Ma chère madame Cibot, dit Fraisier, voici
pour vous le moment critique.

— Ah! oui!... dit-elle, mon pauvre Cibot!... quand

je pense qu'il ne jouira pas de ce que je pourrais avoir...

— Il s'agit de savoir si M. Pons vous a légué quelque chose; enfin, si vous êtes sur le testament ou si vous êtes oubliée, dit Fraisier en continuant. Je représente les héritiers naturels, et vous n'aurez rien que d'eux dans tous les cas... Le testament est olographe, il est, par conséquent, très vulnérable... Savez-vous où notre homme l'a mis?...

— Dans une cachette du secrétaire, et il en a pris la clef, répondit-elle, il l'a nouée au coin de son mouchoir, et il a serré le mouchoir sous son oreiller... J'ai tout vu.

— Le testament est-il cacheté?

— Hélas! oui!

— C'est un crime que de soustraire un testament et de le supprimer, mais ce n'est qu'un délit de le regarder; et, dans tous les cas, qu'est-ce que c'est? des peccadilles qui n'ont pas de témoins! A-t-il le sommeil dur, notre homme?...

— Oui; mais quand vous avez voulu tout examiner et tout évaluer, il devait dormir comme un sabot, et il s'est réveillé... Cependant, je vais voir! Ce matin, j'irai relever M. Schmucke sur les quatre heures du matin, et, si vous voulez venir, vous aurez le testament à vous pendant dix minutes...

— Eh bien, c'est entendu, je me lèverai sur les quatre heures, et je frapperai tout doucement...

— Mlle Rémonencq, qui me remplacera près de Cibot, sera prévenue, et tirera le cordon; mais frappez à la fenêtre pour n'éveiller personne.

— C'est entendu, dit Fraisier, vous aurez de la lumière, n'est-ce pas? une bougie, cela me suffira... »

A minuit, le pauvre Allemand, assis dans un fauteuil, navré de douleur, contemplait Pons, dont la figure crispée, comme l'est celle d'un moribond, s'affaissait, après tant de fatigues, à faire croire qu'il allait expirer.

« Je pense que j'ai juste assez de force pour aller jusqu'à demain soir, dit Pons avec philosophie. Mon agonie viendra, sans doute, mon pauvre Schmucke, dans la nuit de demain. Dès que le notaire et tes deux amis seront partis, tu iras chercher notre bon abbé Duplanty, le vicaire de l'église de Saint-François. Ce digne homme ne me sait pas malade, et je veux recevoir les saints sacrements demain à midi... »

Il se fit une longue pause.

« Dieu n'a pas voulu que la vie fût pour moi comme je la rêvais, reprit Pons. J'aurais tant aimé une femme, des enfants, une famille!... Etre chéri de quelques êtres dans un coin était toute mon ambition! La vie est amère pour tout le monde, car j'ai vu des gens avoir tout ce que j'ai tant désiré vainement, et ne pas se trouver heureux... Sur la fin de ma carrière, le Bon Dieu m'a fait trouver une consolation inespérée en me donnant un ami tel que toi!... Aussi n'ai-je pas à me reprocher de t'avoir méconnu ou mal apprécié... mon bon Schmucke; je t'ai donné mon cœur et toutes mes forces aimantes... Ne pleure pas, Schmucke, ou je me tairai! Et c'est si doux pour moi de te parler de

nous... Si je t'avais écouté, je vivrais. J'aurais quitté
le monde et mes habitudes, et je n'y aurais pas reçu
des blessures mortelles. Enfin, je ne veux m'occuper
que de toi...

— *Du as dort!...*

— Ne me contrarie pas, écoute-moi, cher ami...
Tu as la naïveté, la candeur d'un enfant de six ans
qui n'aurait jamais quitté sa mère, c'est bien respectable; il me semble que Dieu doit prendre soin
lui-même des êtres qui te ressemblent. Cependant,
les hommes sont si méchants, que je dois te prému-
nir contre eux. Tu vas donc perdre ta noble
confiance, ta sainte crédulité, cette grâce des âmes
pures qui n'appartient qu'aux gens de génie et aux
cœurs comme le tien... Tu vas voir bientôt Mme Cibot, qui nous a bien observés par l'ouverture de la
porte entrebâillée, venir prendre le faux testament...
Je présume que la coquine fera cette expédition ce
matin, quand elle te croira endormi. Ecoute-moi
bien, et suis mes instructions à la lettre... M'en-
tends-tu? » demanda le malade.

Schmucke, accablé de douleur, saisi par une affreuse palpitation, avait laissé aller sa tête sur le dos
du fauteuil, et paraissait évanoui.

« *Ui, che d'endans! mais gomme si dus édais à
teux cend bas te moi... il me zemble que che m'en-
vonce dans la dombe afec doi!...* » dit l'Allemand
que la douleur écrasait.

Il se rapprocha de Pons et lui prit une main qu'il
mit entre ses deux mains. Et il fit ainsi mentale-
ment une fervente prière.

« Que marmottes-tu là, en allemand?...

— *Chai briè Tieu de nus abheler à lui en-semple!...* » répondit-il simplement après avoir fini sa prière.

Pons se pencha péniblement, car il souffrait au foie des douleurs intolérables. Il put se baisser jusqu'à Schmucke, et il le baisa sur le front, en épanchant son âme comme une bénédiction sur cet être comparable à l'agneau qui repose aux pieds de Dieu.

« Voyons, écoute-moi, mon bon Schmucke, il faut obéir aux mourants...

— *Ch'égoude!*

— On communique de ta chambre dans la mienne par la petite porte de ton alcôve, qui donne dans l'un des cabinets de la mienne.

— *Ui! mais c'est engompré te dapleaux.*

— Tu vas dégager cette porte à l'instant, sans faire trop de bruit!...

— *Ui...*

— Débarrasse le passage des deux côtés, chez toi comme chez moi; puis tu laisseras ta porte entre-bâillée. Quand la Cibot viendra te remplacer près de moi (elle est capable d'arriver ce matin une heure plus tôt), tu t'en iras comme à l'ordinaire dormir, et tu paraîtras bien fatigué. Tâche d'avoir l'air endormi... Dès qu'elle se sera mise dans son fauteuil, passe par ta porte et reste en observation, là, en entrouvrant le petit rideau de mousseline de cette porte vitrée, et regarde bien ce qui se passera... Tu comprends?

— *Che t'ai gompris, tî grois que la scélérade prî-lera le desdaman...*

— Je ne sais pas ce qu'elle fera, mais je suis sûr que tu ne la prendras plus pour un ange, après. Maintenant, fais-moi de la musique, réjouis-moi par quelqu'une de tes improvisations... Ça t'occupera, tu perdras tes idées noires, et tu me rempliras cette triste nuit par tes poèmes... »

Schmucke se mit au piano. Sur ce terrain, et au bout de quelques instants, l'inspiration musicale, ex-citée par le tremblement de la douleur et l'irritation qu'elle lui causait, emporta le bon Allemand, selon son habitude, au-delà des mondes. Il trouva des thèmes sublimes sur lesquels il broda des caprices exécutés tantôt avec la douleur et la perfection ra-phaélesques de Chopin, tantôt avec la fougue et le grandiose dantesque de Liszt, les deux organisations musicales qui se rapprochent le plus de celle de Pa-ganini. L'exécution, arrivée à ce degré de perfec-tion, met en apparence l'exécutant à la hauteur du poète, il est au compositeur ce que l'acteur est à l'auteur, un divin traducteur de choses divines. Mais, dans cette nuit où Schmucke fit entendre par avance à Pons les concerts du Paradis, cette déli-cieuse musique qui fait tomber des mains de sainte Cécile ses instruments, il fut à la fois Beethoven et Paganini, le créateur et l'interprète! Intarissable comme le rossignol, sublime comme le ciel sous lequel il chante, varié, feuillu comme la forêt qu'il emplit de ses roulades, il se surpassa, et plongea le vieux musicien qui l'écoutait dans l'extase que

Raphaël a peinte, et qu'on va voir à Bologne. Cette
poésie fut interrompue par une affreuse sonnerie.
La bonne des locataires du premier étage vint prier
Schmucke, de la part de ses maîtres, de finir ce
sabbat. Mme, M. et Mlle Chapoulot étaient éveillés,
ne pouvaient plus se rendormir, et faisaient observer
que la journée était assez longue pour répéter les
musiques de théâtre, et que, dans une maison du
Marais, on ne devait pas *toucher du forté* pendant
la nuit... Il était environ trois heures du matin.
A trois heures et demie, selon les prévisions de Pons,
qui semblait avoir entendu la conférence de Fraisier
et de la Cibot, la portière se montra. Le malade
jeta sur Schmucke un regard d'intelligence qui
signifiait : « N'ai-je pas bien deviné? » Et il se mit
dans la position d'un homme qui dort profondément.

L'innocence de Schmucke était une croyance si
forte chez la Cibot, et c'est là l'un des grands
moyens et la raison du succès de toutes les ruses
de l'enfance, qu'elle ne put soupçonner de men-
songe quand elle le vit venir à elle, et lui dire
d'un air à la fois dolent et joyeux : « *Ile hâa ei
eine nouitte derriple! t'ine achi dadion tiapolique!
Chai édé opliché te vaire de la misicque bir le
galmer, ed les loguadaires ti bremier édache sont
mondés bire me vaire daire!... C'esde avvreux, car
il s'achissait te la fie te mon hami. Che suis si va-
diqué t'affoir choué dudde la nouitte, que che
zugombe ce madin.*

— Mon pauvre Cibot aussi va bien mal, et encore une journée comme celle d'hier, il n'y aura plus de ressources!... Que voulez-vous? à la volonté de Dieu!

— *Fus èdes eine cueir zi honède, eine ame si pelle, que si le bère Zibod meurd nus fifrons ensemble!...* » dit le rusé Schmucke.

Quand les gens simples et droits se mettent à dissimuler, ils sont terribles, absolument comme les enfants, dont les pièges sont dressés avec la perfection que déploient les sauvages.

« Eh bien, allez dormir, mon fiston! dit la Cibot, vous avez les yeux si fatigués, qu'ils sont gros comme le poing. Allez! ce qui pourrait me consoler de la perte de Cibot, ce serait de penser que je finirais mes jours avec un bon homme comme vous. Soyez tranquille, je vais donner une danse à Mme Chapoulot... Est-ce qu'une mercière retirée peut avoir de pareilles exigences?... »

Schmucke alla se mettre en observation dans le poste qu'il s'était arrangé. La Cibot avait laissé la porte de l'appartement entrebâillée, et Fraisier, après être entré, la ferma tout doucement, lorsque Schmucke se fut enfermé chez lui. L'avocat était muni d'une bougie allumée et d'un fil de laiton excessivement léger, pour pouvoir décacheter le testament. La Cibot put d'autant mieux ôter le mouchoir où la clef du secrétaire était nouée, et qui se trouvait sous l'oreiller de Pons, que le malade avait exprès laissé passer son mouchoir dessous son traversin, et qu'il se prêtait à la manœuvre de la Cibot en se tenant le nez dans la ruelle et dans une

pose qui laissait pleine liberté de prendre le mouchoir. La Cibot alla droit au secrétaire, l'ouvrit en
s'efforçant de faire le moins de bruit possible, trouva
le ressort de la cachette, et courut le testament à la
main dans le salon. Cette circonstance intrigua
Pons au plus haut degré. Quant à Schmucke, il
tremblait de la tête aux pieds, comme s'il avait
commis un crime.

« Retournez à votre poste, dit Fraisier en recevant le testament de la Cibot, car, s'il s'éveillait,
il faut qu'il vous trouve là. »

Après avoir décacheté l'enveloppe avec une habileté qui prouvait qu'il n'en était pas à son coup
d'essai, Fraisier fut plongé dans un étonnement
profond en lisant cette pièce curieuse.

CECI EST MON TESTAMENT

« Aujourd'hui, quinze avril mil huit cent quarante-cinq, étant sain d'esprit, comme ce testament,
rédigé de concert avec M. Trognon, notaire, le dé-
montrera; sentant que je dois mourir prochaine-
ment de la maladie dont je suis atteint depuis les
premiers jours de février dernier, j'ai dû, voulant
disposer de mes biens, tracer mes dernières volontés, que voici :

« J'ai toujours été frappé des inconvénients qui
nuisent aux chefs-d'œuvre de la peinture, et qui
souvent ont entraîné leur destruction. J'ai plaint
les belles toiles d'être condamnées à toujours voyager de pays en pays, sans être jamais fixées dans un

lieu où les admirateurs de ces chefs-d'œuvres pussent aller les voir. J'ai toujours pensé que les pages vraiment immortelles des fameux maîtres devaient être des propriétés nationales, et mises incessamment sous les yeux des peuples comme la lumière, chef-d'œuvre de Dieu, sert à tous ses enfants.

« Or, comme j'ai passé ma vie à rassembler, à choisir quelques tableaux, qui sont de glorieuses œuvres des plus grands maîtres, que ces tableaux sont francs, sans retouche, ni repeints, je n'ai pas pensé sans chagrin que ces toiles, qui ont fait le bonheur de ma vie, pouvaient être vendues aux criées; aller, les unes chez les Anglais, les autres en Russie, dispersées comme elles étaient avant leur réunion chez moi; j'ai donc résolu de les soustraire à ces misères, ainsi que les cadres magnifiques qui leur servent de bordure, et qui tous sont dus à d'habiles ouvriers.

« Donc, par ces motifs, je donne et lègue au roi, pour faire partie du Musée du Louvre, les tableaux dont se compose ma collection, à la charge, si le legs est accepté, de faire à mon ami Wilhem Schmucke une rente viagère de deux mille quatre cents francs.

« Si le roi, comme usufruitier du Musée, n'accepte pas ce legs avec cette charge, lesdits tableaux feront alors partie du legs que je fais à mon ami Schumcke de toutes les valeurs que je possède, à la charge de remettre la *Tête de Singe* de Goya à mon cousin le président Camusot, le tableau de fleurs d'Abraham Mignon, composé de tulipes, à

M. Trognon, notaire, que je nomme mon exécuteur
testamentaire, et de servir deux cents francs de
rente à Mme Cibot, qui fait mon ménage depuis
dix ans.

« Enfin, mon ami Schmucke donnera la *Descente
de Croix*, de Rubens, esquisse de son célèbre tableau d'Anvers, à ma paroisse, pour en décorer
une chapelle, en remerciement des bontés de
M. le vicaire Duplanty, à qui je dois de pouvoir
mourir en chrétien et en catholique », etc.

« C'est la ruine! se dit Frasier, la ruine de toutes
mes espérances! Ah! je commence à croire tout ce
que la présidente m'a dit de la malice de ce vieux
artiste!...

— Eh bien, vint demander la Cibot.

— Votre monsieur est un monstre, il donne tout
au Musée, à l'Etat. Or, on ne peut plaider contre
l'Etat!... Le testament est inattaquable. Nous
sommes volés, ruinés, dépouillés, assassinés!...

— Que m'a-t-il donné-...

— Deux cents francs de rente viagère...

— La belle poussée!... Mais c'est un gredin fini!...

— Allez voir, dit Frasier, je vais remettre le testament de votre gredin dans l'enveloppe. »

Dès que Mme Cibot eut le dos tourné, Frasier substitua vivement une feuille de papier
blanc au testament, qu'il mit dans sa poche; puis il
recacheta l'enveloppe avec tant de talent qu'il montra le cachet à Mme Cibot quand elle revint, en lui
demandant si elle pouvait y apercevoir la moindre
trace de l'opération. La Cibot prit l'enveloppe, la

palpa, la sentit pleine, et soupira profondément.
Elle avait espéré que Fraisier aurait brûlé lui-même
cette fatale pièce.

« Eh bien, que faire, mon cher monsieur Fraisier? demanda-t-elle.

— Ah! ça vous regarde! Moi, je ne suis pas héritier, mais si j'avais les moindres droits à cela,
dit-il en montrant la collection, je sais bien comment je ferais...

— C'est ce que je vous demande... dit assez niai-
sement la Cibot.

— Il y a du feu dans la cheminée... répliqua-
t-il en se levant pour s'en aller.

— Au fait, il n'y a que vous et moi qui saurons
cela!... dit la Cibot.

— On ne peut jamais prouver qu'un testament
a existé! reprit l'homme de loi.

— Et vous?

— Moi?... si M. Pons meurt sans testament, je
vous assure cent mille francs.

— Ah! ben oui! dit-elle, on vous promet des
monts d'or, et quand on tient les choses, qu'il s'agit
de payer, on vous carotte comme... »

Elle s'arrêta bien à temps, car elle allait parler
d'Elie Magus à Fraisier...

« Je me sauve! dit Fraisier. Il ne faut pas, dans
votre intérêt, que l'on m'ait vu dans l'appartement; mais nous nous retrouverons en bas, à
votre loge. »

Après avoir fermé la porte, la Cibot revint, le
testament à la main, dans l'intention bien arrêtée

de le jeter au feu; mais quand elle rentra dans la chambre et qu'elle s'avança vers la cheminée, elle se sentit prise par les deux bras!... Elle se vit entre Pons et Schmucke, qui s'étaient l'un et l'autre adossés à la cloison, de chaque côté de la porte.

« Ah! » cria la Cibot.

Elle tomba la face en avant dans des convulsions affreuses, réelles ou feintes, on ne sut jamais la vérité; mais elle produisit une telle impression sur Pons, qu'il fut pris d'une faiblesse mortelle, et Schmucke laissa la Cibot par terre pour recoucher Pons. Les deux amis tremblaient comme des gens qui, dans l'exécution d'une volonté pénible, ont outrepassé leurs forces. Quand Pons fut couché, que Schmucke eut repris un peu de forces, il entendit des sanglots. La Cibot, à genoux, fondait en larmes, et tendait les mains aux deux amis en les suppliant par une pantomime très expressive.

« C'est pure curiosité! dit-elle en se voyant l'objet de l'attention des deux amis, mon bon monsieur Pons! c'est le défaut des femmes, vous savez! Mais je n'ai su comment faire pour lire votre testament, et je le rapportais!...

— *Hâlez-fis-en!* dit Schmucke, qui se dressa sur ses pieds en se grandissant de toute la grandeur de son indignation. *Fus êdes eine monsdre! fus afez essayé de duer mon pon Bons. Il a raison! fis êdes plis qu'ein monsdre, fis êdes tamnée!* »

La Cibot, voyant l'horreur peinte sur la figure du candide Allemand, se leva fière comme Tartuffe,

jeta sur Schmucke un regard qui le fit trembler et
sortit en emportant sous sa robe un sublime petit
tableau de Metzu qu'Elie Magus avait beaucoup
admiré, et dont il avait dit : « C'est un diamant! »
La Cibot trouva dans sa loge Fraisier qui l'attendait, en espérant qu'elle aurait brûlé l'enveloppe et
le papier blanc par lequel il avait remplacé le testament; il fut bien étonné de voir sa cliente effrayée
et le visage renversé.

« Qu'est-il arrivé?

— Il est arrivé, mon cher monsieur Fraisier,
que, sous prétexte de me donner de bons conseils et
de me diriger, vous m'avez fait perdre à jamais mes
rentes et la confiance de ces messieurs... »

Et elle se lança dans une de ces trombes de paroles auxquelles elle excellait.

« Ne dites pas de paroles oiseuses, s'écria sèchement Fraisier en arrêtant sa cliente. Au fait! au fait!
et vivement!

— Eh bien, et voilà comment ça s'est fait. »

Elle raconta la scène telle qu'elle venait de se
passer.

« Je ne vous ai rien fait perdre, répondit Fraisier. Ces deux messieurs doutaient de votre probité,
puisqu'ils vous ont tendu ce piège; ils vous attendaient, ils vous épiaient!... Vous ne me dites pas
tout... ajouta l'homme d'affaires en jetant un regard
de tigre sur la portière.

— Moi! vous cacher quelque chose!... après tout
ce que nous avons fait ensemble!... dit-elle en
frissonnant.

— Mais, ma chère, je n'ai rien commis de répréhensible! » dit Fraisier en manifestant ainsi l'intention de nier sa visite nocturne chez Pons.

La Cibot sentit ses cheveux lui brûler le crâne, et un froid glacial l'enveloppa.

« Comment?... dit-elle hébétée.

— Voilà l'affaire criminelle toute trouvée!... Vous pouvez être accusée de soustraction de testament », répondit froidement Fraisier.

La Cibot fit un mouvement d'horreur.

« Rassurez-vous, je suis votre conseil, reprit-il. Je n'ai voulu que vous prouver combien il est facile, d'une manière ou d'une autre, de réaliser ce que je vous disais. Voyons! qu'avez-vous fait pour que cet Allemand si naïf se soit caché dans la chambre à votre insu?...

— Rien, c'est la scène de l'autre jour, quand j'ai soutenu à M. Pons qu'il avait eu la berlue. Depuis ce jour-là, ces deux messieurs ont changé du tout au tout à mon égard. Ainsi vous êtes la cause de tous mes malheurs, car si j'avais perdu de mon empire sur M. Pons, j'étais sûre de l'Allemand qui parlait déjà de m'épouser, ou de me prendre avec lui, c'est tout un! »

Cette raison était si plausible, que Fraisier fut obligé de s'en contenter.

« Rassurez-vous, reprit-il, je vous ai promis des rentes, je tiendrai ma parole. Jusqu'à présent, tout, dans cette affaire, était hypothétique; maintenant, elle vaut des billets de banque... Vous n'aurez pas moins de douze cents francs de rente viagère... Mais

il faudra, ma chère dame Cibot, obéir à mes ordres, et les exécuter avec intelligence.

— Oui, mon cher monsieur Fraisier, dit avec une servile souplesse la portière entièrement matée.

— Eh bien, adieu », repartit Fraisier en quittant la loge et emportant le dangereux testament.

Il revint chez lui tout joyeux, car ce testament était une arme terrible.

« J'aurai, pensait-il, une bonne garantie contre la bonne foi de Mme la présidente de Marville. Si elle s'avisait de ne pas tenir sa parole, elle perdrait la succession. »

Au petit jour, Rémonencq, après avoir ouvert sa boutique et l'avoir laissée sous la garde de sa sœur, vint, selon une habitude prise depuis quelques jours, voir comment allait son bon ami Cibot, et trouva la portière qui contemplait le tableau de Metzu en se demandant comment une petite planche peinte pouvait valoir tant d'argent.

« Ah! ah! c'est le seul, dit-il en regardant pardessus l'épaule de la Cibot, que M. Magus regrettait de ne pas avoir, il dit qu'avec cette petite chose-là, il ne manquerait rien à son bonheur.

— Qu'en donnerait-il? demanda la Cibot.

— Mais si vous me promettez de m'épouser dans l'année de votre veuvage, répondit Rémonencq, je me charge d'avoir vingt mille francs d'Elie Magus, et si vous ne m'épousez pas, vous ne pourrez jamais vendre ce tableau plus de mille francs.

— Et pourquoi?

— Mais vous seriez obligée de signer une quit-

tance comme propriétaire, et vous auriez alors un
procès avec les héritiers. Si vous êtes ma femme,
c'est moi qui le vendrai à M. Magus, et on ne
demande rien à un marchand que l'inscription sur
son livre d'achats, et j'écrirai que M. Schmucke me
l'a vendu. Allez, mettez cette planche chez moi...
Si votre mari mourait, vous pourriez être bien tra-
cassée, et personne ne trouvera drôle que j'aie chez
moi un tableau... Vous me connaissez bien. D'ailleurs, si vous voulez, je vous en ferai une reconnaissance. »

Dans la situation criminelle où elle était surprise,
l'avide portière souscrivit à cette proposition, qui
la liait pour toujours au brocanteur.

« Vous avez raison, apportez-moi votre écriture,
dit-elle en serrant le tableau dans sa commode.

— Voisine, dit le brocanteur à voix basse en
entraînant la Cibot sur le pas de la porte, je vois
bien que nous ne sauverons pas notre pauvre ami
Cibot; le docteur Poulain désespérait de lui hier
soir, et disait qu'il ne passerait pas la journée...
C'est un grand malheur! Mais après tout, vous
n'étiez pas à votre place ici... Votre place, c'est dans
un beau magasin de curiosités sur le boulevard
des Capucines. Savez-vous que j'ai gagné bien près
de cent mille francs depuis dix ans, et que si vous
en avez un jour autant, je me charge de vous faire
une belle fortune... si vous êtes ma femme... Vous
seriez bourgeoise... bien servie par ma sœur qui
ferait le ménage, et... »

Le séducteur fut interrompu par les plaintes

déchirantes du petit tailleur dont l'agonie commençait.

« Allez-vous-en, dit la Cibot, vous êtes un monstre de me parler de ces choses-là, quand mon pauvre homme se meurt dans de pareils états...

— Ah! c'est que je vous aime, dit Rémonencq, à tout confondre pour vous avoir...

— Si vous m'aimiez, vous ne me diriez rien en ce moment », répondit-elle.

Et Rémonencq rentra chez lui, sûr d'épouser la Cibot.

Sur les dix heures, il y eut à la porte de la maison une sorte d'émeute, car on administra les sacrements à M. Cibot. Tous les amis des Cibot, les concierges, les portières de la rue de Normandie et des rues adjacentes occupaient la loge, le dessous de la porte cochère et le devant sur la rue. On ne fit alors aucune attention à M. Léopold Hannequin, qui vint avec un de ses confrères, ni à Schwab et à Brunner, qui purent arriver chez Pons sans être vus de Mme Cibot. La portière de la maison voisine, à qui le notaire s'adressa pour savoir à quel étage demeurait Pons, lui désigna l'appartement. Quant à Brunner, qui vint avec Schwab, il était déjà venu voir le Musée Pons, il passa sans rien dire, et montra le chemin à son associé... Pons annula formellement son testament de la veille, et institua Schmucke son légataire universel. Une fois cette cérémonie accomplie, Pons, après avoir remercié Schwab et Brunner, et avoir recommandé vivement à M. Léopold Hannequin les intérêts de Schmucke, tomba dans une faiblesse telle, par suite de l'énergie qu'il avait déployée, et dans la scène nocturne avec la Cibot et dans ce dernier acte de la vie sociale, que Schmucke pria Schwab d'aller prévenir l'abbé Duplanty, car il ne voulut pas quitter le chevet de son ami, et Pons réclamait les sacrements.

Assise au pied du lit de son mari, la Cibot, d'ailleurs mise à la porte par les deux amis, ne s'occupa point du déjeuner de Schmucke; mais les événements de cette matinée, le spectacle de l'agonie résignée de Pons qui mourait héroïquement, avaient tellement serré le cœur de Schmucke, qu'il ne sentit pas la faim.

Néanmoins, vers les deux heures, n'ayant pas vu le vieil Allemand, la portière, autant par curiosité que par intérêt, pria la sœur de Rémonencq d'aller voir si Schmucke n'avait pas besoin de quelque chose. En ce moment même, l'abbé Duplanty, à qui le pauvre musicien avait fait sa confession suprême, lui administrait l'extrême-onction. Mlle Rémonencq troubla donc cette cérémonie par des coups de sonnette réitérés. Or, comme Pons avait fait jurer à Schmucke de ne laisser entrer personne, tant il craignait qu'on ne le volât, Schmucke laissa sonner Mlle Rémonencq, qui descendit fort effrayée, et dit à la Cibot que Schmucke ne lui avait pas ouvert la porte. Cette circonstance bien marquée fut notée par Fraisier. Schmucke, qui n'avait jamais vu mourir personne, allait éprouver tous les embarras dans lesquels on se trouve à Paris avec un mort sur les bras, surtout sans aide, sans représentant ni secours.

Fraisier qui savait que les parents vraiment affligés perdent alors la tête, et qui, depuis le matin, après son déjeuner, stationnait dans la loge en conférence perpétuelle avec le docteur Poulain, conçut alors l'idée de diriger lui-même tous les mouvements de Schmucke.

Voici comment les deux amis, le docteur Poulain et Fraisier, s'y prirent pour obtenir cet important résultat.

Le bedeau de l'église Saint-François, ancien marchand de verreries, nommé Cantinet, demeurait rue d'Orléans, dans la maison mitoyenne de celle du docteur Poulain. Or, Mme Cantinet, une des receveuses de la location des chaises, avait été soignée gratuitement par le docteur Poulain, à qui naturellement elle était liée par la reconnaissance et à qui elle avait conté souvent tous les malheurs de sa vie. Les deux Casse-noisettes, qui, tous les dimanches et les jours de fête, allaient aux offices à Saint-François, étaient en bons termes avec le bedeau, le suisse, le donneur d'eau bénite, enfin avec cette milice ecclésiastique appelée à Paris *le bas clergé*, à qui les fidèles finissent par donner de petits pourboires. Mme Cantinet connaissait donc aussi bien Schmucke que Schmucke la connaissait. Cette dame Cantinet était affligée de deux plaies qui permettaient à Fraisier de faire d'elle un aveugle et involontaire instrument. Le jeune Cantinet, passionné pour le théâtre, avait refusé de suivre le chemin de l'église où il pouvait devenir suisse, en débutant dans les figures du Cirque-Olympique, et il menait

une vie échevelée qui navrait sa mère, dont la
bourse était souvent mise à sec par des emprunts
forcés. Puis Cantinet, adonné aux liqueurs et à la
paresse, avait été forcé de quitter le commerce par
ces deux vices. Loin de s'être corrigé, ce malheureux
avait trouvé dans ses fonctions un aliment à ses
deux passions : il ne faisait rien, et il buvait avec
les cochers des noces, avec les gens des pompes
funèbres, avec les malheureux secourus par le curé,
de manière à se cardinaliser la figure dès le premier
coup de midi.

Mme Cantinet se voyait vouée à la misère dans
ses vieux jours, après avoir, disait-elle, apporté
douze mille francs de dot à son mari. L'histoire de
ces malheurs, cent fois racontée au docteur Poulain,
lui suggéra l'idée de se servir d'elle pour faciliter
chez Pons et Schmucke le placement de Mme Sauvage, comme cuisinière et femme de peine. Présenter Mme Sauvage était chose impossible, car la
défiance des deux Casse-noisettes était devenue absolue, et le refus d'ouvrir la porte à Mlle Rémonencq avait suffisamment éclairé Frasier à ce sujet.
Mais il parut évident aux deux amis que les pieux
musiciens accepteraient aveuglément une personne
qui serait offerte par l'abbé Duplanty. Mme Cantinet, dans leur plan, serait accompagnée de
Mme Sauvage; et la bonne de Fraisier, une fois là,
vaudrait Fraisier lui-même.

Quand l'abbé Duplanty arriva sous la porte cochère, il fut arrêté pendant un moment par la foule
des amis de Cibot qui donnait des marques d'intérêt

au plus ancien et au plus estimé des concierges du quartier.

Le docteur Poulain salua l'abbé Duplanty, le prit à part, et lui dit : « Je vais aller voir ce pauvre M. Pons; il pourrait encore se tirer d'affaire; il s'agirait de le décider à subir l'opération de l'extraction des calculs qui se sont formés dans la vésicule; on les sent au toucher, ils déterminent une inflammation qui causera la mort; et peut-être serait-il encore temps de la pratiquer. Vous devriez bien faire servir votre influence sur votre pénitent en l'engageant à subir cette opération; je réponds de sa vie, si pendant qu'on la pratiquera nul accident fâcheux ne se déclare.

— Dès que j'aurai reporté le saint ciboire à l'église, je reviendrai, dit l'abbé Duplanty, car M. Schmucke est dans un état qui réclame quelques secours religieux.

— Je viens d'apprendre qu'il est seul, dit le docteur Poulain. Ce bon Allemand a eu ce matin une petite altercation avec Mme Cibot, qui fait depuis dix ans le ménage de ces messieurs, et ils se sont brouillés, momentanément sans doute; mais il ne peut pas rester sans aide dans les circonstances où il va se trouver. C'est œuvre de charité que de s'occuper de lui. — Dites donc, Cantinet, dit le docteur en appelant à lui le bedeau, demandez donc à votre femme si elle veut garder M. Pons et veiller au ménage de M. Schmucke pendant quelques jours à la place de Mme Cibot... qui, d'ailleurs, sans cette brouille, aurait toujours eu besoin de se

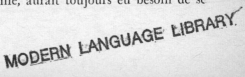

faire remplacer — C'est une honnête femme, dit le docteur à l'abbé Duplanty.

— On ne peut pas mieux choisir, répondit le bon prêtre, car elle a la confiance de la fabrique pour la perception de la location des chaises. »

Quelques moments après, le docteur Poulain suivait au chevet du lit les progrès de l'agonie de Pons, que Schmucke suppliait vainement de se laisser opérer. Le vieux musicien ne répondait aux prières du pauvre Allemand désespéré que par des signes de tête négatifs, entremêlés de mouvements d'impatience. Enfin, le moribond rassembla ses forces, lança sur Schmucke un regard affreux et lui dit : « Laisse-moi donc mourir tranquillement!... »

Schmucke faillit mourir de douleur; mais il prit la main de Pons, la baisa doucement, et la tint dans ses deux mains, en essayant de lui communiquer encore une fois ainsi sa propre vie. Ce fut alors que le docteur Poulain entendit sonner et alla ouvrir la porte à l'abbé Duplanty.

« Notre pauvre malade, dit Poulain, commence à se débattre sous l'étreinte de la mort. Il aura expiré dans quelques heures; vous enverrez sans doute un prêtre pour le veiller cette nuit. Mais il est temps de donner Mme Cantinet et une femme de peine à M. Schmucke, il est incapable de penser à quoi que ce soit, je crains pour sa raison, et il se trouve ici des valeurs qui doivent être gardées par des personnes pleines de probité. »

L'abbé Duplanty, bon et digne prêtre, sans méfiance ni malice, fut frappé de la vérité des obser-

vations du docteur Poulain; il croyait d'ailleurs aux
qualités du médecin du quartier; il fit donc signe
à Schmucke de venir lui parler, en se tenant au
seuil de la chambre mortuaire. Schmucke ne put
se décider à quitter la main de Pons qui se crispait
et s'attachait à la sienne comme s'il tombait dans
un précipice et qu'il voulût s'accrocher à quelque
chose pour n'y pas rouler. Mais, comme on sait, les
mourants sont en proie à une hallucination qui
les pousse à s'emparer de tout comme des gens
empressés d'emporter dans un incendie leurs objets
les plus précieux, et Pons lâcha Schmucke pour
saisir ses couvertures et les rassembler autour de
son corps par un horrible et significatif mouvement
d'avarice et de hâte.

« Qu'allez-vous devenir, seul avec votre ami
mort? dit le bon prêtre à l'Allemand qui vint alors
l'écouter, vous êtes sans Mme Cibot...

— *C'esde eine monsdre qui a dué Bons!* reprit-il.

— Mais il vous faut quelqu'un auprès de vous?
reprit le docteur Poulain, car il faudra garder le
corps cette nuit.

— *Che le carterai, che brierai Tieu!* répondit
l'innocent Allemand.

— Mais il faut manger!... Qui, maintenant, vous
fera votre cuisine? dit le docteur.

— *La touleur m'ôde l'abbétit!*... répondit naïvement Schmucke.

— Mais, dit Poulain, il faut aller déclarer le
décès avec des témoins, il faut dépouiller le corps,
l'ensevelir en le cousant dans un linceul, il faut

aller commander le convoi aux pompes funèbres, il faut nourrir la garde qui doit garder le corps et le prêtre qui veillera, ferez-vous cela tout seul?... On ne meurt pas comme des chiens dans la capitale du monde civilisé! »

Schmucke ouvrit des yeux effarés, et fut saisi d'un court accès de folie.

« *Mais Bons ne mûrera bas... che le sauferai!...*

— Vous ne resterez pas longtemps sans prendre un peu de sommeil, et alors qui vous remplacera? car il faut s'occuper de M. Pons, lui donner à boire, faire des remèdes...

— *Ah! c'esde frai!...* dit l'Allemand.

— Eh bien, reprit l'abbé Duplanty, je pense à vous donner Mme Cantinet, une brave et honnête femme... »

Le détail de ses devoirs sociaux envers son ami mort hébéta tellement Schmucke, qu'il aurait voulu mourir avec Pons.

« C'est un enfant! dit le docteur Poulain à l'abbé Duplanty.

— *Eine anvant!...* répéta machinalement Schmucke.

— Allons! dit le vicaire, je vais parler à Mme Cantinet et vous l'envoyer.

— Ne vous donnez pas cette peine, dit le docteur, elle est ma voisine, et je retourne chez moi. »

La Mort est comme un assassin invisible contre lequel lutte le mourant; dans l'agonie il reçoit les derniers coups, il essaie de les rendre et se débat. Pons en était à cette scène suprême, il fit entendre des gémissements, entremêlés de cris. Aussitôt, Schmucke, l'abbé Duplanty, Poulain accoururent au lit du moribond. Tout à coup, Pons, atteint dans sa vitalité par cette dernière blessure, qui tranche les liens du corps et de l'âme, recouvra pour quelques instants la parfaite quiétude qui suit l'agonie, il revint à lui, la sérénité de la mort sur le visage, et regarda ceux qui l'entouraient d'un air presque riant.

« Ah! docteur, j'ai bien souffert, mais vous aviez raison, je vais mieux... Merci, mon bon abbé, je me demandais où était Schmucke!...

— Schmucke n'a pas mangé depuis hier au soir, et il est quatre heures : vous n'avez plus personne auprès de vous, et il serait dangereux de rappeler Mme Cibot...

— Elle est capable de tout! dit Pons en manifestant toute son horreur au nom de la Cibot. C'est vrai, Schmucke a besoin de quelqu'un de bien honnête.

— L'abbé Duplanty et moi, dit alors Poulain, nous avons pensé à vous deux...

— Ah! merci, dit Pons, je n'y songeais pas.

— Et il vous propose Mme Cantinet...

— Ah! la loueuse de chaises! s'écria Pons. Oui, c'est une excellente créature.

— Elle n'aime pas Mme Cibot, reprit le docteur, et elle aura bien soin de M. Schmucke...

— Envoyez-la-moi, mon bon monsieur Duplanty... elle et son mari, je serai tranquille. On ne volera rien ici... »

Schmucke avait repris la main de Pons et la tenait avec joie, en croyant la santé revenue.

« Allons-nous-en, monsieur l'abbé, dit le docteur, je vais envoyer promptement Mme Cantinet; je m'y connais : elle ne trouvera peut-être pas M. Pons vivant. »

Pendant que l'abbé Duplanty déterminait le moribond à prendre pour garde Mme Cantinet, Fraisier avait fait venir chez lui la loueuse de chaises, et la soumettait à sa conversation corruptrice, aux ruses de sa puissance chicanière, auxquelles il était difficile de résister. Aussi Mme Cantinet, femme sèche et jaune, à grandes dents, à lèvres froides, hébétée par le malheur, comme beaucoup de femmes du peuple, et arrivée à voir le bonheur dans les plus légers profits journaliers, eut-elle bientôt consenti à prendre avec elle Mme Sauvage comme femme de ménage. La bonne de Fraisier avait déjà reçu le mot d'ordre, elle avait promis de tramer une toile en fil de fer autour des deux musiciens, et de veiller sur eux comme l'araignée veille sur une mouche prise. Mme Sauvage devait avoir pour loyer de ses peines un débit de tabac : Fraisier trouvait ainsi le moyen de se débarrasser de sa prétendue nourrice, et mettait auprès de Mme Cantinet un espion et un gendarme dans la personne de la Sauvage. Comme il dépendait de l'appartement des deux amis une chambre de domestique et une petite cuisine, la Sauvage pouvait coucher sur un lit de sangle et faire la cuisine de Schmucke. Au moment où les femmes se présentè-

rent, amenées par le docteur Poulain, Pons venait
de rendre le dernier soupir, sans que Schmucke s'en
fût aperçu. L'Allemand tenait encore dans ses mains
la main de son ami, dont la chaleur s'en allait par
degrés. Il fit signe à Mme Cantinet de ne pas parler;
mais la soldatesque Mme Sauvage le surprit tellement par sa tournure, qu'il laissa échapper un mouvement de frayeur, à laquelle cette femme mâle
était habituée chez ceux qui la voyaient pour la
première fois.

« Madame, dit Mme Cantinet, est une dame de
qui répond M. Duplanty; elle a été cuisinière chez
un évêque, elle est la probité même, elle fera la
cuisine.

— Ah! vous pouvez parler haut! s'écria la puissante et asthmatique Sauvage, le pauvre monsieur
est mort!... il vient de passer. » Schmucke jeta un
cri perçant, il sentit la main de Pons glacée qui
se roidissait, et il resta les yeux fixes, arrêtés sur
ceux de Pons, dont l'expression l'eût rendu fou,
sans Mme Sauvage, qui, sans doute accoutumée à
ces sortes de scènes, alla vers le lit en tenant un
miroir, elle le présenta devant les lèvres du mort, et
comme aucune respiration ne vint ternir la glace,
elle sépara vivement la main de Schmucke de la
main du mort.

« Quittez-la donc, monsieur, vous ne pourriez
plus l'ôter; vous ne savez pas comme les os vont se
durcir! Ça va vite le refroidissement des morts. Si
l'on n'apprête pas un mort pendant qu'il est encore
tiède, il faut plus tard lui casser les membres... »

Ce fut donc cette terrible femme qui ferma les yeux au pauvre musicien expiré; puis, avec cette habitude des gardes-malades, métier qu'elle avait exercé pendant dix ans, elle déshabilla Pons, l'étendit, lui colla les mains de chaque côté du corps, et lui ramena la couverture sur le nez, absolument comme un commis fait un paquet dans un magasin.

« Il faut un drap pour l'ensevelir; où donc en prendre un?... » demanda-t-elle à Schmucke, que ce spectacle frappa de terreur.

Après avoir vu la Religion procédant avec son profond respect de la créature destinée à un si grand avenir dans le ciel, ce fut une douleur à dissoudre les éléments de la pensée, que de voir cette espèce d'emballage où son ami était traité comme une chose.

« *Vaides gomme fus fitrez!...* » répondit machinalement Schmucke.

Cette innocente créature voyait mourir un homme pour la première fois. Et cet homme était Pons, le seul ami, le seul être qui l'eût compris et aimé!...

« Je vais aller demander à Mme Cibot où sont les draps, dit la Sauvage.

— Il va falloir un lit de sangle pour coucher cette dame », dit Mme Cantinet à Schmucke.

Schmucke fit un signe de tête et fondit en larmes. Mme Cantinet laissa ce malheureux tranquille; mais, au bout d'une heure, elle revint et lui dit :

« Monsieur, avez-vous de l'argent à nous donner pour acheter? »

Schmucke tourna sur Mme Cantinet un regard à désarmer les haines les plus féroces; il montra le visage blanc, sec et pointu du mort, comme une raison qui répondait à tout.

« *Brenez doud et laissez-moi bleurer et brier* », dit-il en s'agenouillant.

Mme Sauvage était allée annoncer la mort de Pons à Fraisier, qui courut en cabriolet chez la présidente lui demander, pour le lendemain, la procuration qui lui donnait le droit de représenter les héritiers.

« Monsieur, dit à Schmucke Mme Cantinet, une heure après sa dernière question, je suis allée trouver Mme Cibot, qui est donc au fait de votre ménage, afin qu'elle me dise où sont les choses; mais, comme elle vient de perdre M. Cibot, elle m'a presque *agonie* de sottises... Monsieur, écoutez-moi donc... »

Schmucke regarda cette femme, qui ne se doutait pas de sa barbarie; car les gens du peuple sont habitués à subir passivement les plus grandes douleurs morales.

« Monsieur, il faut du linge pour un linceul, il faut de l'argent pour un lit de sangle, afin de coucher cette dame; il en faut pour acheter de la batterie de cuisine, des plats, des assiettes, des verres, car il va venir un prêtre pour passer la nuit, et cette dame ne trouve absolument rien dans la cuisine.

« Mais, monsieur, répéta la Sauvage, il me faut
cependant du bois, du charbon, pour apprêter le
dîner, et je ne vois rien! Ce n'est d'ailleurs pas bien
étonnant, puisque la Cibot vous fournissait tout...

— Mais, ma chère dame, dit Mme Cantinet en
montrant Schmucke qui gisait aux pieds du mort
dans un état d'insensibilité complète, vous ne voulez
pas me croire, il ne répond à rien.

— Eh bien, ma petite, dit la Sauvage, je vais
vous montrer comment l'on fait dans ces cas-là. »

La Sauvage jeta sur la chambre un regard comme
en jettent les voleurs pour deviner les cachettes
où doit se trouver l'argent. Elle alla droit à la
commode de Pons, elle tira le premier tiroir, vit le
sac où Schmucke avait mis le reste de l'argent provenant de la vente des tableaux, et vint le montrer
à Schmucke, qui fit un signe de consentement ma-
chinal.

« Voilà de l'argent, ma petite! dit la Sauvage
à Mme Cantinet; je vas le compter, en prendre
pour acheter ce qu'il faut, du vin, des vivres, des
bougies, enfin tout, car ils n'ont rien... Cherchez-
moi dans la commode un drap pour ensevelir le
corps. On m'a bien dit que ce pauvre monsieur
était simple; mais je ne sais pas ce qu'il est, il est
pis. C'est comme un nouveau-né, faudra lui en-
tonner son manger... »

Schmucke regardait les deux femmes et ce qu'elles
faisaient, absolument comme un fou les aurait re-
gardées. Brisé par la douleur, absorbé dans un état
quasi cataleptique, il ne cessait de contempler la

figure fascinatrice de Pons, dont les lignes s'épuraient par l'effet du repos absolu de la mort. Il espérait mourir, et tout lui était indifférent. La chambre eût été dévorée par un incendie, il n'aurait pas bougé.

« Il y a douze cent cinquante-six francs... » lui dit la Sauvage.

Schmucke haussa les épaules. Lorsque la Sauvage voulut procéder à l'ensevelissement de Pons, et mesurer le drap sur le corps afin de couper le linceul et le coudre, il y eut une lutte horrible entre elle et le pauvre Allemand. Schmucke ressembla tout à fait à un chien qui mord tous ceux qui veulent toucher au cadavre de son maître. La Sauvage impatientée saisit l'Allemand, le plaça sur un fauteuil et l'y maintint avec une force herculéenne.

« Allons, ma petite! cousez le mort dans son linceul », dit-elle à Mme Cantinet.

Une fois l'opération terminée, la Sauvage remit Schmucke à sa place, au pied du lit, et lui dit :

« Comprenez-vous? il fallait bien trousser ce pauvre homme en mort. »

Schmucke se mit à pleurer; les deux femmes le laissèrent et allèrent prendre possession de la cuisine où elles apportèrent à elles deux en peu d'instants toutes les choses nécessaires à la vie. Après avoir fait un premier mémoire de trois cent soixante francs, la Sauvage se mit à préparer un dîner pour quatre personnes, et quel dîner! Il y avait le faisan des savetiers, une oie grasse, comme pièce de résistance, une omelette aux confitures, une

salade de légumes, et le pot au feu sacramentel
dont tous les ingrédients étaient en quantité tellement exagérée, que le bouillon ressemblait à de
la gelée de viande. A neuf heures du soir, le prêtre
envoyé par le vicaire pour veiller Schmucke, vint
avec Cantinet, qui apporta quatre cierges et des
flambeaux d'église. Le prêtre trouva Schmucke couché le long de son ami, dans le lit, et le tenant
étroitement embrassé. Il fallut l'autorité de la religion pour obtenir de Schmucke qu'il se séparât du
corps. L'Allemand se mit à genoux, et le prêtre
s'arrangea commodément dans le fauteuil. Pendant
que le prêtre lisait ses prières, et que Schmucke,
agenouillé devant le corps de Pons, priait Dieu de
le réunir à Pons par un miracle, afin d'être enseveli
dans la fosse de son ami, Mme Cantinet était allée
au Temple acheter un lit de sangle et un coucher
complet, pour Mme Sauvage; car le sac de douze
cent cinquante-six francs était au pillage. A onze
heures du soir, Mme Cantinet vint voir si Schmucke
voulait manger un morceau. L'Allemand fit signe
qu'on le laissât tranquille.

« Le souper vous attend, monsieur Pastelot », dit
alors la loueuse de chaises au prêtre.

Schmucke, resté seul, sourit comme un fou qui
se voit libre d'accomplir un désir comparable à
celui des femmes grosses. Il se jeta sur Pons et le
tint encore une fois étroitement embrassé. A minuit, le prêtre revint, et Schmucke, grondé par lui,
lâcha Pons, et se remit en prières, Au jour, le prêtre
s'en alla. A sept heures du matin, le docteur Pou-

lain vint voir Schmucke affectueusement et voulut l'obliger à manger; mais l'Allemand s'y refusa.

« Si vous ne mangez pas maintenant, vous sentirez la faim à votre retour, lui dit le docteur, car il faut que vous alliez à la mairie avec un témoin pour y déclarer le décès de M. Pons, et faire dresser l'acte...

— *Moi!* dit l'Allemand avec effroi.

— Et qui donc?... Vous ne pouvez pas vous en dispenser, puisque vous êtes la seule personne qui l'ait vu mourir...

— *Che n'ai boint de champes*... répondit Schmucke en implorant l'assistance du docteur Poulain.

— Prenez une voiture, répondit doucement l'hypocrite docteur. J'ai déjà constaté le décès. Demandez quelqu'un de la maison pour vous accompagner. Ces deux dames garderont l'appartement en votre absence. »

On ne se figure pas ce que sont ces tiraillements de la loi sur une douleur vraie. C'est à faire haïr la civilisation, à faire préférer les coutumes des sauvages. A neuf heures, Mme Sauvage descendit Schmucke en le tenant sous les bras, et il fut obligé, dans le fiacre, de prier Rémonencq de venir avec lui certifier le décès de Pons à la mairie. Partout, et en toute chose, éclate à Paris l'inégalité des conditions, dans ce pays ivre d'égalité. Cette immuable force des choses se trahit jusque dans les effets de la Mort. Dans les familles riches, un parent, un ami, les gens d'affaires, évitent ces affreux détails à ceux qui pleurent; mais en ceci, comme dans la répartition des impôts, le peuple, les prolétaires sans aide, souffrent tout le poids de la douleur.

« Ah! vous avez bien raison de le regretter, dit Rémonencq à une plainte échappée au pauvre martyr, car c'était un bien brave homme, un bien honnête homme, qui laisse une belle collection; mais savez-vous, monsieur, que vous, qui êtes étranger, vous allez vous trouver dans un grand embarras, car on dit partout que vous êtes héritier de M. Pons. »

Schmucke n'écoutait pas; il était plongé dans une telle douleur, qu'elle avoisinait la folie. L'âme a son tétanos comme le corps.

« Et vous feriez bien de vous faire représenter par un conseil, par un homme d'affaires.

— *Ein home d'avvaires!* répéta Schmucke machinalement.

— Vous verrez que vous aurez besoin de vous faire représenter. A votre place, moi, je prendrais un homme d'expérience, un homme connu dans le quartier, un homme de confiance... Moi, dans toutes mes petites affaires, je me sers de Tabareau, l'huissier... Et en donnant votre procuration à son premier clerc, vous n'aurez aucun souci. »

Cette insinuation, soufflée par Fraisier, convenue entre Rémonencq et la Cibot, resta dans la mémoire de Schmucke; car, dans les instants où la douleur fige pour ainsi dire l'âme en en arrêtant les fonctions, la mémoire reçoit toutes les empreintes que le hasard y fait arriver. Schmucke écoutait Rémonencq, en le regardant d'un œil si complètement dénué d'intelligence, que le brocanteur ne lui dit plus rien.

« S'il reste imbécile comme cela, pensa Rémonencq, je pourrais bien lui acheter tout le bataclan de là-haut pour cent mille francs, si c'est à lui... — Monsieur, nous voici à la mairie. »

Rémonencq fut forcé de sortir Schmucke du fiacre et de le prendre sous le bras pour le faire arriver jusqu'au bureau des actes de l'état civil, où Schmucke donna dans une noce. Schmucke dut attendre son tour, car, par un de ces hasards assez fréquents à Paris, le commis avait cinq ou six actes de décès à dresser. Là, ce pauvre Allemand devait être en proie à une passion égale à celle de Jésus.

« Monsieur est monsieur Schmucke? » dit un homme vêtu de noir en s'adressant à l'Allemand stupéfait de s'entendre appeler par son nom.

Schmucke regarda cet homme de l'air hébété qu'il avait eu en répondant à Rémonencq.

« Mais, dit le brocanteur à l'inconnu, que lui voulez-vous? Laissez donc cet homme tranquille, vous voyez bien qu'il est dans la peine.

— Monsieur vient de perdre son ami, et sans doute il se propose d'honorer dignement sa mémoire, car il est son héritier, dit l'inconnu. Monsieur ne lésinera sans doute pas... il achètera un terrain à perpétuité pour sa sépulture. M. Pons aimait tant les arts! Ce serait bien dommage de ne pas mettre sur son tombeau la Musique, la Peinture

et la Sculpture... trois belles figures en pied, éplo-
rées... »

Rémonencq fit un geste d'Auvergnat pour éloi-
gner cet homme, et l'homme répondit par un autre
geste, pour ainsi dire commercial, qui signifiait :
« Laissez-moi donc faire mes affaires! » et que
comprit le brocanteur.

« Je suis le commissionnaire de la maison Sonet
et compagnie, entrepreneurs de monuments funéraires, reprit le courtier, que Walter Scott eût sur-
nommé *le jeune homme des tombeaux*. Si monsieur
voulait nous charger de la commande, nous lui
éviterions l'ennui d'aller à la Ville acheter le terrain nécessaire à la sépulture de l'ami que les Arts
ont perdu... »

Rémonencq hocha la tête en signe d'assentiment
et poussa le coude à Schmucke.

« Tous les jours, nous nous chargeons, pour les
familles, d'aller accomplir toutes les formalités, disait toujours le courtier encouragé par ce geste
de l'Auvergnat. Dans le premier moment de sa
douleur, il est bien difficile à un héritier de s'occuper par lui-même de ces détails, et nous avons
l'habitude de ces petits services pour nos clients.
Nos monuments, monsieur, sont tarifés à tant le
mètre en pierre de taille ou en marbre... Nous creu-
sons les fosses pour les tombes de famille... Nous
nous chargeons de tout, au plus juste prix. Notre
maison a fait le magnifique monument de la belle
Esther Gobseck et de Lucien de Rubempré, l'un
des plus magnifiques ornements du Père-Lachaise.

Nous avons les meilleurs ouvriers, et j'engage monsieur à se défier des petits entrepreneurs... qui ne font que de la camelote », ajouta-t-il en voyant venir un autre homme vêtu de noir qui se proposait de parler pour une autre maison de marbrerie et de sculpture.

On a souvent dit que la mort était la fin d'un voyage, mais on ne sait pas à quel point cette similitude est réelle à Paris. Un mort, un mort de qualité surtout, est accueilli sur le *sombre rivage* comme un voyageur qui débarque au port, et que tous les courtiers d'hôtellerie fatiguent de leurs recommandations. Personne, à l'exception de quelques philosophes ou de quelques familles sûres de vivre qui se font construire des tombes comme elles ont des hôtels, personne ne pense à la mort et à ses conséquences sociales. La mort vient toujours trop tôt; et d'ailleurs, un sentiment bien entendu empêche les héritiers de la supposer possible. Aussi, presque tous ceux qui perdent leurs pères, leurs mères, leurs femmes ou leurs enfants, sont-ils immédiatement assaillis par ces coureurs d'affaires, qui profitent du trouble où jette la douleur pour surprendre une commande. Autrefois, les entrepreneurs de monuments funéraires, tous groupés aux environs du célèbre cimetière du Père-Lachaise, où ils forment une rue qu'on devrait appeler rue des Tombeaux, assaillaient les héritiers aux environs de la tombe ou au sortir du cimetière; mais, insensiblement, la concurrence, le génie de la spéculation, les a fait gagner du terrain, et ils sont descendus aujourd'hui dans la ville jusqu'aux abords des mairies. Enfin, les courtiers pénètrent souvent dans la maison mortuaire, un plan de tombe à la main.

« Je suis en affaire avec monsieur, dit le courtier de la maison Sonet au courtier qui se présentait.

— Décès Pons!... Où sont les témoins?... dit le garçon de bureau.

— Venez, monsieur... », dit le courtier en s'adressant à Rémonencq.

Rémonencq pria le courtier de soulever Schmucke, qui restait sur son banc comme une masse inerte; ils le menèrent à la balustrade derrière laquelle le rédacteur des actes de décès s'abrite contre les douleurs publiques. Rémonencq, la providence de Schmucke, fut aidé par le docteur Poulain, qui vint donner les renseignements nécessaires sur l'âge et le lieu de naissance de Pons. L'Allemand ne savait qu'une seule chose, c'est que Pons était son ami. Une fois les signatures données, Rémonencq et le docteur, suivis du courtier, mirent le pauvre Allemand en voiture, dans laquelle se glissa l'enragé courtier, qui voulait avoir une solution pour sa commande. La Sauvage, en observation sur le pas de la porte cochère, monta Schmucke presque évanoui dans ses bras, aidée par Rémonencq et par le courtier de la maison Sonet.

« Il va se trouver mal!... s'écria le courtier, qui voulait terminer l'affaire qu'il disait commencée.

— Je le crois bien! répondit Mme Sauvage; il

pleure depuis vingt-quatre heures, et il n'a rien
voulu prendre. Rien ne creuse l'estomac comme le
chagrin.

— Mais, mon cher client, lui dit le courtier de
la maison Sonet, prenez donc un bouillon. Vous
avez tant de choses à faire : il faut aller à l'Hôtel
de Ville, acheter le terrain nécessaire pour le monument que vous voulez élever à la mémoire de
cet ami des Arts, et qui doit témoigner de votre
reconnaissance.

— Mais cela n'a pas de bon sens, dit Mme Cantinet à Schmucke, en arrivant avec un bouillon et
du pain.

— Songez, mon cher monsieur, si vous êtes si
faible que cela, reprit Rémonencq, songez à vous
faire représenter par quelqu'un, car vous avez bien
des affaires sur les bras : il faut commander le
convoi! vous ne voulez pas qu'on enterre votre ami
comme un pauvre.

— Allons, allons, mon cher monsieur! » dit la
Sauvage en saisissant un moment où Schmucke avait
la tête inclinée sur le dos du fauteuil.

Elle entonna dans la bouche de Schmucke une
cuillerée de potage, et lui donna presque malgré lui
à manger comme à un enfant.

« Maintenant, si vous étiez sage, monsieur,
puisque vous voulez vous livrer tranquillement à
votre douleur, vous prendriez quelqu'un pour vous
représenter...

— Puisque monsieur, dit le courtier, a l'intention d'élever un magnifique monument à la mé-

moire de son ami, il n'a qu'à me charger de toutes les démarches, je les ferai...

— Qu'est-ce que c'est? qu'est-ce que c'est? dit la Sauvage. Monsieur vous a commandé quelque chose? Qui donc êtes-vous?

— L'un des courtiers de la maison Sonet, ma chère dame, les plus forts entrepreneurs de monuments funéraires... dit-il en tirant une carte et la présentant à la puissante Sauvage.

— Eh bien, c'est bon, c'est bon!... on ira chez vous quand on le jugera convenable; mais il ne faut pas abuser de l'état dans lequel se trouve monsieur. Vous voyez bien que monsieur n'a pas sa tête...

— Si vous voulez vous arranger pour nous faire avoir la commande, dit le courtier de la maison Sonet à l'oreille de Mme Sauvage en l'amenant sur le palier, j'ai pouvoir de vous offrir quarante francs...

— Eh bien, donnez-moi votre adresse », dit Mme Sauvage en s'humanisant.

Schmucke, en se voyant seul et se trouvant mieux par cette ingestion d'un potage au pain, retourna promptement dans la chambre de Pons, où il se mit en prières. Il était perdu dans les abîmes de la douleur, lorsqu'il fut tiré de son profond anéantissement par un jeune homme vêtu de noir qui lui dit pour la onzième fois un : — Monsieur?... que le pauvre martyr entendit d'autant mieux, qu'il se sentit secoué par la manche de son habit.

« *Qu'y a-d-il engore?...*

— Monsieur, nous devons au docteur Gannal une découverte sublime; nous ne contestons pas sa gloire, il a renouvelé les miracles de l'Egypte; mais il y a eu des perfectionnements, et nous avons obtenu des résultats surprenants. Donc, si vous voulez revoir votre ami, tel qu'il était de son vivant...

— *Le refoir!...* s'écria Schmucke; *me barlera-d-il?*

— Pas absolument!... Il ne lui manquera que la parole, reprit le courtier d'embaumement; mais il restera pour l'éternité comme l'embaumement vous le montrera. L'opération exige peu d'instants. Une incision dans la carotide et l'injection suffisent; mais il est grand temps... Si vous attendiez encore un quart d'heure, vous ne pourriez plus avoir la douce satisfaction d'avoir conservé le corps...

— *Hâlis-fis-en au tiaple!... Bons est une âme!... et cedde âme est au ciel.*

— Cet homme est sans aucune reconnaissance, dit le jeune courtier d'un des rivaux du célèbre Gannal en passant sous la porte cochère; il refuse de faire embaumer son ami!

— Que voulez-vous, monsieur! dit la Cibot, qui venait de faire embaumer son chéri. C'est un héritier, un légataire. Une fois son affaire faite, le défunt n'est plus rien pour eux. »

Une heure après, Schmucke vit venir dans la chambre Mme Sauvage suivie d'un homme vêtu de noir et qui paraissait être un ouvrier.

« Monsieur, dit-elle, Cantinet a eu la complai-

sance de vous envoyer monsieur, qui est le fournisseur des bières de la paroisse. »

Le fournisseur des bières s'inclina d'un air de
commisération et de condoléance, mais, en homme
sûr de son fait et qui se sait indispensable, il regarda le mort en connaisseur.

« Comment monsieur veut-il *cela?* En sapin, en
bois de chêne simple, ou en bois de chêne doublé
de plomb? Le bois de chêne doublé de plomb est
ce qu'il y a de plus comme il faut. Le corps, dit-il,
a la mesure ordinaire... »

Il tâta les pieds pour toiser le corps.

« Un mètre soixante-dix! ajouta-t-il. Monsieur
pense sans doute à commander le service funèbre à
l'église? »

Schmucke jeta sur cet homme des regards comme
en ont les fous avant de faire un mauvais coup.

« Monsieur, vous devriez, dit la Sauvage, prendre
quelqu'un qui s'occuperait de tous ces détails-là
pour vous.

— Oui... dit enfin la victime.

— Voulez-vous que j'aille vous chercher M. Tabareau, car vous allez avoir bien des affaires sur les
bras? M. Tabareau, voyez-vous, c'est le plus honnête homme du quartier.

— *Ui, M. Dapareau! On m'en a barlé...* répondit
Schmucke vaincu.

— Eh bien, monsieur va être tranquille, et libre
de se livrer à sa douleur, après une conférence avec
son fondé de pouvoirs. »

Vers deux heures, le premier clerc de M. Taba-

reau, jeune homme qui se destinait à la carrière
d'huissier, se présenta modestement. La jeunesse a
d'étonnants privilèges, elle n'effraie pas. Ce jeune
homme, appelé Villemot, s'assit auprès de
Schmucke, et attendit le moment de lui parler.
Cette réserve toucha beaucoup Schmucke.

« Monsieur, lui dit-il, je suis le premier clerc de
M. Tabareau, qui m'a confié le soin de veiller ici à
vos intérêts, et de me charger de tous les détails de
l'enterrement de votre ami... Etes-vous dans cette
intention?

— *Fus ne me sauferez pas la fie, gar che n'ai bas
longdans à fifre, mais fus me laisserez dranquille?*

— Oh! vous n'aurez pas un dérangement, répondit Villemot.

— *Hé bien, que vaud-il vair bir cela?*

— Signez ce papier où vous nommez M. Tabareau votre mandataire, relativement à toutes les affaires de la succession.

— *Pien! tonnez!* dit l'Allemand en voulant signer
sur-le-champ.

— Non, je dois vous lire l'acte.

— *Lissez!* »

Schmucke ne prêta pas la moindre attention à la
lecture de cette procuration générale, et il la signa.
Le jeune homme prit les ordres de Schmucke pour
le convoi, pour l'achat du terrain où l'Allemand
voulut avoir sa tombe, et pour le service de l'église,
en lui disant qu'il n'éprouverait plus aucun trouble,
ni aucune demande d'argent.

« *Bir afoir la dranquillité, je tonnerais doud ce*

que che bossède », dit l'infortuné qui de nouveau s'agenouilla devant le corps de son ami.

Fraisier triomphait, le légataire ne pouvait pas faire un mouvement hors du cercle où il le tenait enfermé par la Sauvage et par Villemot.

Il n'est pas de douleur que le sommeil ne sache vaincre. Aussi, vers la fin de la journée, la Sauvage trouva-t-elle Schmucke étendu au bas du lit où gisait le corps de Pons, et dormant; elle l'emporta, le coucha, l'arrangea maternellement dans son lit, et l'Allemand y dormit jusqu'au lendemain. Quand Schmucke s'éveilla, c'est-à-dire quand, après cette trêve, il fut rendu au sentiment de ses douleurs, le corps de Pons était exposé sous la porte cochère, dans la chapelle ardente à laquelle ont droit les convois de troisième classe; il chercha donc vainement son ami dans cet appartement qui lui parut immense, où il ne trouva rien que d'affreux souvenirs. La Sauvage, qui gouvernait Schmucke avec l'autorité d'une nourrice sur son marmot, le força de déjeuner avant d'aller à l'église. Pendant que cette pauvre victime se contraignait à manger, la Sauvage lui fit observer, avec des lamentations dignes de Jérémie, qu'il ne possédait pas d'habit noir. La garde-robe de Schmucke, entretenue par Cibot, en était arrivée, avant la maladie de Pons, comme le dîner, à sa plus simple expression, à deux pantalons et deux redingotes!...

« Vous allez aller comme vous êtes à l'enterrement de monsieur? C'est une monstruosité à vous faire honnir par tout le quartier!...

— *Ed commend fulez-fus que ch'y alle?*

— Mais en deuil!...

— *Le teuille!...*

— Les convenances...

— *Les gonfenances!... che me viche pien de toudes ces pétisses-là*, dit le pauvre homme, arrivé au dernier degré d'exaspération où la douleur puisse porter une âme d'enfant.

— Mais c'est un monstre d'ingratitude », dit la Sauvage en se tournant vers un monsieur qui se montra soudain dans l'appartement, et qui fit frémir Schmucke.

Ce fonctionnaire, magnifiquement vêtu de drap noir, en culotte noire, en bas de soie noire, à manchettes blanches, décoré d'une chaîne d'argent à laquelle pendait une médaille, cravaté d'une cravate de mousseline blanche très correcte, et en gants blancs; ce type officiel, frappé au même coin pour les douleurs publiques, tenait à la main une baguette en ébène, insigne de ses fonctions, et sous le bras gauche un tricorne à cocarde tricolore.

« Je suis le maître des cérémonies », dit ce personnage d'une voix douce.

Habitué par ses fonctions à diriger tous les jours des convois et à traverser toutes les familles plongées dans une même affliction, réelle ou feinte, cet homme, ainsi que tous ses collègues, parlait bas et avec douceur; il était décent, poli, convenable par état, comme une statue représentant le génie de la mort. Cette déclaration causa un tremblement nerveux à Schmucke, comme s'il eût vu le bourreau.

« Monsieur est-il le fils, le frère, le père du défunt?... demanda l'homme officiel.

— *Che zuiz dout cela, et plis... che zuiz son ami!...*
dit Schmucke à travers un torrent de larmes.

— Etes-vous l'héritier? demanda le maître des
cérémonies.

— L'*héridier*... répéta Schmucke. *Dout m'esd écal
au monde.* »

Et Schmucke reprit l'attitude que lui donnait sa
douleur morne.

« Où sont les parents, les amis? demanda le
maître des cérémonies.

— *Les foilà dous,* s'écria Schmucke en montrant
les tableaux et les curiosités. *Chamais ceux-là n'ond
vaid zouvrir mon pon Bons!... Foilà doud ce qu'il
aimait afec moi!*

— Il est fou, monsieur, dit la Sauvage au maître
des cérémonies. Allez, c'est inutile de l'écouter. »

Schmucke s'était assis et avait repris sa contenance
d'idiot, en essuyant machinalement ses larmes. En
ce moment, Villemot, le premier clerc de maître Tabareau, parut; et le maître des cérémonies, reconnaissant celui qui était venu commander le convoi,
lui dit : « Eh bien, monsieur, il est temps de partir...
le char est arrivé; mais j'ai rarement vu de convoi
pareil à celui-là. Où sont les parents, les amis?...

— Nous n'avons pas eu beaucoup de temps, reprit M. Villemot, monsieur est plongé dans une
telle douleur qu'il ne pensait à rien; mais il n'y a
qu'un parent... »

Le maître des cérémonies regarda Schmucke d'un

air de pitié, car cet expert en douleur distinguait bien le vrai du faux, et il vint près de Schmucke.

« Allons, mon cher monsieur, du courage!... Songez à honorer la mémoire de votre ami.

— Nous avons oublié d'envoyer des billets de faire part, mais j'ai eu le soin d'envoyer un exprès à M. le président de Marville, le seul parent de qui je vous parlais... Il n'y a pas d'amis... Je ne crois pas que les gens du théâtre où le défunt était chef d'orchestre viennent... Mais monsieur est, je crois, légataire universel.

— Il doit alors conduire le deuil, dit le maître des cérémonies. — Vous n'avez pas d'habit noir? demanda le maître des cérémonies en avisant le costume de Schmucke.

— *Che zuiz doud en noir à l'indériére!*... dit le pauvre Allemand d'une voix déchirante, *et si pien en noir, que che sens la mord en moi... Dieu me vera la craze de m'inir à mon ami tans la tombe, ed che l'en remercie!...* »

Et il joignit les mains.

« Je l'ai déjà dit à notre administration, qui a déjà tant introduit de perfectionnements, reprit le maître des cérémonies en s'adressant à Villemot; elle devrait avoir un vestiaire, et louer des costumes d'héritier... C'est une chose qui devient de jour en jour plus nécessaire... Mais puisque monsieur hérite, il doit prendre le manteau de deuil, et celui que j'ai apporté l'enveloppera tout entier, si bien qu'on ne s'apercevra pas de l'inconvenance de son costume...

« Voulez-vous avoir la bonté de vous lever? » dit-il à Schmucke.

Schmucke se leva, mais il vacilla sur ses jambes.

« Tenez-le, dit le maître des cérémonies au premier clerc, puisque vous êtes son fondé de pouvoirs. »

Villemot soutint Schmucke en le prenant sous les bras, et alors le maître des cérémonies saisit cet ample et horrible manteau noir que l'on met aux héritiers pour suivre le char funèbre de la maison mortuaire à l'église, en le lui attachant par des cordons de soie noire sous le menton.

Et Schmucke fut *paré* en héritier.

« Maintenant, il nous survient une grande difficulté, dit le maître des cérémonies. Nous avons les quatre glands du poêle à *garnir*... S'il n'y a personne, qui les tiendra?... Voici dix heures et demie, dit-il en consultant sa montre, on nous attend à l'église.

— Ah! voici Fraisier! » s'écria fort imprudemment Villemot.

Mais personne ne pouvait recueillir cet aveu de complicité.

« Qui est ce monsieur? demanda le maître des cérémonies.

— Oh! c'est la famille.

— Quelle famille?

— La famille déshéritée. C'est le fondé de pouvoirs de M. le président Camusot.

— Bien! dit le maître des cérémonies, avec un air de satisfaction. Nous aurons au moins deux glands de tenus, l'un par vous et l'autre par lui. »

Le maître des cérémonies, heureux d'avoir deux glands garnis, alla prendre deux magnifiques paires de gants de daim blancs, et les présenta tour à tour à Fraisier et à Villemot d'un air poli.

« Ces messieurs voudront bien prendre chacun un des coins du poêle!... » dit-il.

Fraisier, tout en noir, mis avec prétention, cravate blanche, l'air officiel, faisait frémir, il contenait cent dossiers de procédure.

« Volontiers, monsieur, dit-il.

— S'il pouvait nous arriver seulement deux personnes, dit le maître des cérémonies, les quatre glands seraient garnis. »

En ce moment arriva l'infatigable courtier de la maison Sonet, suivi du seul homme qui se souvînt de Pons, qui pensât à lui rendre les derniers devoirs. Cet homme était un gagiste du théâtre, le garçon chargé de mettre les partitions sur les pupitres à l'orchestre, et à qui Pons donnait tous les mois une pièce de cinq francs, en le sachant père de famille.

« *Ah! Dobinard* (Topinard)... s'écria Schmucke en reconnaissant le garçon. *Du ame Bons, doi!...*

— Mais, monsieur, je suis venu tous les jours, le matin, savoir des nouvelles de monsieur...

— *Dus les chours! baufre Dobinard!...* dit Schmucke en serrant la main au garçon de théâtre.

— Mais on me prenait sans doute pour un parent, et on me recevait bien mal! J'avais beau dire que j'étais du théâtre et que je venais savoir des

nouvelles de M. Pons, on me disait qu'on connaissait ces couleurs-là. Je demandais à voir ce pauvre
cher malade; mais on ne m'a jamais laissé monter.

— *L'invâme Zibod!*... dit Schmucke en serrant
sur son cœur la main calleuse du garçon de théâtre.

— C'était le roi des hommes, ce brave M. Pons.
Tous les mois, il me donnait cent sous... Il savait
que j'ai trois enfants et une femme. Ma femme est
à l'église.

— *Che bardacherai mon bain afec doi!* s'écria
Schmucke, dans la joie d'avoir près de lui un
homme qui aimait Pons.

— Monsieur veut-il prendre un des glands du
poêle? dit le maître des cérémonies, nous aurons
ainsi les quatre. »

Le maître des cérémonies avait facilement décidé
le courtier de la maison Sonet à prendre un des
glands, surtout en lui montrant la belle paire de
gants qui, selon les usages, devait lui rester.

« Voici dix heures trois quarts!... il faut absolument descendre... l'église attend », dit le maître des
cérémonies.

Et ces six personnes se mirent en marche à travers les escaliers.

« Fermez bien l'appartement et restez-y, dit
l'atroce Fraisier aux deux femmes qui restaient sur
le palier, surtout si vous voulez être gardienne, madame Cantinet. Ah! ah! c'est quarante sous par
jour!... »

Par un hasard qui n'a rien d'extraordinaire à
Paris, il se trouvait deux catafalques sous la porte

cochère, et conséquemment deux convois, celui de
Cibot, le défunt concierge, et celui de Pons. Personne ne venait rendre aucun témoignage d'affection au brillant catafalque de l'ami des arts, et tous
les portiers du voisinage affluaient et aspergeaient
la dépouille mortelle du portier d'un coup de goupillon.
Ce contraste de la foule accourue au convoi
de Cibot, et la solitude dans laquelle restait Pons,
eut lieu non seulement à la porte de la maison, mais
encore dans la rue où le cercueil de Pons ne fut
suivi que par Schmucke que soutenait un croque-
mort, car l'héritier défaillait à chaque pas. De la
rue de Normandie à la rue d'Orléans, où l'église
Saint-François est située, les deux convois allèrent
entre deux haies de curieux, car, ainsi qu'on l'a
dit, tout fait événement dans ce quartier. On remarquait donc la splendeur du char blanc, d'où pendait un écusson sur lequel était brodé un grand P,
et qui n'avait qu'un seul homme à sa suite; tandis
que le simple char, celui de la dernière classe, était
accompagné d'une foule immense. Heureusement
Schmucke, hébété par le monde aux fenêtres, et par
la haie que formaient les badauds, n'entendait rien
et ne voyait ce concours de personnes qu'à travers
le voile de ses larmes.

« Ah! c'est le Casse-noisette, disait l'un... le musicien, vous savez!

— Quelles sont donc les personnes qui tiennent
les cordons?...

— Bah! des comédiens!

— Tiens, voilà le convoi de ce pauvre père Cibot! En voilà un travailleur de moins! quel dévorant!

— Il ne sortait jamais cet homme-là!

— Jamais il n'a fait le lundi.

— Aimait-il sa femme!

— En voilà une malheureuse! »

Rémonencq, qui portait un visage de circonstance, était derrière le char de sa victime, et recevait des compliments de condoléance sur la perte de son voisin.

Ces deux convois arrivèrent à l'église, où Cantinet, d'accord avec le suisse, eut soin qu'aucun mendiant ne parlât à Schmucke. Villemot avait promis à l'héritier qu'il serait tranquille, et il satisfaisait à toutes les dépenses, en veillant sur son client. Le modeste corbillard de Cibot, escorté de soixante à quatre-vingts personnes, fut accompagné par tout ce monde jusqu'au cimetière. A la sortie de l'église, le convoi de Pons eut quatre voitures de deuil; une pour le clergé, les trois autres pour les parents; mais une seule fut nécessaire, car le courtier de la maison Sonet était allé, pendant la messe, prévenir M. Sonet du départ du convoi, afin qu'il pût présenter le dessin et le devis du monument au légataire universel au sortir du cimetière. Fraisier, Villemot, Schmucke et Topinard tinrent dans une seule voiture. Les deux autres, au lieu de retourner à l'administration, allèrent à vide au Père-Lachaise. Cette course inutile de voitures à vide a lieu souvent. Lorsque les morts ne jouissent d'aucune célébrité, n'attirent aucun concours de monde, il y a

toujours trop de voitures. Les morts doivent avoir
été bien aimés dans leur vie pour qu'à Paris, où tout
le monde voudrait trouver une vingt-cinquième
heure à chaque journée, on suive un parent où un
ami jusqu'au cimetière. Mais les cochers perdraient
leur pourboire, s'ils ne faisaient pas leur besogne.
Aussi, pleines ou vides, les voitures vont-elles à
l'église, au cimetière, et reviennent-elles à la maison
mortuaire, où les cochers demandent un pourboire.
On ne se figure pas le nombre de gens pour qui la
mort est un abreuvoir. Le bas clergé de l'Eglise, les
pauvres, les croque-morts, les cochers, les fossoyeurs,
ces natures spongieuses se retirent gonflées en se
plongeant dans un corbillard. De l'église, où l'héritier à sa sortie fut assailli par une nuée de pauvres,
aussitôt réprimée par le suisse, jusqu'au Père-Lachaise, le pauvre Schmucke alla comme les crimi-
nels allaient du Palais à la place de Grève. Il menait son propre convoi, tenant dans sa main la main
du garçon Topinard, le seul homme qui eût dans
le cœur un vrai regret de la mort de Pons. Topinard, excessivement touché de l'honneur qu'on lui
avait fait en lui confiant un des cordons du poêle,
et content d'aller en voiture, possesseur d'une paire
de gants, commençait à entrevoir dans le convoi de
Pons une des grandes journées de sa vie. Abîmé de
douleur, soutenu par le contact de cette main à laquelle répondait un cœur, Schmucke se laissait rouler absolument comme ces malheureux veaux
conduits en charrette à l'abattoir. Sur le devant de
la voiture se tenaient Fraisier et Villemot. Or, ceux

qui ont eu le malheur d'accompagner beaucoup des leurs au champ du repos, savent que toute hypocrisie cesse en voiture durant le trajet, qui, souvent, est fort long, de l'église au cimetière de l'Est, celui des cimetières parisiens où se sont donné rendez-vous toutes les vanités, tous les luxes, et si riche en monuments somptueux. Les indifférents commencent la conversation, et les gens les plus tristes finissent par les écouter et se distraire.

« M. le président était déjà parti pour l'audience, disait Fraisier à Villemot, et je n'ai pas trouvé nécessaire d'aller l'arracher à ses occupations au Palais, il serait toujours venu trop tard. Comme il est l'héritier naturel et légal, mais qu'il est déshérité au profit de M. Schmucke, j'ai pensé qu'il suffisait à son fondé de pouvoirs d'être ici... »

Topinard prêta l'oreille.

« Qu'est-ce donc que ce drôle qui tenait le quatrième gland? demanda Fraisier à Villemot.

— C'est le courtier d'une *maison qui fait le monument funéraire,* et qui voudrait obtenir la commande d'une tombe où il se propose de sculpter trois figures en marbre, la Musique, la Peinture et la Sculpture versant des pleurs sur le défunt.

— C'est une idée, reprit Fraisier. Le bonhomme mérite bien cela; mais ce monument-là coûtera bien sept à huit mille francs.

— Oh! oui!

— Si M. Schmucke fait la commande, ça ne peut pas regarder la succession, car on pourrait absorber une succession par de pareils frais...

— Ce serait un procès, mais on le gagnerait...

— Eh bien, reprit Fraisier, ça le regardera donc! C'est une bonne farce à faire à ces entrepreneurs... dit Fraisier à l'oreille de Villemot, car si le testament est cassé, ce dont je réponds... ou s'il n'y avait pas de testament, qui est-ce qui les paierait? »

Villemot eut un rire de singe. Le premier clerc de Tabareau et l'homme de loi se parlèrent alors à voix basse et à l'oreille; mais, malgré le roulis de la voiture et tous les empêchements, le garçon de théâtre, habitué à tout deviner dans le monde des coulisses, devina que ces deux gens de justice méditaient de plonger le pauvre Allemand dans des embarras, et il finit par entendre le mot significatif de *Clichy!* Dès lors, le digne et honnête serviteur du monde comique résolut de veiller sur l'ami de Pons.

Au cimetière, où par les soins du courtier de la maison Sonet, Villemot avait acheté trois mètres de terrain à la Ville, en annonçant l'intention d'y construire un magnifique monument, Schmucke fut conduit par le maître des cérémonies, à travers une foule de curieux, à la fosse où l'on allait descendre Pons. Mais à l'aspect de ce trou carré au-dessus duquel quatre hommes tenaient avec des cordes la bière de Pons sur laquelle le clergé disait sa dernière prière, l'Allemand fut pris d'un tel serrement de cœur, qu'il s'évanouit. Topinard, aidé par le courtier de la maison Sonet, et par M. Sonet lui-même, emporta le pauvre Allemand dans l'établissement du marbrier, où les soins les plus empressés et les plus généreux lui furent prodigués par Mme Sonet et par Mme Vitelot, épouse de l'associé de M. Sonet. Topinard resta là, car il avait vu Fraisier, dont la figure lui semblait patibulaire, s'entretenir avec le courtier de la maison Sonet.

Au bout d'une heure, vers deux heures et demie, le pauvre innocent Allemand recouvra ses sens. Schmucke croyait rêver depuis deux jours. Il pensait qu'il se réveillerait et qu'il trouverait Pons vivant. Il eut tant de serviettes mouillées sur le front, on lui fit respirer tant de sels et de vinaigres, qu'il ouvrit les yeux. Mme Sonet força Schmucke à boire un bon bouillon gras, car on avait mis le pot-au-feu chez les marbriers.

« Ça ne nous arrive pas souvent de recueillir ainsi des clients qui sentent aussi vivement que cela; mais ça se voit encore tous les ans, une ou deux fois. »

Enfin Schmucke parla de regagner la rue de Normandie.

« Monsieur, dit alors Sonet, voici le dessin qu'a fait Vitelot exprès pour vous, il a passé la nuit!... Mais il a été bien inspiré! ça sera beau...

— Ça sera l'un des plus beaux du Père-La-chaise!... dit la petite Mme Sonet. Mais vous devez honorer la mémoire d'un ami qui vous a laissé toute sa fortune... »

Ce projet, censé fait exprès, avait été préparé pour de Marsay, le fameux ministre; mais la veuve avait voulu confier ce monument à Stidmann; le projet de ces industriels fut alors rejeté, car on eut

horreur d'un monument de pacotille. Ces trois figures représentaient alors les journées de Juillet, où
se manifesta ce grand ministre. Depuis, avec des
modifications, Sonet et Vitelot avaient fait des *trois
glorieuses*, l'Armée, la Finance et la Famille pour le
monument de Charles Keller, qui fut encore exé-
cuté par Stidmann. Depuis onze ans ce projet était
adapté à toutes les circonstances de famille; mais,
en le calquant, Vitelot avait transformé les trois
figures en celles des génies de la Musique, de la
Sculpture et de la Peinture.

« Ce n'est rien si l'on pense aux détails et aux
constructions; mais en six mois nous arriverons... dit
Vitelot. Monsieur, voici le devis et la commande...
sept mille francs, non compris les praticiens.

— Si monsieur veut du marbre, dit Sonet, plus
spécialement marbrier, ce sera douze mille francs,
et monsieur s'immortalisera avec son ami...

— Je viens d'apprendre que le testament sera
attaqué, dit Topinard à l'oreille de Vitelot, et que
les héritiers rentreront dans leur héritage; allez voir
M. le président Camusot, car ce pauvre innocent
n'aura pas un liard...

— Vous nous amenez toujours des clients comme
cela! » dit Mme Vitelot au courtier en commençant
une querelle.

Topinard reconduisit Schmucke à pied, rue de
Normandie, car les voitures de deuil s'y étaient
dirigées.

« *Ne me guiddez bas!...* » dit Schmucke à Topinard.

Topinard voulait s'en aller, après avoir remis le pauvre musicien entre les mains de la dame Sauvage.

« Il est quatre heures, mon cher monsieur Schmucke, et il faut que j'aille dîner... ma femme, qui est ouvreuse, ne comprendrait pas ce que je suis devenu. Vous savez... le théâtre ouvre à cinq heures trois quarts...

— *Ui, che le sais... mais sonchez que che zuis zeul sur la derre, sans ein ami. Fous qui afez bleuré Bons, églairez-moi, che zuis tans eine nouitte brovonte, ed Bons m'a tit que j'édais enduré de goguins...*

— Je m'en suis déjà bien aperçu, je viens de vous empêcher d'aller coucher à Clichy!

— *Gligy?...* s'écria Schmucke, *che ne gombrends bas...*

— Pauvre homme! eh bien, soyez tranquille, je viendrai vous voir, adieu.

— *Atié! à piendôd!...* dit Schmucke en tombant quasi mort de lassitude.

— Adieu! mô-sieur! dit Mme Sauvage à Topinard d'un air qui frappa le gagiste.

— Oh! qu'avez-vous donc, la bonne?... dit railleusement le garçon de théâtre. Vous vous posez là comme un traître de mélodrame.

— Traître vous-même! De quoi vous mêlez-vous ici? N'allez-vous pas vouloir faire les affaires de monsieur! et le carotter?...

— Le carotter!... servante!... reprit superbement Topinard. Je ne suis qu'un pauvre garçon de théâtre, mais je tiens aux artistes, et apprenez que

je n'ai jamais rien demandé à personne! Vous a-t-on
demandé quelque chose? Vous doit-on?... eh! la
vieille?...

— Vous êtes garçon de théâtre, et vous vous
nommez?... demanda la virago.

— Topinard, pour vous servir...

— Bien des choses chez vous, dit la Sauvage, et
mes compliments à médème, si môsieur est marié...
C'est tout ce que je voulais savoir.

— Qu'avez-vous donc, ma belle?... dit Mme Cantinet qui survint.

— J'ai, ma petite, que vous allez rester là, surveiller le dîner, je vais donner un coup de pied
jusque chez monsieur...

— Il est en bas, il cause avec cette pauvre
Mme Cibot, qui pleure toutes les larmes de son
corps », répondit la Cantinet.

La Sauvage dégringola par les escaliers avec une
telle rapidité, que les marches tremblaient sous ses
pieds.

« Monsieur... » dit-elle à Fraisier en l'attirant à
elle à quelques pas de Mme Cibot.

Et elle désigna Topinard au moment où le garçon de théâtre passait fier d'avoir déjà payé sa dette
à son bienfaiteur, en empêchant par une ruse inspirée par les coulisses, où tout le monde a plus ou
moins d'esprit drolatique, l'ami de Pons de tomber
dans un piège. Aussi le gagiste se promettait-il de
protéger le musicien de son orchestre contre les
pièges qu'on tendrait à sa bonne foi.

« Vous voyez bien ce petit misérable!... c'est une

espèce d'honnête homme qui veut fourrer son nez
dans les affaires de M. Schmucke...

— Qui est-ce? demanda Fraisier.

— Oh! un rien du tout...

— Il n'y a pas de rien du tout, en affaires...

— Hé! dit-elle, c'est un garçon de théâtre, nommé
Topinard...

— Bien, madame Sauvage! continuez ainsi, vous
aurez votre débit de tabac. »

Et Fraisier reprit la conversation avec Mme Cibot.

« Je dis donc, ma chère cliente, que vous n'avez
pas joué franc jeu avec nous, et que nous ne
sommes tenus à rien avec un associé qui nous
trompe!

— Et en quoi vous ai-je trompé?... dit la Cibot
en mettant les poings sur ses hanches. Croyez-vous
que vous me ferez trembler avec vos regards de ver-
jus et vos airs de givre!... Vous cherchez de mauvaises raisons pour vous débarrasser de vos promesses, et vous vous dites honnête homme.
Savez-vous ce que vous êtes? Vous êtes une
canaille. Oui, oui, grattez-vous le bras!... mais
empochez ça!...

— Pas de mots, pas de colère, ma mie, dit Fraisier. Écoutez-moi! Vous avez fait votre pelote... Ce
matin, pendant les préparatifs du convoi, j'ai trouvé
ce catalogue, en double, écrit tout entier de la main
de M. Pons, et par hasard mes yeux sont tombés
sur ceci :

Et il lut en ouvrant le catalogue manuscrit.

« N° 7. *Magnifique portrait peint sur marbre, par Sébastien del Piombo, en 1546, vendu par une famille qui l'a fait enlever de la cathédrale de Terni. Ce portrait, qui avait pour pendant un évêque, acheté par un Anglais, représente un chevalier de Malte en prières, et se trouvait au-dessus du tombeau de la famille Rossi. Sans la date, on pourrait attribuer cette œuvre à Raphaël. Ce morceau me semble supérieur au portrait de Baccio Bandinelli, du Musée, qui est un peu sec, tandis que ce chevalier de Malte est d'une fraîcheur due à la conservation de la peinture sur la* LAVAGNA *(ardoise).* »

« En regardant, reprit Fraisier, à la place n° 7, j'ai trouvé un portrait de dame signé *Chardin*, sans n° 7!... Pendant que le maître des cérémonies complétait son nombre de personnes pour tenir les cordons du poêle, j'ai vérifié les tableaux, et il y a huit substitutions de toiles ordinaires et sans numéros, à des œuvres indiquées comme capitales par feu M. Pons et qui ne se trouvent plus... Et enfin, il manque un petit tableau sur bois, de Metzu, désigné comme un chef-d'œuvre...

— Est-ce que j'étais gardienne de tableaux? moi! dit la Cibot.

— Non, mais vous étiez femme de confiance, faisant le ménage et les affaires de M. Pons, et s'il y a vol...

— Vol! apprenez, monsieur, que les tableaux ont

été vendus par M. Schmucke, d'après les ordres de
M. Pons, pour subvenir à ses besoins.

— A qui?

— A MM. Elie Magus et Rémonencq...

— Combien?...

— Mais, je ne m'en souviens pas!...

— Ecoutez, ma chère madame Cibot, vous avez
fait votre pelote, elle est dodue!... reprit Fraisier.
J'aurai l'œil sur vous, je vous tiens... Servez-moi, je
me tairai! Dans tous les cas, vous comprenez que
vous ne devez compter sur rien de la part de M. le
président Camusot, du moment où vous avez jugé
convenable de le dépouiller.

— Je savais bien, mon cher monsieur Fraisier,
que cela tournerait en os de boudin pour moi... »
répondit la Cibot adoucie par les mots : « *Je me
tairai!* »

« Voilà, dit Rémonencq en survenant, que vous
cherchez querelle à madame; ça n'est pas bien! La
vente des tableaux a été faite de gré à gré avec
M. Pons entre M. Magus et moi, que nous sommes
restés trois jours avant de nous accorder avec le défunt *qui rêvait sur ses tableaux!* Nous avons des
quittances en règle, et si nous avons donné, comme
cela se fait, quelques pièces de quarante francs à
madame, elle n'a eu que ce que nous donnons dans
toutes les maisons bourgeoises où nous concluons
un marché. Ah! mon cher monsieur, si vous croyez
tromper une femme sans défense, vous n'en serez
pas le bon marchand!... Entendez-vous, monsieur le
faiseur d'affaires? M. Magus est maître de la place,

et si vous ne filez pas doux avec madame, si vous ne
lui donnez pas ce que vous lui avez promis, je vous
attends à la vente de la collection, vous verrez ce
que vous perdrez si vous avez contre vous M. Magus et moi, qui saurons ameuter les marchands... Au
lieu de sept à huit cent mille francs, vous ne ferez
seulement pas deux cent mille francs!

— C'est bon! c'est bon, nous verrons! Nous ne
vendrons pas, dit Fraisier, ou nous vendrons à
Londres.

— Nous connaissons Londres! dit Rémonencq, et
M. Magus y est aussi puissant qu'à Paris.

— Adieu, madame, je vais éplucher vos affaires,
dit Fraisier; à moins que vous ne m'obéissiez toujours, ajouta-t-il.

— Petit filou!...

— Prenez garde, dit Fraisier, je vais être juge de
paix! »

On se sépara sur des menaces dont la portée était
bien appréciée de part et d'autre.

« Merci, Rémonencq! dit la Cibot, c'est bien bon
pour une pauvre veuve de trouver un défenseur. »

Le soir, vers dix heures, au théâtre, Gaudissart
manda dans son cabinet le garçon de théâtre de
l'orchestre. Gaudissart, debout devant la cheminée,
avait pris une attitude napoléonienne, contractée
depuis qu'il conduisait tout un monde de comédiens, de danseurs, de figurants, de musiciens, de
machinistes, et qu'il traitait avec des auteurs. Il
passait habituellement sa main droite dans son gilet,
en tenant sa bretelle gauche, et il se mettait la tête

de trois quarts en jetant son regard dans le vide.

« Ah çà! Topinard, avez-vous des rentes?

— Non, monsieur.

— Vous cherchez donc une place meilleure que la vôtre? demanda le directeur.

— Non, monsieur... répondit le gagiste en devenant blême.

— Que diable! ta femme est ouvreuse aux premières... J'ai su respecter en elle mon prédécesseur déchu... Je t'ai donné l'emploi de nettoyer les quinquets des coulisses pendant le jour; enfin, tu es attaché aux partitions. Ce n'est pas tout! tu as des feux de vingt sous pour faire les monstres et commander les diables quand il y a des enfers. C'est une position enviée par tous les gagistes, et tu es jalousé, mon ami, au théâtre, où tu as des ennemis.

— Des ennemis!... dit Topinard.

— Et tu as trois enfants, dont l'aîné joue les rôles d'enfant, avec des feux de cinquante centimes!...

— Monsieur...

— Laisse-moi parler... dit Gaudissart d'une voix foudroyante. Dans cette position-là, tu veux quitter le théâtre...

— Monsieur...

— Tu veux te mêler de faire des affaires, de mettre ton doigt dans des successions!... Mais, malheureux, tu serais écrasé comme un œuf! J'ai pour protecteur Son Excellence Mgr le comte Popinot, homme d'esprit et d'un grand caractère, que le roi a eu la sagesse de rappeler dans son conseil... Cet homme d'Etat, ce politique supérieur, je parle du comte Popinot, a marié son fils à la fille du président Marville, un des hommes les plus considérables et les plus considérés de l'ordre supérieur judiciaire, un des flambeaux de la cour, au Palais. Tu connais le Palais? Eh bien, le président est l'héritier de son cousin Pons, notre ancien chef d'orchestre, au convoi de qui tu es allé ce matin. Je ne te blâme pas d'être allé rendre les derniers devoirs à ce pauvre homme... Mais tu ne resterais pas en place, si tu te mêlais des affaires de ce digne M. Schmucke, à qui je veux beaucoup de bien, mais qui va se trouver en délicatesse avec les héritiers de Pons... Et comme cet Allemand m'est de peu, que le président et le comte Popinot me sont de beaucoup, je t'engage à laisser ce digne Allemand se dépêtrer tout seul de ses affaires. Il y a un Dieu particulier pour les Allemands, et tu serais très mal en sous-Dieu! vois-tu, reste gagiste!... tu ne peux pas mieux faire!

— Suffit, monsieur le directeur », dit Topinard navré.

Schmucke, qui s'attendait à voir le lendemain ce pauvre garçon de théâtre, le seul être qui eût pleuré Pons, perdit ainsi le protecteur que le hasard lui avait envoyé. Le lendemain, le pauvre Allemand sentit à son réveil l'immense perte qu'il avait faite, en trouvant l'appartement vide. La veille et l'avant-veille, les événements et les tracas de la mort avaient produit autour de lui cette agitation, ce mouvement où se distraient les yeux. Mais le silence qui suit le départ d'un ami, d'un père, d'un fils, d'une femme aimée, pour la tombe, le terne et froid silence du lendemain est terrible, il est glacial. Ramené par une force irrésistible dans la chambre de Pons, le pauvre homme ne put en soutenir l'aspect, il recula, revint s'asseoir dans la salle à manger où Mme Sauvage servait le déjeuner. Schmucke s'assit et ne put rien manger. Tout à coup une sonnerie assez vive retentit, et trois hommes noirs apparurent, à qui Mme Cantinet et Mme Sauvage laissèrent le passage libre. C'était d'abord M. Vitel, le juge de paix, et monsieur son greffier. Le troisième était Fraisier, plus sec, plus âpre que jamais, et ayant subi le désappointement d'un second testament en règle qui annulait l'arme puissante, si audacieusement volée par lui.

« Nous venons, monsieur, dit le juge de paix avec douceur à Schmucke, apposer les scellés ici... »

Schmucke, pour qui ces paroles étaient du grec, regarda d'un air effaré les trois hommes.

« Nous venons, à la requête de M. Fraisier, avocat, mandataire de M. Camusot de Marville, héritier de son cousin, le feu sieur Pons... ajouta le greffier.

— Les collections sont là, dans ce vaste salon, et dans la chambre à coucher du défunt, dit Fraisier.

— Eh bien, passons. Pardon, monsieur, déjeunez, faites », dit le juge de paix.

L'invasion de ces trois hommes noirs avait glacé le pauvre Allemand de terreur.

« Monsieur, dit Fraisier en dirigeant sur Schmucke un de ces regards venimeux qui magnétisaient ses victimes comme une araignée magnétise une mouche, monsieur, qui a su faire faire à son profit un testament par-devant notaire, devait bien s'attendre à quelque résistance de la part de la famille. Une famille ne se laisse pas dépouiller par un étranger sans combattre, et nous verrons, monsieur, qui l'emportera de la fraude, de la corruption ou de la famille!... Nous avons le droit, comme héritiers, de requérir l'apposition des scellés, les scellés seront mis, et je veux veiller à ce que cet acte conservatoire soit exercé avec la dernière rigueur, et il le sera.

— *Mon Tieu! mon Tieu! qu'aiche vaid au ziel?* dit l'innocent Schmucke.

— On jase beaucoup de vous dans la maison, dit la Sauvage, il est venu pendant que vous dormiez un petit jeune homme, habillé tout en noir, un freluquet, le premier clerc de M. Hannequin, et il voulait vous parler à toute force; mais comme vous dormiez et que vous étiez si fatigué de la cérémonie d'hier, je lui ai dit que vous aviez signé un pouvoir à M. Villemot, le premier clerc de Tabareau, et qu'il eût, si c'était pour affaires, à l'aller voir. « — Ah! tant mieux, qu'a dit le petit jeune « homme, je m'entendrai bien avec lui. Nous allons « déposer le testament au tribunal, après l'avoir « présenté au président. » Pour lors je l'ai prié de nous envoyer M. Villemot dès qu'il le pourrait. Soyez tranquille, mon cher monsieur, dit la Sauvage, vous aurez des gens pour vous défendre. Et l'on ne vous mangera pas la laine sur le dos. Vous

allez avoir quelqu'un qui a bec et ongles! M. Villemot va leur dire leur fait! Moi, je me suis déjà mise
en colère après cette affreuse gueuse de mame Cibot, une portière qui se mêle de juger ses locataires,
et qui soutient que vous filoutez cette fortune aux
héritiers, que vous avez chambré M. Pons, que vous
l'avez mécanisé, qu'il était fou à lier. Je vous l'ai
remouchée de la belle manière, la scélérate : « Vous
« êtes une voleuse et une canaille! que je lui ai dit,
« et vous irez au tribunal pour tout ce que vous
« avez volé à vos messieurs... » Et elle a tu sa
gueule.

— Monsieur, dit le greffier en venant chercher
Schmucke, veut-il être présent à l'apposition des
scellés dans la chambre mortuaire?

— *Vaides! vaides!* dit Schmucke, *che bressime
que che bourrai mourir dranguille?*

— On a toujours le droit de mourir, dit le greffier en riant, et c'est là notre plus forte affaire que
les successions. Mais j'ai rarement vu des légataires
universels suivre les testateurs dans la tombe.

— *Ch'irai, moi!* dit Schmucke qui se sentit après
tant de coups des douleurs intolérables au cœur.

— Ah! voilà M. Villemot! s'écria la Sauvage.

— *Monsir Fillemod,* dit le pauvre Allemand, *re-
brezendez-moi...*

— J'accours, dit le premier clerc. Je viens vous
apprendre que le testament est tout à fait en règle,
et sera certainement homologué par le tribunal qui
vous enverra en possession... Vous aurez une belle
fortune.

— *Moi, eine pelle vordine!* s'écria Schmucke, au désespoir d'être soupçonné de cupidité.

— En attendant, dit la Sauvage, qu'est-ce que fait donc le juge de paix avec ses bougies et des petites bandes de ruban de fil?

— Ah! il met les scellés... Venez, monsieur Schmucke, vous avez droit d'y assister.

— *Non, hâlez-y.*

— Mais pourquoi les scellés, si monsieur est chez lui, et si tout est à lui, dit la Sauvage en faisant du droit à la manière des femmes, qui toutes exécutent le Code à leur fantaisie.

— Monsieur n'est pas chez lui, madame, il est chez M. Pons; tout lui appartiendra sans doute, mais quand on est légataire, on ne peut prendre les choses dont se compose la succession que par ce que nous appelons un envoi en possession. Cet acte émane du tribunal. Or, si les héritiers dépossédés de la succession par la volonté du testateur forment opposition à l'envoi en possession, il y a procès... Et comme on ne sait à qui reviendra la succession, on met toutes les valeurs sous les scellés, et les notaires des héritiers et du légataire procéderont à l'inventaire dans le délai voulu par la loi. Et voilà. »

En entendant ce langage pour la première fois de sa vie, Schmucke perdit tout à fait la tête, il la laissa tomber sur le dossier du fauteuil où il était assis, il la sentait si lourde, qu'il lui fut impossible de la soutenir. Villemot alla causer avec le greffier et le juge de paix, et assista, avec le sang-froid des praticiens, à l'apposition des scellés qui, lorsque aucun héritier n'est là, ne va pas sans quelques lazzis et sans observations sur les choses qu'on enferme ainsi, jusqu'au jour du partage. Enfin les quatre gens de loi fermèrent le salon, et rentrèrent dans la salle à manger, où le greffier se transporta. Schmucke regarda faire machinalement cette opération, qui consiste à sceller du cachet de la justice de paix un ruban de fil sur chaque vantail des portes, quand elles sont à deux vantaux, ou à sceller l'ouverture des armoires ou des portes simples en cachetant les deux lèvres de la paroi.

« Passons à cette chambre, dit Fraisier en désignant la chambre de Schmucke, dont la porte donnait dans la salle à manger.

— Mais c'est la chambre à monsieur! dit la Sauvage en s'élançant et se mettant entre la porte et les gens de justice.

— Voici le bail de l'appartement, dit l'affreux Fraisier, nous l'avons trouvé dans les papiers, et il n'est pas au nom de MM. Pons et Schmucke, il est au nom seul de M. Pons. Cet appartement tout entier appartient à la succession, et... d'ailleurs, dit-il en ouvrant la porte de la chambre de Schmucke, tenez, monsieur le juge de paix, elle est pleine de tableaux.

— En effet, dit le juge de paix qui donna sur-le-champ gain de cause à Fraisier.

— Attendez, messieurs, dit Villemot. Pensez-vous que vous allez mettre à la porte le légataire universel, dont jusqu'à présent la qualité n'est pas contestée?

— Si! si! dit Fraisier; nous nous opposons à la délivrance du legs.

— Et sous quel prétexte?

— Vous le saurez, mon petit! dit railleusement Fraisier. En ce moment, nous ne nous opposons pas à ce que le légataire retire ce qu'il déclarera être à lui dans cette chambre; mais elle sera mise sous les scellés. Et monsieur ira se loger où bon lui semblera.

— Non, dit Villemot, monsieur restera dans sa chambre!...

— Et comment?

— Je vais vous assigner en référé, reprit Villemot, pour voir dire que nous sommes locataires par moitié de cet appartement, et vous ne nous en chasserez pas... Otez les tableaux, distinguez ce qui est au défunt, ce qui est à mon client, mais mon client y restera... mon petit!...

— *Che m'en irai!* dit le vieux musicien qui retrouva de l'énergie en écoutant cet affreux débat.

— Vous ferez mieux! dit Fraisier. Ce parti vous épargnera des frais, car vous ne gagneriez pas l'incident. Le bail est formel...

— Le bail! le bail! dit Villemot, c'est une question de bonne foi!...

— Elle ne se prouvera pas, comme dans les affaires criminelles, par des témoins... Allez-vous vous jeter dans des expertises, des vérifications... des jugements interlocutoires et une procédure?

— *Non! non!* s'écria Schmucke effrayé, *che téménache, ché m'en fais.* »

La vie de Schmucke était celle d'un philosophe, cynique sans le savoir, tant elle était réduite au simple. Il ne possédait que deux paires de souliers, une paire de bottes, deux habillements complets, douze chemises, douze foulards, douze mouchoirs, quatre gilets et une pipe superbe que Pons lui avait donnée avec une poche à tabac brodée. Il entra dans la chambre, surexcité par la fièvre de l'indignation, il y prit toutes ses hardes, et les mit sur sur une chaise.

« *Doud ceci est à moi!...* dit-il avec une simplicité digne de Cincinnatus; *le biano esd aussi à moi.*

— Madame... dit Fraisier à la Sauvage, faites-vous aider, emportez-le et mettez-le sur le carré, ce piano!

— Vous êtes trop dur aussi, dit Villemot à Fraisier. M. le juge de paix est maître d'ordonner ce qu'il veut, et il est souverain dans cette matière.

— Il y a des valeurs, dit le greffier en montrant la chambre.

— D'ailleurs, fit observer le juge de paix, monsieur sort de bonne volonté.

— On n'a jamais vu de client pareil, dit Villemot indigné, qui se retourna contre Schmucke. Vous êtes mou comme une chiffe.

— *Qu'imborte où l'on meird*, dit Schmucke en sortant. *Ces hommes ond des fizaches de digre... Ch'enferrai gerger mes baufres avvaires*, dit-il.

— Où monsieur va-t-il?

— *A la crase de Tieu!* répondit le légataire universel en faisant un geste sublime d'indifférence.

— Faites-le-moi savoir, dit Villemot.

— Suis-le », dit Fraisier à l'oreille du premier clerc.

Mme Cantinet fut constituée gardienne des scellés, et sur les fonds trouvés on lui alloua une provision de cinquante francs.

« Ça va bien, dit Fraisier à M. Vitel quand Schmucke fut parti. Si vous voulez donner votre démission en ma faveur, allez voir Mme la présidente de Marville, vous vous entendrez avec elle.

— Vous avez trouvé un homme de beurre! dit le juge de paix en montrant Schmucke qui regardait dans la cour une dernière fois les fenêtres de l'appartement.

— Oui, l'affaire est dans le sac! répondit Fraisier. Vous pourrez marier sans crainte votre petite-fille à Poulain, il sera médecin en chef des Quinze-Vingts.

— Nous verrons! Adieu, monsieur Fraisier, dit le juge de paix avec un air de camaraderie.

— C'est un homme de moyens, dit le greffier, il ira loin, le mâtin. »

Il était alors onze heures, le vieil Allemand prit machinalement le chemin qu'il faisait avec Pons en pensant à Pons; il le voyait sans cesse, il le croyait à ses côtés, et il arriva devant le théâtre d'où sortait son ami Topinard, qui venait de nettoyer les quinquets de tous les portants, en pensant à la tyrannie de son directeur.

« Ah! *foilà mon avvaire!* s'écria Schmucke en

arrêtant le pauvre gagiste *Dobinart, ti has ein lo
chemand, toi?*...

— Oui, monsieur...

— *Ein ménache?*...

— Oui, monsieur...

— *Beux-tu me brente en bansion? Oh! che
bayerai pien, c'hai neiffe cendre vrancs de randes...
ed che n'ai bas pien londems à fifre... che ne te
chénerai boint... che manche de doud!... Mon seil
pession est te vîmer ma bibe... Ed gomme ti es le
seil qui ait bleuré Bons afec moi, che d'aime!*

— Monsieur, ce serait avec bien du plaisir; mais
d'abord figurez-vous que M. Gaudissart m'a fichu
une perruque soignée...

— *Eine berruc?*

— Une façon de dire qu'il m'a lavé la tête.

— *Lafé la dêde?*

— Il m'a grondé de m'être intéressé à vous... Il
faudrait donc être bien discret, si vous veniez chez
moi! mais je doute que vous y restiez, car vous ne
savez pas ce qu'est le ménage d'un pauvre diable
comme moi...

— *Ch'aime mieux le baufre ménache d'in hôme
de cueir qui a bleuré Bons, que les Duileries afec
des hômes à face de digres! Ché sors de foir des
digres chez Bons qui font mancher dut!*...

— Venez, monsieur, dit le gagiste, et vous verrez... Mais... Enfin, il y a une soupente... Consul-
tons Mme Topinard. »

Schmucke suivit comme un mouton Topinard,
qui le conduisit dans une de ces affreuses localités

qu'on pourrait appeler les cancers de Paris. La chose se nomme cité Bordin. C'est un passage étroit, bordé de maisons bâties comme on bâtit par spéculation, qui débouche rue de Bondy, dans cette partie de la rue obombrée par l'immense bâtiment du théâtre de la Porte-Saint-Martin, une des verrues de Paris. Ce passage, dont la voie est creusée en contrebas de la chaussée de la rue, s'enfonce par une pente vers la rue des Mathurins-du-Temple. La cité finit par une rue intérieure qui la barre, en figurant la forme d'un T. Ces deux ruelles, ainsi disposées, contiennent une trentaine de maisons à six et sept étages, dont les cours intérieures, dont tous les appartements contiennent des magasins, des industries, des fabriques en tout genre. C'est le faubourg Saint-Antoine en miniature. On y fait des meubles, on y cisèle des cuivres, on y coud des costumes pour les théâtres, on y travaille le verre, on y peint les porcelaines, on y fabrique enfin toutes les fantaisies et les variétés de l'article Paris. Sale et productif comme le commerce, ce passage, toujours plein d'allants et de venants, de charrettes, de haquets, est d'un aspect repoussant, et la population qui y grouille est en harmonie avec les choses et les lieux. C'est le peuple des fabriques, peuple intelligent dans les travaux manuels, mais dont l'intelligence s'y absorbe. Topinard demeurait dans cette cité florissante comme produit, à cause des bas prix des loyers. Il habitait la seconde maison dans l'entrée à gauche. Son appartement, situé au sixième étage, avait vue sur cette zone de jardins qui subsistent encore et qui dépendent des trois ou quatre grands hôtels de la rue de Bondy.

Le logement de Topinard consistait en une cuisine et en deux chambres. Dans la première de ces deux chambres se tenaient les enfants. On y voyait deux petits lits en bois blanc et un berceau. La seconde était la chambre des époux Topinard. On mangeait dans la cuisine. Au-dessus régnait un faux grenier élevé de six pieds, et couvert en zinc, avec un châssis à tabatière pour fenêtre. On y parvenait par un escalier en bois blanc appelé, dans l'argot du bâtiment, *échelle de meunier*. Cette pièce, donnée comme chambre de domestique, permettait d'annoncer le logement de Topinard, comme un appartement complet, et de le taxer à quatre cents francs de loyer. A l'entrée, pour masquer la cuisine, il existait un tambour cintré, éclairé par un œil-de-bœuf sur la cuisine et formé par la réunion de la porte de la première chambre et par celle de la cuisine, en tout trois portes. Ces trois pièces carrelées en briques, tendues d'affreux papier à six sous le rouleau, décorées de cheminées dites à la capucine, peintes en peinture vulgaire, couleur de bois, contenaient ce ménage de cinq personnes dont trois enfants. Aussi chacun peut-il entrevoir les égratignures profondes que faisaient les trois enfants à la hauteur où leurs bras pouvaient atteindre. Les riches n'imagineraient pas la simplicité de la batterie de cuisine qui consistait en une cuisinière, un chaudron, un gril, une casserole, deux ou trois marabouts, et une poêle à frire. La

vaisselle en faïence, brune et blanche, valait bien
douze francs. La table servait à la fois de table de
cuisine et de table à manger. Le mobilier consistait
en deux chaises et deux tabourets. Sous le fourneau
en hotte se trouvait la provision de charbon et de
bois. Et dans un coin s'élevait le baquet où se sa-
vonnait, souvent pendant la nuit, le linge de la
famille. La pièce où se tenaient les enfants, traversée
par des cordes à sécher le linge, était bariolée
d'affiches de spectacles et de gravures prises dans
des journaux ou provenant des prospectus des
livres illustrés. Evidemment l'aîné de la famille
Topinard, dont les livres de classe se voyaient dans
un coin, était chargé du ménage, lorsque à six
heures, le père et la mère faisaient leur service au
théâtre. Dans beaucoup de familles de la classe
inférieure, dès qu'un enfant atteint à l'âge de six
ou sept ans, il joue le rôle de la mère vis-à-vis de
ses sœurs et de ses frères.

On conçoit, sur ce léger croquis, que les Topinard étaient, selon la phrase devenue proverbiale,
pauvres mais honnêtes. Topinard avait environ
quarante ans, et sa femme, ancienne coryphée des
chœurs, maîtresse, dit-on, du directeur en faillite
à qui Gaudissart avait succédé, devait avoir trente
ans. Lolotte avait été belle femme, mais les malheurs de la précédente administration avaient tellement réagi sur elle qu'elle s'était vue dans la nécessité de contracter avec Topinard un mariage de
théâtre. Elle ne mettait pas en doute que dès que
leur ménage se verrait à la tête de cent cinquante

francs, Topinard réaliserait ses serments devant
la loi, ne fût-ce que pour légitimer ses enfants qu'il
adorait. Le matin, pendant ses moments libres,
Mme Topinard cousait pour le magasin du théâtre.
Ces courageux gagistes réalisaient par des travaux
gigantesques neuf cents francs par an.

« Encore un étage! » disait depuis le troisième
Topinard à Schmucke, qui ne savait seulement pas
s'il descendait ou s'il montait, tant il était abîmé
dans la douleur.

Au moment où le gagiste vêtu de toile blanche
comme tous les gens se service, ouvrit la porte de
la chambre, on entendit la voix de Mme Topinard
criant : « Allons! enfants, taisez-vous, voilà papa! »

Et comme sans doute les enfants faisaient ce
qu'ils voulaient de papa, l'aîné continua de commander une charge en souvenir du Cirque-Olympique, à cheval sur un manche à balai, le second
à souffler dans un fifre de fer-blanc, et le troisième
à suivre de son mieux le gros de l'armée. La mère
cousait un costume de théâtre.

« Taisez-vous, cria Topinard d'une voix formidable, ou je tape! — Faut toujours leur dire cela,
ajouta-t-il tout bas à Schmucke. — Tiens, ma petite, dit le gagiste à l'ouvreuse, voici M. Schmucke,
l'ami de ce pauvre M. Pons, il ne sait pas où aller,
et il voudrait venir chez nous; j'ai eu beau l'avertir
que nous n'étions pas flambants, que nous étions
au sixième, que nous n'avions qu'une soupente à
lui offrir, il y tient... »

Schmucke s'était assis sur une chaise que la

femme lui avait avancée, et les enfants, tout inter-
dits par l'arrivée d'un inconnu, s'étaient ramassés
en un groupe pour se livrer à cet examen appro-
fondi, muet et sitôt fini, qui distingue l'enfance,
habituée comme les chiens à flairer plutôt qu'à
juger. Schmucke se mit à regarder ce groupe si
joli où se trouvait une petite fille, âgée de cinq ans,
celle qui soufflait dans la trompette et qui avait de
si magnifiques cheveux blonds.

« *Ele a l'air d'une bedide Allemante!* dit
Schmucke en lui faisant signe de venir à lui.

— Monsieur serait là bien mal, dit l'ouvreuse;
si je n'étais pas obligée d'avoir mes enfants près
de moi, je proposerais bien notre chambre. »

Elle ouvrit la chambre et y fit passer Schmucke.
Cette chambre était tout le luxe de l'appartement.
Le lit en acajou était orné de rideaux en calicot
bleu, bordé de franges blanches. Le même calicot
bleu, drapé en rideaux, garnissait la fenêtre. La
commode, le secrétaire, les chaises, quoique en acajou, étaient tenus proprement. Il y avait sur la
cheminée une pendule et des flambeaux, évidemment donnés jadis par le failli, dont le portrait,
un affreux portrait de Pierre Grassou, se trouvait
au-dessus de la commode. Aussi les enfants à qui
l'entrée du lieu réservé était défendue essayèrent-
ils d'y jeter des regards curieux.

« Monsieur serait bien là, dit l'ouvreuse.

— *Non, non*, répondit Schmucke. *Hé! che n'ai
pas longdems à fifre, che ne feux qu'un goin bir
murir.* »

La porte de la chambre fermée, on monta dans la mansarde, et dès que Schmucke y fut, il s'écria : « *Foilà mon avvaire. Afant d'être afec Bons, che n'édais chamais mieux loché gue zela.*

— Eh bien, il n'y a qu'à acheter un lit de sangle, deux matelas, un traversin, un oreiller, deux chaises et une table. Ce n'est pas la mort d'un homme... ça peut coûter cinquante écus, avec la cuvette, le pot, et un petit tapis de lit... »

Tout fut convenu. Seulement les cinquante écus manquaient. Schmucke, qui se trouvait à deux pas du théâtre, pensa naturellement à demander ses appointements au directeur, en voyant la détresse de ses nouveaux amis... Il alla sur-le-champ au théâtre, et y trouva Gaudissart. Le directeur reçut Schmucke avec la politesse un peu tendue qu'il déployait pour les artistes, et fut étonné de la demande faite par Schmucke d'un mois d'appointements. Néanmoins, vérification faite, la réclamation se trouva juste.

« Ah! diable! mon brave! lui dit le directeur, les Allemands savent toujours bien compter, même dans les larmes... Je croyais que vous auriez été sensible à la gratification de mille francs! une dernière année d'appointements que je vous ai donnée, et que cela valait quittance!

— *Nus n'afons rien rési*, dit le bon Allemand. *Ed si che fiens à fus, c'esde que che zuis tans la rie et sans eine liart... A qui afez-fus remis la cradivigation?*

— A votre portière!...

— *Matame Zibod!* s'écria le musicien. *Ele a dué Bons, ele l'a folé, ele l'a fenti... Ele fouleid priler son desdamand... C'esde eine goguine! eine monsdre.*

— Mais, mon brave, comment êtes-vous sans le sou, dans la rue, sans asile, avec votre position de légataire universel? Ça n'est pas logique, comme nous disons.

— *On m'a mis à la borde... Che zuis édrencher, che ne gonnais rien aux lois...*

— Pauvre bonhomme! pensa Gaudissart en entrevoyant la fin probable d'une lutte inégale. — Ecoutez, lui dit-il, savez-vous ce que vous avez à faire?

— *Ch'ai eine homme d'avvaires!*

— Eh bien, transigez sur-le-champ avec les héritiers, vous aurez d'eux une somme et une rente viagère, et vous vivrez tranquille...

— *Che ne feux bas audre chosse!* répondit Schmucke.

— Eh bien, laissez-moi vous arranger cela », dit Gaudissart à qui, la veille, Fraisier avait dit son plan.

Gaudissart pensa pouvoir se faire un mérite auprès de la jeune vicomtesse Popinot et de sa mère de la conclusion de cette sale affaire, et il serait au moins conseiller d'Etat un jour, se disait-il.

« *Che fus tonne mes bouvoirs...*

— Eh bien, voyons! D'abord tenez, dit le Napoléon des théâtres du boulevard, voici cent écus... » Il prit dans sa bourse quinze louis et les tendit au

musicien. « C'est à vous, c'est six mois d'appointements que vous aurez; et puis, si vous quittez le
théâtre, vous me les rendrez. Comptons! que dé-
pensez-vous par an? Que vous faut-il pour être
heureux? Allez! allez! faites-vous une vie de Sarda-
napale!...

— *Che n'ai pessoin que t'eine habilement d'ifer
et eine d'édé...*

— Trois cents francs! dit Gaudissart.

— *Tes zouliers, quatre baires...*

— Soixante francs.

— *Tes pas...*

— Douze! c'est trente-six francs.

— *Sisse gemisses.*

— Six chemises en calicot, vingt-quatre francs,
autant en toile, quarante-huit : nous disons
soixante-douze. Nous sommes à quatre cent soixante-
huit, mettons cinq cents avec les cravates et les
mouchoirs, et cent francs de blanchissage... six
cents livres! Après, que vous faut-il pour vivre?...
trois francs par jour?...

— *Non, c'esde drob!...*

— Enfin, il vous faut aussi des chapeaux... Ça fait
quinze cents francs, et cinq cents francs de loyer,
deux mille. Voulez-vous que je vous obtienne deux
mille francs de rente viagère... bien garanties?...

— *Et mon dapac?*

— Deux mille quatre cents francs!... Ah! papa
Schmucke, vous appelez ça le tabac?... Eh bien,
on vous flanquera du tabac. C'est donc deux mille
quatre cents francs de rente viagère...

— *Ze n'esd bas dud! che feux eine zôme! gondand...*

— Les épingles!... c'est cela! Ces Allemands! ça se dit naïf, vieux Robert Macaire!... pensa Gaudissart. — Que voulez-vous? répéta-t-il. Mais plus rien après.

— *C'est bir aguidder eine tedde zagrée.*

— Une dette! se dit Gaudissart; quel filou! c'est pis qu'un fils de famille! Il va inventer des lettres de change! Il faut finir roide! ce Fraisier ne voit pas en grand! Quelle dette, mon brave? dites!...

— *Il n'y ha qu'eine home qui aid bleuré Bons afec moi... il a eine chentille bedide fille qui a tes geveux maniviques, ch'ai gru foir dud à l'heire le chénie de la baufre Allemagne que che n'aurais chamais tû guidder... Paris n'est bas pon bir les Allemands, on se mogue t'eux...* dit-il en faisant le petit geste de tête d'un homme qui croit voir clair dans les choses de ce bas monde. »

« Il est fou! » se dit Gaudissart.

Et, pris de pitié pour cet innocent, le directeur eut une larme à l'œil.

« *Ha! fous me gombrenez! monsir le tirecdir! hé pien! cet home à la bedide file est Dobinard, qui serd l'orguestre et allime les lambes; Bons l'aimait et le segourait, c'esde le seil qui aid aggombagné mon inique ami au gonfoi, à l'éclise, au zimetière... Ché feux drois mille vrancs bir lui, et drois mille vrancs bir la bedide file...* »

« Pauvre homme!... » se dit Gaudissart.

Ce féroce parvenu fut touché de cette noblesse

et de cette reconnaissance pour une chose de rien aux yeux du monde, et qui, aux yeux de cet agneau divin, pesait, comme le verre d'eau de Bossuet, plus que les victoires des conquérants. Gaudissart cachait sous ses vanités, sous sa brutale envie de parvenir et de se hausser jusqu'à son ami Popinot, un bon cœur, une bonne nature. Donc, il effaça ses jugements téméraires sur Schmucke, et passa de son côté.

« Vous aurez tout cela! mais je ferai mieux, mon cher Schmucke. Topinard est un homme de probité...

— *Ui, che l'ai fu dud-à-l'heure, dans son baufre ménache où il est gontend afec ses enfants...*

— Je lui donnerai la place de caissier, car le père Baudrand me quitte...

— *Ha! que Tieu fus pénisse!* s'écria Schmucke.

— Eh bien, mon bon et brave homme, venez à quatre heures, ce soir, chez M. Berthier, notaire, tout sera prêt, et vous serez à l'abri du besoin pour le reste de vos jours... Vous toucherez vos six mille francs, et vous ferez aux mêmes appointements, avec Garangeot, ce que vous faisiez avec Pons.

— *Non!* dit Schmucke, *che ne fifrai boind!... che n'ai blis le cueir à rien... che me sens addaqué...* »

« Pauvre mouton! se dit Gaudissart en saluant l'Allemand qui se retirait. On vit de côtelettes après tout. Et comme dit le sublime Béranger :

Pauvres moutons, toujours on vous tondra. »

Et il chanta cette opinion politique pour chasser son émotion.

« Faites avancer ma voiture! » dit-il à son garçon de bureau.

Il descendit et cria au cocher : « Rue de Hanovre! » L'ambitieux avait reparu tout entier! Il voyait le Conseil d'Etat.

Schmucke achetait en ce moment des fleurs, et il les apporta presque joyeux avec des gâteaux pour les enfants de Topinard.

« *Che tonne les câdeaux!...* » dit-il avec un sourire.

Ce sourire était le premier qui vînt sur ses lèvres depuis trois mois, et qui l'eût vu, en eût frémi.

« *Che les tonne à eine gondission...*

— Vous êtes trop bon, monsieur, dit la mère.

— *La bedide file m'emprassera et meddra les fleirs tans ses geveux, en les dressant gomme vont les bedides Allemantes!*

— Olga, ma fille, faites tout ce que veut monsieur... dit l'ouvreuse en prenant un air sévère.

— *Ne crontez pas ma bedide Allemante!...* s'écria Schmucke qui voyait sa chère Allemagne dans cette petite fille.

— Tout le bataclan vient sur les épaules de trois commissionnaires!... dit Topinard en entrant.

— *Ha!* fit l'Allemand, *mon ami, foici teux sante vrancs pir dud payer... Mais vous afez eine chantile femme, fus l'épiserez, n'est-ce bas? Che fus tonne mille écus... La bedide file aura eine tode te mille écus que fus blacerez en son nom. Ed fus ne serez plis cachisde... fus allez êdre le gaissier du dhéâdre...*

— Moi, la place du père Baudrand?

— *Ui.*

— Qui vous a dit cela?

— *M. Cautissard!*

— Oh! c'est à devenir fou de joie!... Eh! dis donc, Rosalie, va-t-on bisquer au théâtre!... Mais ce n'est pas possible, reprit-il.

— Notre bienfaiteur ne peut loger dans une mansarde.

— *Pah! pur quelques churs que ch'ai à fifre!* dit Schmucke, *c'esde pien pon! Atieu! che fais au zimedière... foir ce qu'on a vaid te Bons... ed gommanter tes fleurs pir sa dompe! »*

Mme Camusot de Marville était en proie aux plus vives alarmes. Fraisier tenait conseil chez elle avec Godeschal et Berthier. Berthier, le notaire, et Godeschal, l'avoué, regardaient le testament fait par deux notaires en présence de deux témoins comme inattaquable, à cause de la manière nette dont Léopold Hannequin l'avait formulé. Selon l'honnête Godeschal, Schmucke, si son conseil actuel parvenait à le tromper, finirait par être éclairé, ne fût-ce que par un de ces avocats qui, pour se distinguer, ont recours à des actes de générosité, de délicatesse. Les deux officiers ministériels quittèrent donc la présidente en l'engageant à se défier de Fraisier, sur qui naturellement ils avaient pris des renseignements. En ce moment Fraisier, revenu

de l'apposition des scellés, minutait une assignation
dans le cabinet du président, où Mme de Marville
l'avait fait entrer sur l'invitation des deux officiers
ministériels, qui voyaient l'affaire trop sale pour
qu'un président s'y fourrât, selon leur mot, et qui
avaient voulu donner leur opinion à Mme de Marville, sans que Fraisier les écoutât.

« Eh bien, madame, où sont ces messieurs? demanda l'ancien avoué de Mantes.

— Partis! en me disant de renoncer à l'affaire!
répondit Mme de Marville.

— Renoncer! dit Fraisier avec un accent de rage
contenue. Ecoutez, madame... »

Et il lut la pièce suivante :

« A la requête de, etc... (Je passe le verbiage.)

« Attendu qu'il a été déposé entre les mains de
« M. le Président du Tribunal de première
« instance, un testament reçu par Maîtres Léopold
« Hannequin et Alexandre Crottat, notaires à Pa-
« ris, accompagnés de deux témoins, les sieurs
« Brunner et Schwab, étrangers domiciliés à Paris,
« par lequel testament le sieur Pons, décédé, a
« disposé de sa fortune au préjudice du requérant,
« son héritier naturel et légal, au profit d'un sieur
« Schmucke, Allemand;

« Attendu que le requérant se fait fort de dé-
« montrer que le testament est l'œuvre d'une
« odieuse captation, et le résultat de manœuvres
« réprouvées par la loi; qu'il sera prouvé par des
« personnes éminentes que l'intention du testateur

« était de laisser sa fortune à Mlle Cécile,
« fille de mondit sieur de Marville; et que le
« testament, dont le requérant demande l'annula-
« tion, a été arraché à la faiblesse du testateur
« quand il était en pleine démence;

« Attendu que le sieur Schmucke, pour obtenir
« ce legs universel, a tenu en chartre privée le
« testateur, qu'il a empêché la famille d'arriver
« jusqu'au lit du mort, et que le résultat obtenu,
« il s'est livré à des actes notoires d'ingratitude
« qui ont scandalisé la maison et tous les gens du
« quartier qui, par hasard, étaient témoins pour
« rendre les derniers devoirs au portier de la mai-
« son où est décédé le testateur;

« Attendu que des faits plus graves encore, et
« dont le requérant recherche en ce moment les
« preuves, seront articulés devant messieurs les
« juges du Tribunal;

« J'ai, huissier soussigné, etc., audit nom, assigné
« le sieur Schmucke, parlant, etc., à comparaître
« devant messieurs les juges composant la première
« chambre du Tribunal, pour voir dire que le
« testament reçu par Maîtres Hannequin et Crot-
« tat, étant le résultat d'une captation évidente,
« sera regardé comme nul et de nul effet, et j'ai,
« en outre, audit nom, protesté contre la qualité
« et capacité de légataire universel que pourrait
« prendre le sieur Schmucke, entendant le requé-
« rant s'opposer, comme de fait il s'oppose, par sa
« requête en date d'aujourd'hui, présentée à
« M. le Président, à l'envoi en possession de-

« mandé par ledit Schmucke, et je lui ai laissé
« copie du présent, dont le coût est de... etc. »

« Je connais l'homme, madame la présidente, et
quand il aura lu ce poulet, il transigera. Il consul-
tera Tabareau, Tabareau lui dira d'accepter nos
propositions! Donnez-vous les mille écus de rente
viagère?

— Certes, je voudrais bien en être à payer le
premier terme.

— Ce sera fait avant trois jours. Car cette assignation le saisira dans le premier étourdissement
de sa douleur, car il regrette Pons, ce pauvre bonhomme. Il a pris cette perte très au sérieux.

— L'assignation lancée peut-elle se retirer? dit
la présidente.

— Certes, madame, on peut toujours se désister.

— Eh bien, monsieur, dit Mme Camusot, faites!...
allez toujours! Oui! l'acquisition que vous m'avez mé-
nagée en vaut la peine! J'ai d'ailleurs arrangé l'affaire
de la démission de Vitel, mais vous paierez les
soixante mille francs à ce Vitel sur les valeurs de
la succession Pons... Ainsi, voyez, il faut réussir...

— Vous avez sa démission?

— Oui, monsieur; M. Vitel se fie à M. de Marville...

— Eh bien, madame, je vous ai déjà débarrassée
des soixante mille francs que je calculais devoir
être donnés à cette ignoble portière, cette Mme Cibot. Mais je tiens toujours à avoir le débit de tabac
pour la femme Sauvage, et la nomination de mon

ami Poulain à la place vacante de médecin en chef des Quinze-Vingts.

— C'est entendu, tout est arrangé.

— Eh bien, tout est dit... Tout le monde est pour vous dans cette affaire, jusqu'à Gaudissart, le directeur du théâtre, que je suis allé trouver hier, et qui m'a promis d'aplatir le gagiste qui pourrait déranger nos projets.

— Oh! je le sais! M. Gaudissart est tout acquis aux Popinot! »

Fraisier sortit. Malheureusement il ne rencontra pas Gaudissart, et la fatale assignation fut lancée aussitôt.

Tous les gens cupides comprendront, autant que les gens honnêtes l'exécreront, la joie de la présidente à qui, vingt minutes après le départ de Fraisier, Gaudissart vint apprendre sa conversation avec le pauvre Schmucke. La présidente approuva tout, elle sut un gré infini au directeur du théâtre de lui enlever tous ses scrupules par des observations qu'elle trouva pleines de justesse.

« Madame la présidente, dit Gaudissart, en venant, je pensais que ce pauvre diable ne saurait que faire de sa fortune! C'est une nature d'une simplicité de patriarche! C'est naïf, c'est Allemand, c'est à empailler, à mettre sous verre comme un petit Jésus de cire!... C'est-à-dire que, selon moi, il est déjà fort embarrassé de ses deux mille cinq cents francs de rente, et vous le provoquez à la débauche...

— C'est d'un bien noble cœur, dit la présidente,

d'enrichir ce garçon qui regrette notre cousin.
Mais moi je déplore la petite *bisbille* qui nous a
brouillés, M. Pons et moi; s'il était revenu, tout
lui aurait été pardonné. Si vous saviez, il manque
à mon mari. M. de Marville a été au désespoir de
n'avoir pas reçu d'avis de cette mort, car il a la
religion des devoirs de famille, il aurait assisté au
service, au convoi, à l'enterrement, et moi-même
je serais allée à la messe...

— Eh bien, belle dame, dit Gaudissart, veuillez
faire préparer l'acte; à quatre heures, je vous amènerai l'Allemand... Recommandez-moi, madame, à
la bienveillance de votre charmante fille, la vicomtesse Popinot; qu'elle dise à mon illustre ami, son
bon et excellent père, à ce grand homme d'Etat,
combien je suis dévoué à tous les siens, et qu'il
me continue sa précieuse faveur. J'ai dû la vie à
son oncle, le juge, et je lui dois ma fortune... Je
voudrais tenir de vous et de votre fille la haute
considération qui s'attache aux gens puissants et
bien posés. Je veux quitter le théâtre, devenir un
homme sérieux.

— Vous l'êtes!... monsieur, dit la présidente.

— Adorable! » reprit Gaudissart en baisant la
main sèche de Mme de Marville.

A quatre heures, se trouvaient réunis dans le
cabinet de M. Berthier, notaire, d'abord Fraisier,
rédacteur de la transaction, puis Tabareau, mandataire de Schmucke, et Schmucke lui-même,
amené par Gaudissart. Fraisier avait eu soin de
placer en billets de banque les six mille francs de-

mandés, et six cents francs pour le premier terme
de la rente viagère, sur le bureau du notaire et
sous les yeux de l'Allemand qui, stupéfait de voir
tant d'argent, ne prêta pas la moindre attention à
l'acte qu'on lui lisait. Ce pauvre homme, saisi par
Gaudissart, au retour du cimetière où il s'était
entretenu avec Pons, et où il lui avait promis de le
rejoindre, ne jouissait pas de toutes ses facultés
déjà bien ébranlées par tant de secousses. Il
n'écouta donc pas le préambule de l'acte où il
était représenté comme assisté de maître Tabareau,
huissier, son mandataire et son conseil, et où l'on
rappelait les causes du procès intenté par le président dans l'intérêt de sa fille. L'Allemand jouait
un triste rôle, car, en signant l'acte, il donnait gain
de cause aux épouvantables assertions de Fraisier;
mais il fut si joyeux de voir l'argent pour la famille
Topinard, et si heureux d'enrichir, selon ses petites
idées, le seul homme qui aimât Pons, qu'il
n'entendit pas un mot de cette transaction sur
procès. Au milieu de l'acte, un clerc entra dans
le cabinet.

« Monsieur, il y a là, dit-il à son patron, un
homme qui veut parler à M. Schmucke... »

Le notaire, sur un geste de Fraisier, haussa les
épaules significativement.

« Ne nous dérangez donc jamais quand nous
signons des actes. Demandez le nom de ce... Est-ce
un homme ou un monsieur? est-ce un créancier?... »

Le clerc revint et dit : « Il veut absolument parler à M. Schmucke. »

— Son nom?

— Il s'appelle Topinard.

— J'y vais. Signez tranquillement, dit Gaudissart à Schmucke. Finissez, je vais savoir ce qu'il nous veut. »

Gaudissart avait compris Fraisier, et chacun d'eux flairait un danger.

« Que viens-tu faire ici? dit le directeur au gagiste. Tu ne veux donc pas être caissier? Le premier mérite d'un caissier... c'est la discrétion.

— Monsieur!...

— Va donc à tes affaires, tu ne seras jamais rien si tu te mêles de celles des autres.

— Monsieur, je ne mangerai pas de pain dont toutes les bouchées me resteraient dans la gorge!... — Monsieur Schmucke! » criait-il...

Schmucke, qui avait signé, qui tenait son argent à la main, vint à la voix de Topinard.

« *Voici pir la bedide Allemante et pir fus...*

— Ah! mon cher monsieur Schmucke, vous avez enrichi des monstres, des gens qui veulent vous ravir l'honneur. J'ai porté cela chez un brave homme, un avoué qui connaît ce Fraisier, et il dit que vous devez punir tant de scélératesse en acceptant le procès et qu'ils reculeront... Lisez. »

Et cet imprudent ami donna l'assignation envoyée à Schmucke, cité Bordin. Schmucke prit le papier, le lut, et se voyant traité comme il l'était, ne comprenant rien aux gentillesses de la procédure, il reçut un coup mortel. Ce gravier lui boucha le cœur. Topinard reçut Schmucke dans ses bras; ils étaient alors tous deux sous la porte cochère du notaire. Une voiture vint à passer, Topinard y fit entrer le pauvre Allemand, qui subissait les douleurs d'une congestion séreuse au cerveau. La vue était troublée; mais le musicien eut encore la force de tendre l'argent à Topinard. Schmucke ne succomba point à cette première attaque, mais il ne recouvra point la raison; il ne faisait que des mouvements sans conscience; il ne mangea point; il mourut en dix jours sans se plaindre, car il ne parla plus. Il fut soigné par Mme Topinard, et fut obscurément enterré côte à côte avec Pons, par les soins de Topinard, la seule personne qui suivit le convoi de ce fils d'Allemagne.

Fraisier, nommé juge de paix, est très intime dans la maison du président, et très apprécié par la présidente, qui n'a pas voulu lui voir épouser *la fille à Tabareau;* elle promet infiniment mieux que cela à l'habile homme à qui, selon elle, elle doit non seulement l'acquisition des prairies de Marville et le cottage, mais encore l'élection de M. le président, nommé député à la réélection générale de 1846.

Tout le monde désirera sans doute savoir ce qu'est devenue l'héroïne de cette histoire, malheureusement trop véridique dans ses détails, et qui, superposée à la précédente, dont elle est la sœur jumelle, prouve que la grande force sociale est le caractère. Vous devinez, ô amateurs, connaisseurs et marchands, qu'il s'agit de la collection de Pons! Il suffira d'assister à une conversation tenue chez

le comte Popinot, qui montrait, il y a peu de jours,
sa magnifique collection à des étrangers.

« Monsieur le comte, disait un étranger de distinction, vous possédez des trésors!

— Oh! milord, dit modestement le comte Popinot, en fait de tableaux, personne, je ne dirai pas
à Paris, mais en Europe, ne peut se flatter de rivaliser avec un inconnu, un Juif nommé Elie Magus,
vieillard maniaque, le chef des tableaumanes. Il a
réuni cent et quelques tableaux qui sont à décou-
rager les amateurs d'entreprendre des collections.
La France devrait sacrifier sept à huit millions et
acquérir cette galerie à la mort de ce richard...
Quant aux curiosités, ma collection est assez belle
pour qu'on en parle...

— Mais comment un homme aussi occupé que
vous l'êtes, dont la fortune primitive a été si loya-
lement gagnée dans le commerce...

— De drogueries, dit Popinot, a pu continuer
à se mêler de drogues...

— Non, reprit l'étranger, mais où trouvez-vous
le temps de chercher? Les curiosités ne viennent
pas à vous...

— Mon père avait déjà, dit la vicomtesse Popinot, un noyau de collection, il aimait les arts, les
belles œuvres; mais la plus grande partie de ses
richesses vient de moi!

— De vous! madame?... si jeune! vous aviez ces
vices-là », dit un prince russe.

Les Russes sont tellement imitateurs, que toutes
les maladies de la civilisation se répercutent chez

eux. La bricabracomanie fait rage à Pétersbourg,
et par suite du courage naturel à ce peuple, il
s'ensuit que les Russes ont causé dans l'*article*,
dirait Rémonencq, un renchérissement de prix
qui rendra les collections impossibles. Et ce
prince était à Paris uniquement pour collectionner.

« Prince, dit la vicomtesse, ce trésor m'est échu
par succession d'un cousin qui m'aimait beaucoup
et qui avait passé quarante et quelques années,
depuis 1805, à ramasser dans tous les pays, et prin-
cipalement en Italie, tous ces chefs-d'œuvre...

— Et comment l'appelez-vous? demanda le milord.

— Pons! dit le président Camusot.

— C'était un homme charmant, reprit la présidente de sa petite voix flûtée, plein d'esprit, original, et avec cela beaucoup de cœur. Cet éventail
que vous admirez, milord, et qui est celui de
Mme de Pompadour, il me l'a remis un matin en
me disant un mot charmant que vous me permettrez de ne pas répéter... »

Et elle regarda sa fille.

« Dites-nous le mot, demanda le prince russe,
madame la vicomtesse.

— Le mot vaut l'éventail!... reprit la vicomtesse
dont le mot était stéréotypé. Il a dit à ma mère
qu'il était bien temps que ce qui avait été dans
les mains du vice restât dans les mains de la
vertu. »

Le milord regarda Mme Camusot de Marville

d'un air de doute extrêmement flatteur pour une femme si sèche.

« Il dînait trois au quatre fois par semaine chez moi, reprit-elle, il nous aimait tant! nous savions l'apprécier, les artistes se plaisent avec ceux qui goûtent leur esprit. Mon mari était d'ailleurs son seul parent. Et quand cette succession est arrivée à M. de Marville, qui ne s'y attendait nullement, M. le comte a préféré acheter tout en bloc plutôt que de voir vendre cette collection à la criée; et nous aussi nous avons mieux aimé la vendre ainsi, car il est si affreux de voir disperser de belles choses qui avait tant amusé ce cher cousin. Elie Magus fut alors l'appréciateur, et c'est ainsi, mi-lord, que j'ai pu avoir le cottage bâti par votre oncle, et où vous nous ferez l'honneur de venir nous voir. »

Le caissier du théâtre, dont le privilège cédé par Gaudissart a passé depuis un an dans d'autres mains, est toujours M. Topinard; mais M. Topi-nard est devenu sombre, misanthrope, et parle peu; il passe pour avoir commis un crime, et les mauvais plaisants du théâtre prétendent que son chagrin vient d'avoir épousé Lolotte. Le nom de Fraisier cause un soubresaut à l'honnête Topinard. Peut-être trouvera-t-on singulier que la seule âme digne de Pons se soit trouvée dans le troisième dessous d'un théâtre des boulevards.

Mme Rémonencq, frappée de la prédiction de Mme Fontaine, ne veut pas se retirer à la cam-pagne, elle reste dans son magnifique magasin du

boulevard de la Madeleine, encore une fois veuve.
En effet, l'Auvergnat, après s'être fait donner par
contrat de mariage les biens au dernier vivant,
avait mis à portée de sa femme un petit verre de
vitriol, comptant sur une erreur, et sa femme, dans
une intention excellente, ayant mis ailleurs le
petit verre, Rémonencq l'avala. Cette fin, digne de
ce scélérat, prouve en faveur de la Providence que
les peintres de mœurs sont accusés d'oublier, peut-
être à cause des dénouements de drames qui en
abusent.

Excusez les fautes du copiste!

                        Paris, juillet 1846 — mai 1847.

IMPRIMERIE UNION-RENCONTRE - MULHOUSE
Illzach (Haut-Rhin) - Imprimé en France
2991/102 - Dépôt légal No 8401, 2e trimestre 1969
LE LIVRE DE POCHE - 6, avenue Pierre Ier de Serbie - Paris.
30 - 23 - 0989 - 06

21092

30/0989/1